# LA DESCENTE

www.lemasque.com

Tim Johnston

# LA DESCENTE

*Traduit de l'anglais (États-Unis)*
*par Emmanuelle Aronson*

ÉDITIONS DU MASQUE
17, rue Jacob 75006 Paris

Titre original
*Descent*
publié par Algonquin Books of Chapel Hill

Couverture : © Ebru Sidar / Arcangel Images
Conception graphique : Louise Cand

ISBN : 978-2-7024-4244-9

Je dédie ce livre à vos filles,
et aux miennes.

*Notre échange mutuel était de l'innocence pour de l'innocence ;*
*nous ne connaissions pas l'art de faire du mal, non : et nous*
*n'imaginions pas qu'aucun homme en fît.*

William Shakespeare

*Qu'elle reçoive le don de beauté,*
*mais non celle qui subtilise l'œil d'un étranger.*

W.B. Yeats

# La vie d'avant

Elle s'appelait Caitlin, elle avait dix-huit ans, et les battements de son propre cœur la réveillaient parfois, s'accélérant alors qu'en rêve elle participait à une course où la ligne d'arrivée s'éloignait toujours plus au lieu de se rapprocher, où les genoux se dérobaient, et où les pieds devenaient lourds comme des pierres. Réveillée en sursaut, la poitrine serrée par des bras fantômes, elle resta allongée sous les draps, haletante, les yeux fixant la pénombre. Elle tendit la main et appuya sur l'écran de sa montre qui s'alluma, bleu, tel un œil où clignotaient ses véritables paramètres physiques, qu'elle rêve ou qu'elle soit éveillée : *rythme cardiaque 86 bpm, température 37.8 °C, vitesse (0), altitude 2 747 mètres.*

*Altitude 2 747 mètres ?*

Elle parcourut la chambre du regard, les quelques meubles dont les formes sombres se dessinaient dans la faible lueur filtrant des doubles rideaux. À sa gauche, dans le lit jouxtant le sien, était allongée sa mère, éventail de cheveux blonds s'étalant sur l'oreiller blanc. Dans la chambre attenante, de l'autre côté du mur, dormaient son père et son frère. Deux pièces, quatre lits, pas de discussion : elle ne partagerait pas de chambre avec son frère de quinze ans, ni lui avec elle.

L'écran de sa montre s'illumina de nouveau et une sonnerie retentit ; elle l'interrompit d'une pression entre le pouce et l'index. Elle consulta son pouls : encore rapide, mais ce n'était plus à cause du rêve, c'était l'air à 2747 mètres.

Les Rocheuses !

Lorsqu'elle les avait vues pour la première fois, depuis la voiture, son cœur s'était mis à palpiter et les muscles de ses jambes s'étaient contractés. Dans quelques semaines, elle commencerait l'université, elle avait obtenu une bourse grâce à ses résultats sportifs, et même si elle n'avait perdu aucune course durant sa dernière année de lycée (COURTLAND INVAINCUE ! avait titré le journal), elle savait que les filles à la fac seraient plus rapides et plus fortes, plus expérimentées et plus déterminées que celles avec lesquelles elle avait couru jusqu'alors, et elle avait choisi la montagne précisément pour cette raison.

Dans la salle de bains, elle s'aspergea le visage d'eau, se lava les dents, attacha soigneusement ses cheveux en queue de cheval, et fixa le miroir. Pas par vanité. Elle cherchait à déchiffrer ce qu'il y avait dans le regard de cette fille, comme elle le ferait avec n'importe quelle autre, pour savoir comme la battre.

Elle regagna la chambre et crut une seconde que sa mère, réveillée, l'observait de son lit. En réalité, les paupières étaient closes, pâles et rondes dans la faible lueur – l'effet était troublant, on aurait dit le regard d'une statue, un regard aveugle. Caitlin ouvrit la porte qui communiquait avec l'autre chambre, identique à la première, elle y pénétra, et toucha l'épaule de son frère pour le réveiller.

Le soleil était encore dissimulé derrière les cimes, et la ville attendait dans une flaque d'ombre froide. Les ours bruns qui descendaient la nuit pour piller les poubelles et déambuler sur les trottoirs avaient tous regagné les hauteurs. Les rues étaient désertes. Personne pour les voir passer sous le feu tricolore, personne sauf eux pour entendre le lent clignotement du globe central.

Caitlin ne courait pas encore mais marchait à vive allure, levant haut les pieds telle une majorette ouvrant un défilé. Son frère la suivait en zigzaguant derrière elle sur un vélo de location. Le garçon voulait retourner à l'hôtel prendre un pull, mais on était en juillet, lui rappela-t-elle, et ça allait se réchauffer.

Il s'appelait Sean mais elle le surnommait Dudley, un sobriquet qu'il avait considéré au début comme une insulte mais qui à présent avait perdu toute signification. Ils étaient arrivés la veille, après avoir filé sur l'autoroute à travers les plaines, puis traversé Denver et gravi une route à flanc de montagne, serpentant le long du vide, leur cœur basculant dans l'immensité du ciel, ou chavirant avec ivresse dans des étendues vertes sans fond, les forêts de sapins s'étalant sur les pentes à perte de vue. Ils avaient grimpé et grimpé, jusqu'à la ligne continentale de partage des eaux, avant de redescendre à 2700 mètres, où le complexe hôtelier avait surgi soudain tel un mirage dans ce paysage de montagne. Avec son décor hivernal – boutiques de matériel de ski et cafés – au beau milieu de l'été. Les télésièges pendaient, vides, au-dessus des talus verdoyants. Les couleurs étaient étonnantes à cette altitude, et jamais ils n'avaient respiré un air d'une telle qualité.

À présent, dans le matin bleuté, ils remplissaient leurs poumons de cet air et expiraient bruyamment de petits nuages blancs. L'odeur des sapins rappelait Noël. « Nous y voilà », s'émerveilla Caitlin, avant de tourner sur une route baptisée Ermine et de se mettre à courir franchement. Son frère accéléra lui aussi.

Pas mal, songea-t-il d'emblée. L'asphalte était lisse et large, bordé de part et d'autre d'une ribambelle de pistes de ski. Mais très vite la côte devint plus raide, les arbres plus denses et plus proches, et le vélo fut secoué de spasmes mécaniques tandis que le garçon maudissait le dérailleur. Il se dressa sur les pédales et, bouche ouverte, aspira à grandes bouffées. Là où son ventre débordait de son short, la sueur perlait, chaude et satinée. Devant lui, sur la route, la silhouette pâle de sa sœur rétrécissait et ressemblait à un lutin taquin filant sur ses longues jambes. « Ralentis ! » cria-t-il, hors d'haleine, puis il regarda ses cuisses frémissantes. À nouveau, ce fut comme avoir des raquettes aux pieds : Caitlin marchant d'un pas lourd devant lui sur le lac, tandis qu'il suait sang et eau derrière, les vieilles raquettes en bois se heurtant l'une contre l'autre et le faisant trébucher – son corps inerte dans la neige, avec la masse sombre du lac stagnant sous la mince couche de glace, et Caitlin, les joues rouges, surgissant soudain et se baissant pour lui tendre la main. *Allez, Dudley, arrête de traîner...*

Lorsqu'il leva à nouveau les yeux, elle s'était arrêtée, et il la rejoignit. Il mit pied à terre : « Nom de Dieu, Caitlin... » lâcha-t-il, s'efforçant de ne pas chercher désespérément à reprendre son souffle. Son cœur cognait dans sa poitrine.

« Chut », souffla-t-elle. Elle aussi avait du mal à respirer mais elle restait souriante. Ses poumons en feu et son cœur battant la chamade étaient pur bonheur pour elle. À la maison, sur un des murs de sa chambre, les rubans qui couronnaient ses performances se déployaient en éventail comme une aile d'oiseau multicolore. « Tu l'as vu ? chuchota-t-elle.

— Quoi ?

— Là-haut.

— Quoi ?

— Juste au bord de la route. Là-bas. »

Alors il le repéra : un petit chien roux avec une queue épaisse. Non, pas un chien, en fait. Quelque chose de plus sauvage, avec de petits yeux noirs et d'immenses oreilles à l'affût.

« C'est quoi ? fit-il.

— Un renard je crois.

— Qu'est-ce qu'il a dans la gueule ?

— Je ne sais pas.

— C'est un petit, dit-il. C'est sûrement son petit.

— Non, il y a du sang.

— Elle l'a tué alors. Ils font ça parfois. »

Ils observèrent l'animal, et il les observa, puis il fit volte-face et, le petit corps toujours entre les crocs, remonta la route en trottinant avant de disparaître.

Le garçon dégagea le sac à dos de ses épaules et fourragea à l'intérieur à la recherche des gourdes. Caitlin ne s'était pas arrêtée à cause du renard mais parce qu'elle était tombée sur une intersection et ne savait quelle direction prendre. Elle se souvint du jeune homme aux doigts tachés de graisse, dans le magasin de vélo – il avait aussi un tatouage d'araignée aux yeux vert pomme dans le cou –, lui précisant qu'il y aurait des panneaux, mais ce n'était pas le cas, pas ici du moins.

Ils pressèrent leur gourde pour faire jaillir de l'eau froide dans leur bouche et Sean enleva son casque. Ils déplièrent une carte.

« Par là », décréta-t-elle, et il leva les yeux vers le chemin en terre qu'elle désignait du doigt. Il secoua la tête. « Non, c'est pas possible. » Ils s'étaient promis de rester sur les routes goudronnées, les petites routes, affirma-t-il, et elle le regarda : son visage rouge et sérieux, la houppette de cheveux gras qui se dressait sur sa tête à cause du casque. Difficile parfois de se souvenir qu'il avait quinze ans et non douze, ou dix, ou même sept ans.

Elle vérifia son pouls : il battait vite même si elle restait immobile. Ils étaient à 2 821 mètres.

« Dudley, dit-elle, fourrant sa gourde dans le sac. Est-ce que tu n'as pas loué un vélo tout terrain pour pouvoir rouler sur n'importe quelle route ? »

Le soleil inondait désormais la vallée, et un rayon jaune traversa l'interstice entre les rideaux, éclaira le lit et les paupières de l'homme allongé. Au bout d'un moment, celui-ci se tourna et cligna des yeux, s'efforçant de déchiffrer ce qu'affichait le réveil matin : 7 h 15.

Une chambre de motel. Dans le Colorado. À sa droite, l'autre lit, défait et vide.

Dans la salle de bains, la brosse à dents du garçon gisait au bord du lavabo dans une flaque d'eau. L'homme, qui s'appelait Grant Courtland, s'aspergea puis se sécha le visage avant de regagner la chambre pour ouvrir les rideaux. Le ciel était d'un bleu très pâle, quelques petits nuages blancs glissaient sur les sommets. Une beauté à couper le souffle. Une véritable carte postale. Au loin, un oiseau planait paisiblement dans les courants ascendants, et soudain il plongea, telle une balle, entre les arbres. L'homme attendit qu'il réapparaisse dans le ciel, mais non.

Il ne savait pas vraiment où se trouvaient ses enfants, géographiquement parlant. Peut-être près de cette montagne là-bas, ces arbres, qui semblaient si proches. La veille, ils avaient tous examiné les cartes, mais Grant n'y avait pas véritablement prêté attention ; il s'agissait de leur aventure, c'était à eux de s'organiser et d'y aller. Dans quelques semaines, Caitlin commencerait la fac dans le Wisconsin, elle avait obtenu une bourse d'études grâce à ses résultats sportifs, et les montagnes, c'était son idée, son choix, son cadeau de fin de lycée.

La faculté. Déjà.

Il scruta la nature qui s'étendait à perte de vue, puis il crut apercevoir quelque chose – un éclat chromé, le reflet blanc d'une chaussure de course à pied. Mais il n'y avait rien, bien sûr, seulement le vert et encore le vert des conifères.

Il s'empara de son téléphone portable, pianota quelques secondes, hésita, le doigt au-dessus du bouton Envoyer. Le rêve qu'il avait fait lui revint – en partie : la main fraîche et baladeuse d'une femme, c'était tout, mais Seigneur.

Il posa son téléphone et le fixa. Au bout d'un moment, il enfila un jean, un tee-shirt, et, pieds nus, il pénétra dans la chambre adjacente.

Le chemin devenait de plus en plus étroit, moins une piste à présent qu'une espèce de sentier serpentant à travers la montagne, et pour finir il s'effaça tout bonnement pour faire place à une rigole, une tranchée de pierres polies, pareil au lit à sec d'un ruisseau creusé par des eaux imaginaires, dévalant sans cesse la pente.

« Ce n'est pas juste », lança Sean à la rigole.

Devant lui, sa sœur avançait, bondissant d'une pierre à l'autre tel un cabri.

Il redoubla d'efforts, respirant bruyamment, le corps tremblant et la mâchoire frémissante. Pour finir il lâcha : « Et merde ! » et s'arrêta brusquement, laissa tomber son vélo sur les pierres, et s'éloigna en titubant.

« Caitlin ! » hurla-t-il.

Il se sentait à la fois énorme et léger. Ses jambes firent un écart inattendu. Une créature volante heurta son casque, poussa un cri perçant à ses oreilles et disparut. « Saloperie », siffla-t-il.

Il ramassa son vélo et le poussa tant bien que mal sur les pierres, mais quelque chose l'attaqua à nouveau – cette fois sous son sac à dos, ça vibrait. Il lâcha le vélo, se libéra précipitamment des bretelles avant de comprendre qu'il s'agissait d'un téléphone, et le temps qu'il ouvre son sac et s'en empare, l'appareil s'était tu. Il consulta l'écran dans l'attente d'un nouveau message, mais rien. Il vérifia aussi l'autre, le sien, puis remit les deux dans le sac à dos.

Il se ravisa cependant et reprit celui de sa sœur. Il resta une minute debout, le portable couleur rubis à la main, scruta encore la rigole, puis s'assit sur une pierre et ouvrit la boîte de réception pour parcourir les messages. La chose la plus intéressante était les noms : *Colby. Allison. Natalie. Amber.* Autant de filles minces et athlétiques qui se pointaient en shorts baggy et hauts moulants pour boire ses Coca *light* et aller et venir bruyamment dans les escaliers, pieds nus. Des filles qui laissaient leurs empreintes dans les fauteuils et leurs odeurs sur les coussins et dans les plis des tissus. Des filles qui textotaient et riaient et parlaient constamment – constamment. La fois où il s'était tapi près de la fenêtre du sous-sol et avait entendu Allison Chow raconter aux autres comment le gros truc de son petit copain l'avait presque choquée. La fois où, en entrant dans la salle de bains, il était tombé sur Colby Wilson, les cuisses à l'air, assise sur les toilettes. Le short de sport baissé sur les chevilles.

*Sympa de frapper, gras du bide.*

Il était plus proche du bout de la rigole qu'il ne croyait et lorsqu'il y parvint, il trouva une route, une pente d'asphalte identique à celle qu'il avait empruntée au début. Ou était-ce la même ? Un panneau indiquait CO RD. 153, le soleil lui chauffait le cou, le silence régnait dans les sapins alentour, et rien d'autre. Au-dessus de lui, la route partait vers la droite avant de disparaître, et au-dessous elle semblait tomber à pic comme une falaise. Tout son être, chacune de ses cellules, avait envie d'aller dans cette direction – *descendre* : la vitesse, la brise, et le long trajet sans effort grâce à la pesanteur. Mais ce n'est pas ce qu'elle ferait, elle ne descendrait pas, maudite frangine, et il tourna son guidon, se dressa sur les pédales et se remit à grimper.

Après quelques mètres, une chose surgit des arbres juste devant lui et, terrifié, il hurla et sauta de son vélo. Presque immédiatement il entendit son rire de primate, et il se sentit rougir jusqu'aux oreilles.

« T'es malade ou quoi ? fulmina-t-il.

— Oh, Dudley, fallait voir ta tête ! »

Il releva le vélo tombé sur le bitume.

« Je n'aurais jamais cru que tu pouvais aller aussi vite, s'exclama-t-elle.

— Je n'aurais jamais cru que tu pouvais être aussi conne », répliqua-t-il.

Elle cessa de rire. Et dans le silence, la voix d'un homme retentit – venant de nulle part. Ou de partout. En réalité, cela venait manifestement de la pente en contrebas, et deux silhouettes apparurent soudain, casquées et voûtées sur leurs vélos ; un homme et une femme. L'homme se tut, et les deux, silencieux et essoufflés, les regardèrent, visages luisants levés dans leur direction. La femme était plus jeune que l'homme, elle avait peut-être l'âge de Caitlin, et elle sourit à Sean. À la place d'un de ses mollets, son compagnon portait une sorte de barre noire fichée dans une pédale spéciale, de sorte qu'il était difficile de savoir où finissait le vélo et où commençait l'homme.

Celui-ci fit “Salut”, et Sean répondit “Salut”. Lorsqu’ils eurent disparu dans la courbe, Cailtin dit :

« Tu m’as traitée de quoi ? »

Le visage de Caitlin était en feu. Celui de Sean aussi.

« Putain, Caitlin, je te cherchais. On avait dit qu’on se perdait pas de vue, non ? »

Elle lui jeta un regard noir. Puis, elle détourna les yeux et secoua la tête. Elle ajusta l’élastique de sa queue-de-cheval, et s’avança vers lui. Il recula. Elle n’avait pas arrêté de surveiller sa progression, affirma-t-elle, elle savait exactement où il se trouvait, tout du long. Pour qui il la prenait à la fin ?

Les deux lits dans la chambre contiguë étaient vides et défaits, les draps rabattus comme si une tornade était passée par là. Il faisait chaud à présent dans la pièce, si froide pourtant lorsque les filles s’y étaient installées, et il régnait une odeur vaguement désagréable de parfum et de sueur mêlés. Grant vérifia que le chauffage était éteint puis se dirigea vers l’entrée, face à la porte de la salle de bains, où deux valises ouvertes sur le support à bagages exposaient leurs contenus faciles à différencier au premier coup d’œil, par les couleurs et la coupe des sous-vêtements, soutiens-gorge et culottes.

De la vapeur s’échappait par la porte entrouverte de la salle de bains. Le frottement d’une brosse à dents. Il poussa le battant et elle se tenait là, enveloppée dans une serviette de toilette, occupée à se laver patiemment les dents. Elle aurait pu avoir vingt ans à nouveau, avec cette serviette. L’université. Son petit appartement dans Fairchild, au-dessus du four d’une boulangerie. Les matins d’hiver au lit avec l’odeur de son corps et celle du pain en train de cuire. Elle avait une sœur jumelle prénommée Faith qui s’était noyée lorsqu’elles avaient seize ans et curieusement cela le fascinait. Il lisait à l’époque, de la littérature, de la poésie. Puis, il y avait eu la grossesse, les factures, un bébé. Il s’était mis à travailler dans le bâtiment et elle avait poursuivi ses études ; parfois, elle emmenait la petite en cours, lorsque Mme Turgeon était malade. Le bébé a dix-huit ans maintenant. C'est une jeune femme, qui va aller à la fac, elle aussi. Elle file comme le vent et le cœur de son père s'emballe chaque fois qu'elle court : *Mon Dieu, regardez-la, mon Dieu, faites qu'elle ne tombe pas.*

« La ventilo ne marche pas », articula tant bien que mal Angela, la brosse à dents dans la bouche, et il s'approcha d'elle par derrière, son visage surgissant près du sien dans le coin essuyé du miroir. Ses cheveux étaient mouillés, lourds, séparés en plusieurs mèches parfumées soigneusement peignées.

« Ils t'ont appelée ? » demanda-t-il. Elle se pencha pour cracher, lui donnant au passage un coup de fesses. Elle se rinça la bouche, brossa, se pencha derechef. « Pas encore, fit-elle. Mais il est tôt. » Elle se redressa et surprit ses yeux dans la glace. « On a encore une heure, je dirais. Au moins.

— Tu en as oublié. » Il effleura le coin de sa bouche pour lui montrer et elle l'imita. « Il faut que tu rinces mieux », ajouta-t-il.

Elle sourit, s'inclina vers le robinet ouvert, avec au passage un autre coup de reins, et il rassembla ses mèches mouillées en queue-de-cheval pendant qu'elle avalait une gorgée d'eau. Elle ferma le robinet, et posa les deux mains à plat de part et d'autre du lavabo. Il souleva la serviette blanche jusque dans le creux de son dos et baissa les yeux. Ses fesses étaient si blanches, si douces.

« Grant », fit-elle.

Ses mains posées sur elle auraient pu être forgées dans un four, énormes et sombres, posées là pour refroidir et durcir sur cette surface pâle.

« Oui, souffla-t-il.

— Allons dans le lit. J'ai envie de voir ton visage. »

Caitlin avait trouvé quelque chose en l'attendant, et maintenant elle était repartie vers les sapins et Sean la suivait. Bientôt, ils ne furent plus entourés que de troncs blancs de trembles.

Une forêt dans la forêt. Le sentier serpentait entre les trembles et les fit soudain déboucher dans une petite clairière, une grotte végétale dans laquelle se trouvait, comme si elle attendait leur arrivée, une Vierge Marie. Grande, lisse, d'un blanc immaculé. Une carapace de pierre et de mortier avait été construite autour d'elle, des pierres rondes comme celles sur lesquelles Sean avait juré tant qu'il pouvait dans la rigole. Deux doigts de sa main droite levée en signe de bénédiction étaient amputés à la deuxième phalange, ce qui lui donnait un air incrédule plutôt que bienfaiteur, comme si elle avait été sculptée dans l'instant précédant le sang et la panique.

« T'as vu ça ? lança Sean en désignant la statue.

— Je sais. Comme papa.

— Qu'est-ce que ça fout là ?

— J'imagine que c'est en rapport avec ces trucs-là », dit-elle, et elle désigna des pierres tombales fichées de guingois dans la terre telles des dents, fines et crayeuses.

Près de la Vierge se trouvait un banc, ils s'assirent pour boire de l'eau et manger des barres énergétiques.

« C'était qui, tu crois, ces gens ? » demanda-t-il, et elle haussa les épaules avant de répondre :

« Des colons.

— Qui faisaient partie de l'expédition Donner.

— Pas les bonnes montagnes. Tiens, regarde, il y a une plaque. » Elle écarta les broussailles à la base de la Vierge pour dévoiler une plaque de bronze portant des inscriptions vert-de-gris :

*Le bon révérend Tobias J. Fife,*
*évêque de Denver, octroie dans sa grande miséricorde,*
*au nom du Seigneur, quarante jours de grâce*
*à ceux qui se rendent au sanctuaire des bois*
*pour prier,*
*1938.*

« Le bon révérend, murmura Caitlin, j'adore.

— C'est quoi, quarante jours de grâce ?

— Ça veut dire que tu n'as pas besoin de prier pendant quarante jours, je crois. Comme des vacances.

— Ça veut peut-être dire que tu es en sécurité pendant quarante jours. Genre rien ne peut t'arriver de mal.

— Peut-être. Passe-moi mon téléphone. »

Il tâtonna dans le sac et lui tendit son portable rouge. Elle vérifia si elle avait des messages, puis brandit l'appareil et prit le sanctuaire en photo.

Une brise fit frémir les feuilles de trembles. Sean mâcha une bouchée de barre énergétique, eut un haut-le-cœur et Caitlin lui dit que ce n'était pas parce qu'elle lui suggérait de manger cette barre qu'il fallait qu'il se force.

Elle haussa un sourcil en le regardant. « Arrête. Je m'en fiche. »

Il hésita, puis fourra la barre énergétique dans le sac à dos et plongea la main dans la grande poche latérale de son short. Il en sortit un gros Snickers et le déballa.

« T'en veux ? » fit-il. Elle s'empara de la barre de chocolat, ouvrit grand la bouche comme pour la gober entièrement, mais n'en prit en fin de compte qu'un petit morceau du bout des dents. Il dévora le reste en trois énormes bouchées, mâchant bruyamment, bouche ouverte. Il avala une longue gorgée d'eau, puis reprit son souffle. Il pianota sur le sac à dos et regarda les doigts de la Vierge. Leur mère croyait en Dieu mais leur père leur avait suggéré de se faire leur propre idée.

« Caitlin.

— Quoi ?

— Tu crois que papa trompe maman ? »

Elle s'écarta de lui, puis le dévisagea.

« Quoi ? répéta-t-elle.

— T'as pas l'impression qu'il se comporte bizarrement depuis quelque temps ?

— Dudley, il se comporte *toujours* bizarrement. Comment tu passes de ça à *tromper maman* ? »

Sean balaya les bois du regard. « J'ai vu quelque chose. Il y a un moment », répondit-il. C'était dans le bureau de leur père, dans le bâtiment en tôle derrière la maison où il gérait les affaires de l'entrepreneur pour lequel il travaillait. Sean y allait de temps à autre pour se faire de l'argent de poche – nettoyer, balayer, ranger les outils. Ce jour-là, une des malles avait été fermée et il avait rebroussé chemin pour prendre la clé et la porte du bureau était restée ouverte et…

« Et quoi ? fit Caitlin.

— Et il était là. Avec une fille.

— Une fille ?

— Une femme. Assise sur son bureau. Elle portait une jupe. »

Caitlin attendit. « Et quoi d'autre ?

— Rien.

— C'est tout ce qu'elle portait ?

— Non… c'est tout ce que j'ai vu.

— Mon Dieu, Sean. » Elle posa une cheville sur sa cuisse, défit les lacets, enleva sa chaussure et la secoua comme si elle était pleine de coléoptères. Ensuite, elle passa la main dans l'intérieur humide, la huma avant de se rechausser. « Et après, qu'est-ce qui s'est passé ?

— Rien. La fille, enfin la femme, s'est levée, elle m'a serré la main et elle est partie. Il m'a expliqué que c'était une cliente.

— Alors pourquoi tu as pensé qu'il trompait maman ?

— Je sais pas. Merde. » Il referma brusquement le sac et garda les yeux rivés dessus. « Laisse tomber, d'accord ? Allons-y. »

Caitlin se leva et l'observa. « Arrête de te ronger les ongles. Ça craint. » Elle s'épousseta le derrière puis se dirigea vers les tombes.

Sean regarda la Vierge, se leva et suivit sa sœur.

Celle-ci s'arrêta devant le petit cimetière, les bras croisés, un coude dans chaque main. Son corps se refroidissait. Il fallait se remettre à courir. Le garçon se tenait près d'elle.

« C'était rien, fit-il. Laisse tomber. »

Elle se frictionna. Se souvint d'un poème qu'elle avait lu la veille : *Je m'arrête, et je pâlis.*

Alors, elle lui raconta la fois où leur père les avait quittés, durant trois, peut-être quatre mois, même si cela avait semblé beaucoup plus long. Sean était très jeune et ne s'en souvenait sûrement pas. Leur mère avait promis qu'il n'y avait pas de quoi s'inquiéter, mais Caitlin avait entendu comment elle lui parlait au téléphone, et elle se souvenait du visage de sa mère – ce nouveau visage qu'elle ne lui connaissait pas. Elle se souvenait aussi de ce qu'elle avait dit au téléphone, mais elle ne voulait pas le répéter à présent.

Elle garda le silence, et Sean fixa les vieilles pierres tombales. Au pied de l'une d'elles, dans l'herbe, était posé une espèce de petit bol noir, ou une soucoupe creuse. Au bout d'un moment, l'objet lui apparut tel qu'il était : le couvercle en plastique d'un gobelet de café. Un déchet, le seul, ayant atterri là, précisément devant cette pierre et à cette altitude.

« Quand finalement il est rentré à la maison, reprit Caitlin, il avait perdu ses doigts. J'ai toujours pensé que c'était pour ça qu'il était rentré ; parce que là où il se trouvait, on perdait des doigts. » Elle tressaillit sous l'effet du souvenir. Peu lui importait les doigts, ce dont elle avait besoin c'était de ses bras, de la peau râpeuse de sa mâchoire, du frisson qui la parcourait chaque fois qu'il disait : *Sauterelle, ma petite sauterelle.*

« Il m'a toujours raconté… (Sean eut un ricanement étrange.) Il m'a toujours raconté qu'ils étaient tombés à force de fumer.

— Tu l'as cru ? »

Le garçon ne répondit pas. En un instant, tout avait changé, absolument tout.

« Il va se passer quoi cette fois, tu crois ? » demanda-t-il. Caitlin lâcha un soupir qui parut faire frémir les feuilles argentées des trembles : un tintement sourd s'éleva des arbres comme si la pluie se mettait à tomber.

« Rien, répliqua-t-elle. Laisse tomber. »

Les rideaux étaient tirés mais la lumière filtrait le long du mur et vers le plafond. Nu sous les draps, Grant contemplait la couronne éclatante ainsi formée. Il somnola quelques minutes, puis se réveilla en sursaut, le cœur battant. Dans quel lit était-il ? À qui était ce bras sur son ventre ?

Il y eut alors un sursaut, un spasme, et Angela dit : « Non », et il fit : « Tout va bien », en lui touchant l'épaule. Autrefois, elle lui avait raconté un rêve qu'elle faisait depuis longtemps, dans lequel une voix l'enjoignait de rejoindre sa sœur. *Laquelle ?* demandait-elle à la voix, *quelle sœur ?* mais sa question restait sans réponse.

« … quoi ? » Elle leva la tête, ouvrit ses yeux marron.

« Tu as dit non. »

Elle écarta les cheveux de son visage, quelques-uns étaient même collés sur ses lèvres. « Ah bon ?

— Oui. »

Elle se tourna pour poser la tête sur la poitrine de Grant. Elle respira. Quelque part une porte claqua et une joyeuse cavalcade fit trembler le couloir. Multitude de petits pieds pressés de gagner la piscine. Bruyantes voix estivales.

« Ça va être bizarre, non ? » fit-elle. Elle regardait au-delà de lui, en direction de l'autre lit. L'amoncellement de draps froissés, donnant l'illusion qu'il y avait un corps en dessous. Elle étala la main sur sa poitrine.

« Quoi ?

— Tu sais bien. »

Grant se tourna vers le lit vide. « C'est passé si vite, articula-t-il.

— C'est ce que tout le monde dit : on ne peut pas croire à quel point ça passe vite. Et dans quelques années, Sean aussi. » Elle soupira.

Elle tapota à deux reprises un doigt sur sa poitrine, comme pour lui faire signe. Puis réitéra.

« N'y pense même pas, Angela.

— On n'est pas trop vieux. Pas moi.

— Moi, si, répliqua-t-il.
— Non, ça conserve, il paraît. »

Dans la pièce d'à côté, une femme fut prise d'une violente quinte de toux. Une télé s'alluma, la voix d'un présentateur annonçant d'urgence quelque événement dans le monde.

« Ils ont économisé sur les murs ici, remarqua Grant.
— J'ai crié fort tout à l'heure ?
— Je m'en fous. »

Il bascula ses jambes hors du lit et s'assit au bord, un pan de drap lui couvrant les cuisses. Sa jambe droite se balança dans le vide.

« Il n'y a rien à faire, Grant. Tu es dans le pays magique où personne ne travaille. »

Il resta silencieux. Puis il dit : « Quoi ? »

Elle chercha à attraper une bouteille d'eau sur la table de nuit et il la lui tendit. « Ils seront bientôt de retour, déclara-t-elle. Il ne faudrait pas qu'ils nous surprennent au lit… » Elle lui rendit la bouteille. « N'est-ce pas ? »

Il avala une gorgée, son cœur battait la chamade. Sur la table de nuit, il y avait un livre, petit, relié, et posé ouvert, pages contre la surface plane. Il le souleva, le ferma, le pouce glissé à l'intérieur pour ne pas perdre le passage, et lut la couverture.

« Tu lis ça ?
— C'est Caitlin.
— Elle l'a eu où ?
— Quelqu'un lui a donné.
— Qui ?
— Je ne sais pas.
— C'est D.H. Lawrence. Tu savais ?
— Oui. Et alors ?
— Et alors, j'ignorais qu'elle lisait ce genre de choses. » Il ouvrit le livre et lut en silence les lignes à gauche de son pouce :

*Quand le souffle du vent écarte son voile*
*Et découvre son rire,*
*Je m'arrête, et je pâlis.*

Quelque chose remua en lui et il se souvint d'elle enfant. Petite et chaude, lovée au creux de son bras, son odeur de propre embaumant son cœur tandis qu'il lui lisait : *Oh, mais où il est mon petit bout manquant, où il est mon petit bout manquant, aïe, dee, hoo, aïe dis où il est mon petit bout manquant.* Sa concentration absolue chaque fois : sa petite main posée sur son avant-bras, se levant pour glisser des cheveux derrière son oreille, se gratter le nez – et lui se sentant abandonné, démuni jusqu'à ce que la paume légère reprenne sa place.

Il reposa soigneusement le livre, face contre table.

« Quel genre de choses ? fit Angela.

— De la poésie. »

Il pivota pour regarder sa femme. « Et tu trouves ça drôle ? »

Angela haussa les épaules. Elle secoua la tête. Alors qu'elles étaient allongées toutes les deux, la veille, Caitlin avait lu un des poèmes à la lumière de la lampe de chevet, en murmurant presque, un poème plein de baisers et d'étreintes. Angela avait eu envie de lui caresser les cheveux, étendues ainsi dans le lit comme deux sœurs. Elle aurait presque pu. Avec Caitlin, les choses avaient été différentes, elles ne s'étaient pas passées comme la plupart du temps entre mère et fille : pas de cris, pas de portes qui claquent durant l'adolescence, pas de terrible et traditionnelle guerre domestique. Sa fille avait échappé à tout cela. Ils savaient combien ils avaient de la chance.

« Est-ce qu'on les appelle ? demanda Angela.

— Dans une minute.

— On ferait mieux de les appeler.

— Je vais d'abord ouvrir les rideaux.

— Je sais, dit-elle. Je suis prête. »

Elle resta allongée encore un peu pour s'habituer à la lumière, scrutant sa silhouette, statue nue en contre-jour face au monde. Il y avait quelque chose dans le fait d'être ailleurs qui rendait tout, même le plus familier, étrange. Au bout d'un moment, elle le rejoignit, lui enlaça la taille, et se pressa contre lui. Sa peau ne sentait plus la fumée, ni l'alcool, mais seulement lui.

« Quelqu'un va nous voir », glissa-t-elle, mais il n'y avait personne, juste le ciel et les montagnes, se succédant dans un dégradé de verts. Les sommets les plus lointains d'une hauteur dépassant l'entendement.

« C'est incroyable, non ? Tu imagines comment c'était, il y a deux cents ans. Pas de routes, pas d'aires de repos. Juste ce vaste et sauvage… inconnu. Comme une autre planète. Pas étonnant que les hommes l'aient tellement convoité.

— Les hommes, répéta-t-il d'un air absent, pas les femmes ? » Il tenait à la main le téléphone d'Angela, parcourant le menu.

« Oh oui, tu crois que la femme du dix-neuvième avait envie de charger ses neuf gamins dans un chariot et de leur faire traverser les Rocheuses ? » Elle le libéra et lui donna une petite claque sur les fesses en partant vers la salle de bains. « Tape quinze. Ou dix-huit », lança-t-elle. Il se retourna et dit : « Tu fais toujours ça ?

— J'arrêterai quand elle aura vingt ans. Je me prendrai un bon coup de vieux. »

Il hésita avant de composer le code, ses yeux parcourant distraitement le sol. *Enfile un putain de short, au moins, avant de lui parler*, songea-t-il, et une image de sa fille surgit dans son esprit : pâle, ses longues jambes sur la piste noire, et cette allure, si légère, une illusion d'apesanteur, l'illusion de ne jamais vraiment atterrir, mais avec quelque chose de terrible aussi lorsqu'elle rattrapait une fille. L'instant d'après, un autre téléphone se mit à vibrer sur une table quelque part et Angela s'exclama de la salle de bains : « C'est eux ! » avant de se précipiter dans l'autre chambre. Grant la suivit mais elle avait déjà décroché. Il s'immobilisa sur le seuil et observa. Son pouls palpitait au bout de ses doigts amputés.

Elle fit la grimace en lisant le numéro. Le téléphone vibra à nouveau dans sa main.

« Angela », souffla-t-il.

Elle leva l'appareil et dit : « Allô ? » Tournée dans sa direction, mais les yeux dans le vide. « Allô ?... Oui, c'est son portable... Qui êtes-vous, s'il vous plaît ? »

Lentement, elle décolla le téléphone de son oreille, observa l'écran, et Grant ne put qu'assister à ce qui était en train de se produire. Il observa chaque seconde. De ce moment incroyable, irréversible.

« Elle a raccroché », déclara-t-elle, en le regardant. Ses yeux avaient déjà changé.

Il s'approcha. « Laisse-moi voir... » Mais elle se détourna de lui et se mit à pianoter sur le clavier. Il lui emboîta gauchement le pas. Il avait regagné sa confiance, petit à petit. Cela avait été comme faire revenir quelqu'un d'entre les morts. Des années d'honnêteté, des années d'amour, anéanties par un simple revirement, un échange téléphonique inconsidéré. Il ne parvenait même pas à voir le visage de la femme, son corps. Elle semblait être une création qu'ils avaient élaborée ensemble à partir de rien, avec de vieux matériaux, ici même, dans ces chambres.

Il observa son épouse, qui lui tournait le dos. D'une façon ou d'une autre, il faudrait bien qu'ils traversent cette heure, cette journée, ces vacances. Le long trajet pour rentrer à la maison.

« Angela...

— Arrête... (Elle tremblait.) Réponds, s'il te plaît. »

Le téléphone dans sa main sonnait. Depuis longtemps ? Il consulta l'écran, inquiet et incrédule.

« C'est Sean », dit-il, et sa femme demeura silencieuse.

Ils avaient quitté les trembles et marché sous un soleil intense désormais haut dans le ciel, leurs ombres se projetant derrière eux sur le bitume. Le matin s'était évaporé. L'air était sec et sentait la sève suintante et les aiguilles brunies. Ils avaient déplié la carte et tenté de s'y retrouver. Ensuite, ils avaient entendu un moteur, pour la première fois depuis qu'ils étaient partis, puis le rythme sourd d'une musique de plus en plus forte, et pour finir, au-dessus d'eux, dans le virage, était apparue une camionnette, ou une jeep, ou quelque chose entre les deux, une marque tout terrain qu'ils ne connaissaient pas, et la voiture avança vers eux et Caitlin dit : « Viens par ici », et Sean, avec son vélo, se décala en marchant en crabe dans les broussailles et les fleurs sauvages sur le bas-côté tandis que l'étrange véhicule, scintillant et vrombissant, passait devant eux en les contournant. Par la vitre, ils avaient aperçu un visage, une mâchoire masculine, des lunettes de soleil aux verres jaunes les fixant longuement, puis l'engin avait atteint le sommet de la route pour disparaître de l'autre côté – emportant avec lui homme, moteur, musique et tout.

Ils s'étaient remis en marche, et après le virage ils avaient trouvé une autre route, en terre, croisant en X la chaussée sur laquelle ils se trouvaient, et sans hésiter ni même consulter son frère, Caitlin s'y était engagée. Même si la voie n'était pas indiquée sur la carte, et même si elle semblait devoir les mener encore plus haut au lieu de les ramener dans la vallée, il ne dit rien. Plus tard, il y repenserait. Il se souviendrait du sanctuaire des bois. Il reverrait le visage de la Vierge et sa main mutilée, levée en signe de bénédiction, et il se rappellerait avoir songé à prier, comme le bon révérend le suggérait, juste au cas où. Quarante jours, ça comptait. Mais Caitlin filait déjà sur le chemin, en direction de la route. Elle portait un haut blanc sans manche, un short blanc avec le mot BADGERS inscrit en rouge cerise sur les fesses, des Adidas rose et blanc, et pendant un moment, là, dans cet endroit, on aurait dit une sorte d'esprit blême passant son chemin. Une revenante impassible ; la brise fraîchit, les oiseaux frémirent, et les feuilles des trembles jaunirent et tombèrent.

Il porta le téléphone à son oreille et dit : « Allô, Sean », et une voix masculine répliqua : « Monsieur Courtland ? » Grant eut un bref mouvement de tête sous l'effet de la surprise.

« Oui. Qui est à l'appareil ? »

En entendant cette phrase, et en percevant le changement dans son corps, Angela fit volte-face pour voir son visage. Il croisa son regard et détourna les yeux, vers la fenêtre. L'homme au bout du fil déclina son identité, mais Grant n'entendit que le mot *shérif*.

« Que se passe-t-il ? Où est Sean ? » Il sentit une douleur sur son avant-bras et s'aperçut qu'une main le serrait fermement. Il se libéra doucement de la pression.

« Il est ici, au centre médical de Granby, monsieur Courtland, répondit le shérif. Il a été un peu amoché mais les médecins disent que ça va aller. J'ai trouvé son portefeuille et ce téléphone dans son…

— Comment ça un peu… » Grant s'interrompit et jeta un coup d'œil à Angela. « Qu'est-ce que vous voulez dire par là ?

— Eh bien, il semblerait qu'il a eu une espèce d'accident là-haut, dans la montagne, monsieur Courtland. Je n'ai pas encore pu lui parler, ils lui ont donné une bonne dose de sédatifs pour… Enfin, je vais vous passer le médecin après. Mais d'abord…

— Mais il va bien ? coupa Grant.

— Oh, sa jambe est pas mal touchée. Mais il portait un casque. Il va s'en sortir. Il a eu une sacrée chance.

— Comment ça ?

— Bah, il aurait pu rester coincé là-haut beaucoup plus longtemps, mais il se trouve que des gens en vélo sont passés par là. »

Les battements de cœur de Grant résonnaient dans son crâne. Il ne pouvait s'empêcher d'imaginer son fils, allongé par terre, blessé, là-haut, dans la montagne…

« Monsieur Courtland, poursuivit le shérif, où êtes-vous ? »

Il y avait quelque chose dans le ton de sa voix. Grant secoua la tête. « Que voulez-vous dire ?

— Bah, monsieur… On a trouvé votre garçon là-haut dans la montagne, avec un vélo de location, donc je me demande juste où vous êtes, monsieur.

— Caitlin », souffla brusquement Angela, et le cœur de Grant s'accéléra à nouveau. Il dit : « Oui. Passez-moi ma fille, s'il vous plaît. Vous pouvez me passer Caitlin ?

— Votre fille… ? » répondit son interlocuteur, puis le silence s'installa. Grant entendit l'homme respirer. Le son de sa ceinture de shérif qu'il réajustait. Une voix féminine faisant une annonce inintelligible dans le couloir vide de l'hôpital.

Lorsqu'il reprit la parole, sa voix avait changé du tout au tout. On aurait dit un autre homme.

« Monsieur Courtland », commença-t-il, et Grant s'avança vers la fenêtre comme s'il s'apprêtait à passer au travers. Il avait cru que la nature autour de lui, telle que représentée sur les cartes, avec ses entrelacs colorés de pistes, de sentiers et de remontées mécaniques, constituait les vraies montagnes – moins des montagnes que des aires de jeu façonnées en terrain accidenté par les hommes et l'argent. Maintenant, il les voyait véritablement, si vertes et si massives, se succédant les unes après les autres, semblables à une mer agitée. Angela l'arrêta dans son élan, les pouces enfoncés dans ses biceps. Elle se leva sur la pointe des pieds pour entendre ce que l'homme disait. « Monsieur Courtland, il n'y avait que votre fils. »

Angela secoua la tête.

« Non », lâcha-t-elle, et elle fit demi-tour, se précipita vers les valises et commença à s'habiller.

Lorsqu'ils étaient jeunes, lorsqu'ils étaient nus et jeunes dans son appartement au-dessus de la boulangerie où il avait tant savouré l'odeur de sa peau et du pain chaud, Grant avait remarqué une fois les battements de son cœur grâce à la petite croix qu'elle portait – aux mouvements presque imperceptibles et d'une délicatesse extrême du bijou au creux de cette gorge si douce. Il l'avait effleuré du bout des doigts et avait dit sans réfléchir : “C'est ironique quand même, non ?

— Quoi ?

— Que Dieu ait rappelé à lui ta sœur alors qu'elle s'appelait Faith. »

Elle s'était détournée. Elle ne lui parlerait plus. Son corps aussi immobile qu'une pierre. « Je suis désolé, avait-il bredouillé. S'il te plaît, Angela… s'il te plaît. » Il ne savait rien encore de l'autre cœur, le cœur minuscule qui battait en même temps que le sien.

À présent, dans la petite chambre de motel, le téléphone de sa femme à l'oreille, il marmonna : *Mon Dieu, je Vous en prie, je Vous en prie, mon Dieu*, et le shérif lui redemanda où il se trouvait, le priant de ne pas bouger. Le garçon était hors de danger, il dormait. Le shérif allait lui-même venir les chercher, il serait là dans moins d'un quart d'heure. Il les emmènerait là-haut, dans la montagne. Il les emmènerait là où ils auraient besoin d'aller. Mais ils ne seraient plus là lorsque le shérif arriverait, Grant le savait. Ils seraient dans la montagne, en train de grimper. Le garçon était hors de danger. Il dormait. Grant conduirait et Angela consulterait les cartes, comme c'était le cas dans la vie d'avant, comme cela le serait dans la vie d'après.

# LA VIE D'APRÈS

# PREMIÈRE PARTIE

# 1

Il s'était levé aux premières lueurs du jour. Les toutes premières, les plus pâles lueurs d'une nouvelle journée. Il se tenait assis au bord du lit, les mains sur les genoux, immobile et abattu, fixant par la fenêtre ce qu'était devenue son existence, bout par bout. Finalement, comme toujours, il n'en restait qu'un, le bout manquant, sa petite fille.

Il traversa l'étroit couloir et jeta un coup d'œil dans l'autre chambre pour voir si son fils était rentré, mais le lit vide était soigneusement fait, comme la veille. Le parquet nu, comme la veille. Dans la salle de bains, la brosse à dents oubliée était toujours plantée, poils en l'air, dans sa tasse en émail. Il la passa sous le robinet pour rincer la poussière, la replaça dans la tasse, puis mit ses mains en coupe et baissa son visage vers l'eau glacée.

Sur la véranda, il alluma une cigarette et resta là à fumer. Septembre commençait à peine – fraîcheur de l'automne dans le matin gris –, mais le soleil s'élèverait au-dessus des sapins et réchaufferait tout cela. La vieille chienne labrador noire sortit de son repaire sous la véranda s'étira et s'assit devant les marches, à attendre. La maison de plain-pied était autrefois l'unique habitation sur le terrain, mais à présent il s'agissait d'une sorte d'annexe, ou elle l'était devenue lorsque Grant s'y était installé. « Faut que vous fassiez une pause avec les montagnes, avait suggéré le shérif, et mon vieux, vous pourriez lui filer un coup de main. » Le vieil homme, Emmet, était venu à leur rencontre sur trois pattes dans le chemin : une botte de cowboy, une canne, et un plâtre. Les orteils, telle une petite famille de créatures jaunes, coincés côte à côte comme dans un lit. « Je suis descendu du toit de la remise par le chemin le plus court, mais j'ai pas besoin d'une putain de babysitter », avait-il lancé d'emblée.

C'était il y a un an, cette rencontre.

Grant recula la camionnette devant la remise des machines, dans laquelle il passa un moment, plus long que nécessaire, pour préparer la tronçonneuse. Il aimait cette plénitude imprégnée d'odeur de graisse, il aimait être parmi les pièces détachées, les outils et les machines. Il aimait respirer cet air. Puis, il chargea à l'arrière de la camionnette la tronçonneuse, un rouleau de fil de fer barbelé et le tire-fil, et lorsqu'il ouvrit la portière avant, la chienne s'approcha, le regarda, mais il lui dit : « Non, tu restes ici, toi. »

Il roula, la camionnette grinçant et bringuebalant, jusqu'à l'extrémité du pré de devant qui longeait la petite route où trônait le vieux chêne. Une branche était tombée quelques jours plus tôt sous l'effet de l'orage et avait endommagé le fil supérieur de la clôture. Elle pendait toujours là, ses feuilles flétries et frémissantes rappelant l'hiver. Mais le reste de l'arbre était couvert d'un épais feuillage estival et l'atmosphère matinale était verdoyante, pleine d'odeurs d'herbe et de luzerne. La brume s'était évaporée. Le ciel vide était d'un bleu intense. Pas de nuages, pas de faucons, pas d'hélicoptères. Alors qu'il évaluait les dégâts, les deux juments étaient venues lui renifler les mains, leurs museaux de velours humide contre ses paumes. Il enfila ses gants, tira un coup sec sur le cordon pour faire démarrer la tronçonneuse et les juments déguerpirent au galop, les yeux écarquillés et les oreilles couchées.

Il élagua les petites branches jusqu'au niveau de la clôture, puis fit tomber par terre la plus grosse et la découpa en rondins qu'il disposa en pyramide à l'arrière de la camionnette.

Puis, il entreprit de réparer le fil barbelé. De temps à autre, un véhicule passait sur la route, et il faisait un signe de la main à ceux qu'il connaissait, se contentant de fixer les autres, ces visages singuliers qui, imperturbables, se tournaient vers lui, l'homme solitaire à l'œuvre dans un champ, au beau milieu des arbres, des herbes, des montagnes et du ciel. Le hasard était partout, lui disaient ces visages de passage, les coïncidences étaient si étranges et insensées – c'était peut-être cet homme, ou cet homme. S'il repérait un être ordinaire dans un certain type de voiture, n'importe quel genre de véhicule évoquant la montagne, les chemins de terre et de boue, les ornières, il le suivrait. C'était de la folie, mais tout était de la folie ; si un homme pouvait par hasard enlever sa fille, pourquoi ce même individu ne pourrait-il pas croiser son chemin à lui ? N'est-ce pas ainsi que le monde fonctionne ? N'est-ce pas ainsi que le Dieu de ce monde s'y prend ? Grant filerait le type jusqu'en dehors de la ville, jusqu'à ce que sa camionnette, sa jeep, finisse par tourner dans une allée privée menant à un chalet ordinaire, avec de la fumée s'échappant de la cheminée… une bicyclette d'enfant abandonnée sous les sapins, un gros chien surgissant de la maison et bondissant vers l'homme qui se retournerait, croiserait le regard de Grant, hocherait la tête, et ferait un signe de la main avant de rentrer dans sa maison dont la porte se serait ouverte, laissant apparaître une femme en jean et en pull blanc fluide, se penchant pour l'embrasser.

Une fois, il avait suivi un type jusqu'au bout d'une route en altitude qui, en fin de compte, menait directement chez l'homme en question. Difficile de faire demi-tour. Et il s'était rendu compte qu'il s'agissait d'un ranger, qu'il le connaissait. Angela et Sean étaient rentrés dans le Wisconsin à l'époque et Grant était resté seul au motel, dans la station, à plus de 2 700 mètres. Un an sur le calendrier depuis sa disparition, une heure dans le cœur. *Faut que vous fassiez une pause avec les montagnes*, avait suggéré le shérif.

Grant secoua la tête comme un homme émergeant d'une rêverie, et se concentra sur ses mains, l'attache qu'elles étaient en train de fixer avec des pinces à un piquet métallique en T.

Parfois, il s'interrompait tout simplement et son regard se perdait dans les collines derrière la maison et, au-delà, dans les montagnes verdoyantes. La lumière du soleil semblait se friper là où une quelconque créature vivante était susceptible de se déplacer, un ours, un élan, un randonneur, ou sa fille. Un soupçon de différence de nuance dans la vaste étendue verte et il scrutait le point jusqu'à ce que sa vue se brouille, jusqu'à ce que son cœur défaille et qu'il s'oblige à regarder ailleurs – *Papa*, avait-elle dit – et il se prenait la tête dans les mains et serrait les dents jusqu'à sentir ses mâchoires lâcher sous la pression et le monde basculer, jusqu'à ce qu'il gémisse comme une bête blessée et soit sur le point de vomir ses tripes, ses organes, son cœur et tout, tas gris et humide, fumant à ses pieds et vas-y, soufflait-il à ce néant, vas-y bordel.

Un instant plus tard, alors qu'il avait glissé une cigarette entre ses lèvres, l'avait allumée, qu'il avait aspiré une bouffée et conservé la fumée dans ses poumons, encore et encore, il exhalait en direction du ciel, et retrouvait son calme, se remettait au travail.

## 2

*Ils prirent des talkies-walkies, ils prirent leurs téléphones, et ils se souvinrent d'une émission qu'ils avaient regardée un jour, sur une fille enfermée dans un bunker souterrain qui envoyait des textos à sa mère (ils se souvinrent de leur propre fille assise entre eux, gamine de douze ans menue, en pyjama d'été, les genoux repliés contre sa poitrine naissante, à peine sortie du bain; elle sentait le propre, et était fascinée), et ils écoutèrent et réécoutèrent l'unique message de Caitlin, le dernier. Sa voix s'interrompant après un mot seulement. Un moteur dans le fond, le sifflement du vent, puis le bruit du téléphone qui tombe, et le silence.*

*Papa, avait-elle dit – mais ils ne l'avaient pas entendue. Ils n'avaient pas entendu l'appel. Ils étaient au lit. Ils faisaient l'amour.*

*Durant les tout premiers jours, ces premiers jours d'incrédulité dans la montagne, ils ne s'étreignirent pas, ils ne sanglotèrent pas dans leur lit la nuit. Ils parlèrent de ce qui avait été fait dans la journée, de ce qui devrait être fait le lendemain, de qui s'en chargerait – qui resterait avec Sean à l'hôpital, qui apporterait des sandwichs aux volontaires, qui ferait imprimer d'autres affiches, qui contacterait l'école de retour à la maison, qui verrait le shérif, ou les hommes du FBI, ou les journalistes encore une fois, qui irait à la laverie, grotesque hallucination du quotidien, et après avoir parlé jusqu'à épuisement, lorsque le sommeil arrivait enfin, Angela les maintenait encore éveillés pour prier. Elle priait à voix haute et voulait que Grant fasse de même, et il s'exécutait, durant ces tout premiers jours, même si le son de sa propre voix, l'écho de ses mots le rendaient presque malade, dans cette modeste chambre de motel.*

*Les jours devinrent des semaines. Grant sortit Sean en fauteuil roulant de l'hôpital et ils s'installèrent tous les trois dans deux chambres au rez-de-chaussée du motel, et l'endroit devint leur quartier général – papiers, provisions, listes et cartes sur toutes les surfaces. En ville, lorsqu'une affichette tombait, Angela le savait d'une façon ou d'une autre, et elle était aussitôt remise en place. Les semaines devinrent des mois. Début novembre, Sean fêtait ses seize ans ; ils s'en souvinrent deux jours plus tard et sortirent manger une pizza. Lorsque Angela passait des coups de fil, on la rappelait moins vite et parfois pas du tout ; lorsqu'elle appelait le shérif, on ne le lui passait plus directement, elle devait d'abord parler avec un adjoint, et souvent le shérif lui-même était absent, ce qui ne signifiait pas qu'il se trouvait dans les montagnes à passer au peigne fin un quart de forêt non encore exploré. Les hélicoptères qui avaient volé au-dessus de leurs têtes – le son de l'urgence dans ces pales vrombissantes, de la réaction à la fois mécanique et humaine, parfaite et absolue – traversaient à présent le ciel en vue d'autres missions.*

*Ce n'est peut-être pas juste une affaire d'aiguille dans une botte de foin, dit le shérif à Grant. Ce n'est peut-être même pas la bonne botte.*

*Comment ça ?*

*Bah, un homme intelligent ne va pas aller voler un poney à son voisin. Désolé pour la comparaison.*

*Vous voulez dire que ce n'est peut-être pas quelqu'un d'ici ? Enfin, cet homme ?*

*Je veux dire qu'un type est capable de rouler pendant des kilomètres et des kilomètres pour trouver le bon poney.*

*Ils avaient choisi de venir dans les Rocheuses comme dans n'importe quel autre endroit réputé, cartographié, délimité. Un endroit en Amérique parfaitement connu. Maintenant Grant comprenait que, comme le désert ou l'océan, les montagnes étaient un ailleurs vaste et sans pitié. Qui songe à emmener sa famille – ses enfants – dans un endroit pareil ?*

*Il regagna le motel. Sean regardait la télé. Il se glissa dans la chambre voisine, ferma la porte, et s'approcha d'Angela, assise au bureau devant l'ordinateur.*

*Angie. Il faut qu'il rentre à la maison.*

*Pourquoi ?*

*Il a besoin de meilleurs soins pour sa jambe. Il faut qu'il retourne à l'école. Qu'il retrouve ses amis.*

*Elle fit volte-face et leva les yeux vers lui. Comment ça ?*

*Ce n'est pas bon pour lui de rester ici.*

*Tu es sûr que tu parles de lui ?*

*Grant ne répondit pas.*

*On ne peut pas rentrer, Grant. Tu vois bien ce qui se passe ici. Tu vois comment les choses évoluent.*

*Un de nous deux peut rentrer avec lui. Pendant un petit moment.*

*Moi, c'est ça ? C'est à moi que tu penses.*

*Je peux continuer de faire avancer les choses ici. Je peux faire en sorte que le shérif reste sur l'affaire.*

*Et qui va s'occuper de te faire avancer toi ?*

*Il la dévisagea. Elle se détourna et se mit à trembler.*

*Angie. Il posa ses mains sur ses épaules. Il l'incita à se lever et la serra contre lui. Il la soutint alors que ses jambes se dérobaient sous elle, puis il la porta jusqu'au lit, l'allongea, et l'étreignit encore. Au bout d'un moment, elle cessa de trembler. Il ôta les cheveux de ses yeux, embrassa ses joues mouillées de larmes, ses lèvres, et elle l'embrassa en retour, puis elle l'embrassa vraiment et quelque chose céda dans sa poitrine, il l'embrassa de plus belle, glissa sa main entre ses cuisses, et au début elle le laissa faire, mais soudain elle serra les jambes – Non, arrête ! – et le repoussa pour s'enfuir dans la salle de bains en claquant la porte derrière elle. Il l'entendit alors gémir dans une serviette.*

*Papa... ?*

*Il se leva et ouvrit la porte qui heurta le repose-pieds du fauteuil roulant. Excuse-moi, je t'ai fait mal ?*

*Ça va, maman ?*

*Oui.*

*Qu'est-ce qui s'est passé ?*

*Rien, Sean. On s'est disputés.*

*À propos de quoi ?*

*Grant ferma la porte, contourna le fauteuil et s'assit sur le lit. Rien. Juste une dispute de rien.*

*Elle se réveilla cette nuit-là, agrippée à lui. Ça va, fit-il, ça va.*

*Non, répliqua-t-elle, les yeux étincelant dans le noir. Je conduisais sur une route mal éclairée. Juste moi, et elle a surgi des bois, dans mes phares. Elle était nue et couverte de terre. Comme si elle avait été enterrée vivante. Mais elle s'en était sortie. Elle s'en était sortie et elle essayait de rentrer à la maison.*

*Il prit sa femme dans ses bras jusqu'à ce qu'elle se rendorme, puis il resta allongé là, les yeux rivés au plafond, songeant à cette fille dans le bunker, celle qui envoyait des textos à sa mère. Son ravisseur croyait qu'elle jouait aux jeux vidéo sur son téléphone.*

*Il gardait plusieurs filles là-dedans, et les enterrait pas loin pour finir. Une fois, il en avait gardé une deux ans, avait-il affirmé ; ils étaient comme mari et femme. Les gens voulaient savoir pourquoi. Les mères dévastées le suppliaient. L'homme avait secoué la tête. Il avait levé les yeux vers le plafond du tribunal comme un homme s'adressant à Dieu. Ça ne vous sera d'aucune aide, leur avait-il répondu. Désolé, mais ça ne vous servira à rien.*

*Il ressemblait à n'importe quel autre homme, ce type : lunettes, yeux bleus, à moitié chauve. Il était en prison désormais, au fin fond d'une cellule, où aucun père ne pouvait l'atteindre.*

## 3

Quelques heures avant l'aube, sous l'effet des rafales de vent annonciatrices de l'orage, les légers rideaux se soulevèrent dans la pénombre. Ils se gonflèrent au-dessus du lit telle une voile, ondulant, flottant – pour soudain reprendre leur place initiale, et l'espace d'un instant tout demeura immobile. Le monde marqua une pause. Puis un incroyable éclair illumina la chambre quelques secondes, et presque instantanément un grondement tonitruant retentit. Avant même que le bruit meure entièrement, la porte s'ouvrit et une petite silhouette apparut, éclairée en contre-jour par la veilleuse du couloir. Fine touffe de cheveux bruns, pyjama à cœurs roses. Angela souleva les couvertures, l'enfant courut s'y réfugier, et glissa son dos contre celui de sa mère, comme une main dans la paume d'une autre.

*J'ai peur*

*Ça va aller. Il y a de l'orage, c'est tout.*

Les frêles épaules frissonnèrent. Le cœur palpita.

*Il est où papa ?*

*Je ne sais pas, mais ça va aller. On est en sécurité ici. OK?*

*OK.*

Un baiser sur son crâne soyeux et Angela la serra contre elle pour l'apaiser, les yeux tournés vers la porte restée ouverte, prête à voir surgir le garçon aussi, mais non, et bientôt la pluie se mit à tambouriner sur le toit, sur les épaisses feuilles vertes devant la fenêtre, et elle s'abandonna au demi-sommeil, respirant l'odeur de la pluie, sentant la petite dans ses bras, le rythme sourd de son cœur, et elle ne songea qu'à une chose dans cet instant d'amour : Mon Dieu, faites que le matin n'arrive jamais.

Mais il se leva, naturellement il se leva… et tout ce qu'Angela tenait dans les bras, c'était un oreiller. La porte était close, la chambre n'était pas la sienne ; le lit non plus.

Sur la table de nuit à côté d'elle : une bouteille d'eau en plastique. Un petit livre de poésie avec un ruban bleu – trophée d'une course – comme marque-page. *Je m'arrête, je pâlis.* Un réveille-matin électronique prêt à sonner. Un flacon ambré plein de comprimés. Elle fixa les cachets. Puis le réveil. Elle écouta la maison qui n'était pas la sienne, son immobilité absolue. Lève-toi, songea-t-elle. Lève-toi maintenant, sinon reste couchée et arrête.

Arrête alors.

*Tu ne peux pas, Angela.*

Pourquoi pas ?

Les battements de cœur de l'enfant palpitaient encore dans ses bras. Sur sa poitrine. Elle se rappelait l'heure, la minute, où elle lui avait donné le jour : la précieuse petite tête, son poids et sa forme parfaite, familière. Toutes ses peurs de mère – ne pas être prête, ne pas être apte – s'évanouirent à la vue de ce visage violacé, geignant, et indigné. *Mon enfant, ma vie.*

Elle se dégagea des couvertures et s'assit. Puis se leva. Traversa le parquet grinçant et ouvrit les lourds rideaux sur l'aube grise. Aucun mouvement dans les feuilles de l'orme. La rue et le trottoir étaient secs. Un jour des plus ordinaires. Un monde des plus ordinaires.

Lorsqu'elle descendit, une fois habillée et maquillée, les enfants étaient à table. Elle toucha la tête du garçon, puis celle de la fille en allant se servir du café, un, deux. Ils la regardèrent comme si elle venait de débarquer tout droit de la rue.

Devant la cuisinière, dans la vapeur qui s'élevait, il se tourna et fit : « Tu es ravissante.

— Merci.

— Tu veux des œufs ?

— Non, merci.

— Sûre ?

— Oui.

— Même mes œufs au fromage et aux dés de jambon ? »

*L'odeur me suffit, s'il te plaît épargne-moi la description.*

« Non, merci, vraiment.

— OK. Et vous les loupiots ? Qui en veut d'autre ? »

Angela s'installa à table pour boire son café et mâchouilla un toast en triangle froid. Il se servit, replaça la poêle sur la cuisinière et s'assit à sa gauche.

« Tu as hâte d'y être ? » demanda-t-il.

Après un instant de silence, elle leva les yeux vers lui. « Pardon ?

— Je t'ai demandé si tu avais hâte d'y être. Je veux dire d'enseigner et tout, ce matin. »

Elle réfléchit à la façon de répondre, si longtemps qu'il cessa de mâcher. Il avala sa bouchée, s'empara de son café et but une gorgée.

Sur le mur, au pied de l'escalier, le tic-tac d'une vieille horloge en forme de soleil résonnait prodigieusement. Comme si le bruit était la seule façon pour elle de rester à l'heure.

Les enfants se mirent à lui parler. Il écouta, sourit, leur répondit, et elle se souvint de la petite fille – *sa* petite fille – pénétrant dans son lit. Le petit corps énergique poussant le sien. Cette chaleur, cette odeur, à nulle autre pareille.

« Je ferais mieux d'y aller, déclara-t-elle. J'ai un bout de chemin à faire à pied. »

Il se pencha alors vers elle et posa deux doigts, très légèrement, sur son poignet. De l'autre main, il s'empara de son téléphone et le lui tendit. Elle distingua une image colorée, une sorte de volute de contusions luisantes.

« C'est quelque chose, fit-elle.

— C'est la pluie, répliqua-t-il. Laisse-moi t'accompagner en voiture, Angela. »

Elle le regarda. Son visage aimable. Ses yeux bleu clair empreints d'inquiétude. Elle savait à quoi elle ressemblait pour lui. Pour eux tous. Ça va aller, avait-elle envie de dire, on va survivre, mais elle entendit alors un craquement dans son dos, puis un autre, et des frottements de chaussons sur le lino. Des doigts glissèrent sur ses cheveux et sa petite sœur contourna la table dans son peignoir turquoise, se penchant au passage pour embrasser le garçon sur la tête, la fille sur la joue, et enfin l'homme, à pleine bouche.

« Bonjour, dit Grace à son mari, à ses enfants, et à Angela. Bonjour, mes amours. »

## 4

Dès qu'elle pénétra dans la classe, elle comprit qu'elle avait fait une erreur, mais certains l'avaient déjà repérée et il était trop tard. Rebecca Woods, dont la mère, Anne, aimait se boire un petit cocktail dans l'après-midi ; Ariel Suskind avec ses incroyables yeux marron et son père, professeur à l'université, qui avait quitté sa mère pour une de ses élèves de licence. Angela adressa un bref signe de tête à ces filles d'amis ou d'anciens amis, et elles l'imitèrent avant de se remettre à griffonner avec empressement, ou de se concentrer sur leurs téléphones portables. Elle remarqua des rougeurs sur certaines joues. Des mèches de cheveux fins tombant commodément devant des yeux au lieu d'être remis derrière une oreille. Des filles en pleine éclosion, assez grandes pour reconnaître la dévastation lorsqu'elle se dressait devant elle, mais incapables néanmoins de la supporter, et, en cet instant, Angela renonça à tout ce qu'elle avait prévu de faire, leur demanda d'ouvrir leurs livres et de lire tout simplement. Elles s'exécutèrent sans un murmure, sans un message échangé sur des bouts de papier, sans un stylo planté dans le coude de la voisine. Mais la ferveur silencieuse des appareils dissimulés s'activa, les téléphones circulant de cuisses en cuisses telles des cellules le long d'une chaîne nerveuse. Angela resta assise durant toute l'heure, les yeux rivés sur son livre de poche, les laissant assimiler la nouvelle : *sa fille a disparu dans les Rocheuses, et ensuite elle a perdu la tête ; elle est resté à « l'hôpital » pendant trois mois et maintenant c'est elle notre prof remplaçante ? C'est légal, ça ?* Oui, les enfants, voilà le contenu de votre cours, voilà tout ce que je peux vous enseigner. La cloche sonna enfin et Angela se leva, prétendit fouiller dans son sac de toile tandis que les élèves hissaient leur sac à dos sur leurs épaules et défilaient devant elle pour sortir, sans mot dire…

« Au revoir, madame Courtland.

— Oh, au revoir, Ariel. Passe le bonjour à ta mère pour moi, s'il te plaît.

— Je n'y manquerai pas. » La jeune fille avait ralenti, sans vraiment s'arrêter, ses livres blottis contre sa poitrine, ses yeux marron écarquillés. Sa grande sœur avait les mêmes yeux. Elle avait couru avec Caitlin mais s'était rompu les cervicales en plongeant dans une piscine et elle était maintenant condamnée au fauteuil roulant. Angela se remit ostensiblement à examiner le contenu de son sac, et marmonna « Au revoir » en jetant un coup d'œil à Ariel avec un sourire et la jeune fille opina du chef, tourna les talons et s'éloigna. Le cœur d'Angela battait à tout rompre et elle ferma la porte. Elle versa dans sa paume une poignée de comprimés, les remit tous dans le flacon sauf deux, plaqua sa main sur sa bouche et les avala d'un coup. Lorsqu'elle ouvrit à nouveau la porte quelques minutes plus tard, le couloir était vide, de part et d'autre. Elle s'y engagea, l'écho de ses talons se répercutant sur les parois des casiers métalliques comme si une âme la suivait. Comme s'il s'agissait de sa sœur jumelle qui lui parlait encore, qu'elle voyait dans le miroir. Deux aimables dames, seules, dans ce couloir aussi silencieux qu'une église ; sans enfant là où des milliers d'entre eux, bien vivants, allaient et venaient. Voilà ce qu'elles auraient pu être.

Comment tu fais pour continuer ?

*J'y arrive, c'est tout, ma douce.*

Le claquement des talons. Les rectangles de lumière grise au-dessus de la porte devant elle.

Pourquoi ?

*Parce qu'Il te le demande. Et pour ta famille.*

Elle poussa la porte et l'odeur de la pluie envahit ses narines. Elle s'assit sur un banc en bois, enleva une de ses chaussures à talons, enfila une chaussette et une tennis blanches, puis fit de même avec l'autre pied avant de nouer les lacets. Elle leva le visage vers le ciel et ferma les paupières sous les premières gouttes froides. *Ta famille.* Elle s'efforça de réfléchir. Elle s'efforça de se rappeler ce que cela signifiait. Ce qu'elle était censée ressentir. Au-dessus d'elle, le drapeau bruissait, tel le murmure d'un ruisseau ou d'un courant se frayant un chemin à travers le ciel. La pluie s'intensifia. Plus froide. Angela sortit un parapluie noir de son sac, appuya sur le bouton et le manche s'allongea, les baleines se déployèrent et la toile se tendit. Elle sentait l'effet des cachets sur son cœur, comme si des centaines de petites mains le soutenaient.

À la maison – chez Grace –, sa petite sœur, qui ne travaillait pas le lundi, rangeait la cuisine. Elle s'habillait, faisait du café frais, lisait le journal, écoutait l'horloge. Elle attendait qu'Angela rentre et lui raconte comment les choses s'étaient passées. Elle avait hâte de lui parler. Grace n'avait aucun souvenir de leur autre sœur, Faith. Pour elle il y avait Angela, et cette fille qui lui ressemblait parfaitement dans les vieux albums photos

– deux jolies jeunes filles identiques, souriantes, éblouissantes ; impossible de dire laquelle vivrait et laquelle disparaîtrait.

*Angie.*

Oui.

*On ne peut pas rester assises ici, comme ça.*

Je sais.

Elle s'attarda encore un peu sous le parapluie, dans l'ombre en forme de cloche, à écouter les gouttes tambouriner sur la toile. Puis elle se leva, s'éloigna de l'école, de Grace.

## 5

*Deux jours de neige intense avant que le col n'ouvre à nouveau et ils purent y aller. Un samedi matin incroyablement lumineux et cristallin. La petite station était drapée d'un merveilleux manteau blanc. Les skieurs chargeaient leurs skis dans une navette devant l'hôtel et grimpaient à bord d'un pas lourd, leurs magnifiques chaussures multicolores aux pieds. Quatre garçons se bousculèrent sur le trottoir, agitant leurs snowboards – Retenez le bus ! Dix-huit, dix-neuf ans. Aussi insouciants que des lords.*

*C'était la veille de Thanksgiving. Ils vivaient dans le motel depuis quatre mois. Famille de quatre personnes à leur arrivée, ils n'étaient plus que trois en réglant la note.*

*Tout le monde est là ? lança Grant sans réfléchir.*

*Seule leur voiture grimpait, en sens inverse roulait une longue procession de véhicules. À croire qu'ils étaient les seuls à défier les lois de la ligne de partage, les lois de la physique. Les sapins blanchis défilaient de part et d'autre, comme dans l'hiver imaginaire d'un enfant (si quoi que ce soit s'était déplacé, si quoi que ce soit avait ne serait-ce que remué dans cette blancheur immaculée, le regard l'aurait immédiatement repéré – mais ce n'était pas le cas), et ils gravirent le sommet jusqu'à la ligne de partage pour descendre de l'autre côté sans échanger un mot, et rejoindre pour finir une portion de voie rapide qui leur fit traverser la ville en direction des plaines de l'est, les crêtes s'élevant derrière eux, plus massives avec la distance, toujours plus imposantes. La voiture roulait à cent dix à l'heure mais se traînait, comme si elle peinait dans une côte au point d'atteindre sa limite, au point de fléchir et de basculer à la renverse. Comme il se devait.*

*Ils avancèrent encore et encore, s'éloignant d'elle, kilomètre après kilomètre.*

*À l'arrière, le garçon faisait ses devoirs, ceux que l'école lui avait envoyés, sur ses genoux, sa jambe dénudée étendue sur la banquette, soutenue avec des coussins. Il ne pouvait s'asseoir autrement dans la voiture, donc où aurait-elle pu se mettre ?*

*À l'est de la ville, rien que la route filant tout droit, les plaines hivernales, le ciel bleu. Ils roulèrent sur une tache rougeâtre là où un animal s'était fait renverser, et Angela remit ses lunettes de soleil. Un peu plus loin, des lambeaux de chair sombre et de peau jonchaient l'asphalte. Et des sabots noirs surgirent du fossé telles d'étranges fleurs. Pour finir, sur la ligne médiane, gisait un animal parfaitement intact, un jeune chevreuil, les pattes repliées sous lui, sans trace de sang mais sans signe de vie non plus dans les yeux qui les regardèrent passer. Oh mon Dieu, s'exclama Angela, et Grant répliqua : Ne regarde pas.*

*Comment veux-tu que je ne regarde pas ?*

*Fixe l'horizon. Ferme les yeux.*

*Ça ne sert à rien.*

*Qu'est-ce que tu veux que je fasse ?*

*Bruits de comprimés qui s'entrechoquaient. Elle bascula la tête en arrière une première fois, puis une seconde pour avaler une gorgée d'eau à la bouteille. Si elle avait jeté un coup d'œil par-dessus son épaule, elle n'aurait vu que la jambe du garçon. Les points impressionnants. L'acier étincelant de l'orthèse fixée sur le genou pour maintenir ensemble les différents morceaux sous la peau. Un appareillage du futur dont l'aiguille, de temps à autre, sondait* la jambe dénudée, les couches de nerfs sous-jacents. Depuis leur départ, elle ne s'était pas retournée une seule fois. Comme si sa tête ne pouvait plus faire ce mouvement.

Grant cherchait une station de radio. Comment ça va derrière ? Il gardait dans sa poche les cachets de Sean.

Bien.

Et la jambe ?

Le garçon regarda sa jambe. Le réseau métallique arachnéen.

Lorsqu'ils s'arrêtèrent, la tête d'Angela, appuyée mollement contre la fenêtre, ne bougea pas d'un pouce. Grant sortit le fauteuil roulant du coffre, le déplia, et le garçon s'y installa. Le père poussa le fils dans le vent mordant, la jambe nue de ce dernier blanchissant et rosissant sous l'effet du froid.

Il ne faisait pas plus chaud dans les toilettes pour hommes, mais au moins il n'y avait pas de vent. Les rafales sifflaient au niveau des pavés de verre, là où le mastic était parti. Un gros type en blouson à carreaux en train d'uriner bruyamment se tourna un instant dans leur direction avant de revenir à ses occupations. Sean s'avança seul dans la cabine réservée aux handicapés et Grant dit : Ça va aller ? Mais Sean ne répondit pas ; son cœur s'accéléra brusquement. À l'école, il y avait des toilettes avec un idéogramme bleu représentant un fauteuil roulant et la porte s'ouvrait automatiquement lorsqu'on s'approchait avec une carte magnétique spécifique. Les seules personnes à posséder cette carte étaient les agents d'entretien, un garçon de sa classe atteint de sclérose en plaques et une fille, une copine de Caitlin qui s'était brisé le cou en plongeant dans une piscine. Désormais, Sean aura une carte lui aussi, il utilisera les toilettes des estropiés et il s'assiéra sur la cuvette comme une fille.

Quelques minutes plus tard, il sortit des toilettes en faisant rouler son fauteuil, vira en direction des portes vitrées dans le hall et s'immobilisa. Dehors, dans la voiture, la tête de sa mère n'avait pas changé de place. Les lunettes lui dessinaient d'immenses yeux noirs, aveugles et immuables. L'horizon à l'ouest était dégagé, les massifs avaient disparu, complètement, comme engloutis dans la mer. Ils étaient des survivants ; tout ce qui leur restait, c'était eux-mêmes. Comme dans un livre, ou un film.

Tu veux quelque chose au distributeur ?

Le garçon fit pivoter son fauteuil.

Ils ont des Snickers. Du Coca, poursuivit son père.

Sean fixa les machines. Je ne suis pas censé manger ce genre de cochonneries.

Tu peux manger ce que tu veux.

Pourquoi ?

Parce que, c'est tout.

Parce que je suis dans ce truc ?

Parce que tu as seize ans, Sean.

Ils restèrent silencieux. Le vent secoua les portes vitrées, comme si un homme tentait de les ouvrir.

Qu'est-ce qu'il y a ? reprit son père.

Rien.

Qu'est-ce qu'il y a, Sean ?

Tu crois que ça va aller pour elle ?

Son père le fixa, son regard s'assombrissant, et Sean ajouta : Maman je veux dire. Son père se tourna vers la voiture.

Elle va avoir besoin de temps. Et d'aide. Elle va avoir besoin de ton aide.

Et de la tienne aussi.

Oui.

Mais tu vas repartir. Pour continuer de chercher.

Oui.

Je veux aller avec toi.

Tu dois retourner à l'école. Et il faut que cette jambe guérisse.

Ils n'avaient pas atteint l'autoroute depuis longtemps lorsqu'une douleur intense envahit son genou – flashs étincelants, à intervalles réguliers, dont il eut l'impression de voir l'éclat lumineux à travers les trous dans sa chair où les tiges d'acier s'enfonçaient. Un quasar d'os et de nerfs palpitant sous la peau recousue. Il fixa son genou et se souvint du sol là-haut. Le lit d'aiguilles brunes, les herbes, la poussière. Il se rappela être couché par terre, le regard *vers les arbres, avec une sensation d'humidité à l'aine. Une sensation de pisse chaude et une jambe de travers et son cœur battant la chamade. Il distinguait encore le visage de l'homme derrière le volant, aucunement surpris, aucunement effrayé, rien, juste les verres jaunes de ses lunettes. Il avait fermé les yeux lorsque l'homme s'était approché – Ne le touchez pas ! s'était-elle écriée –, et il les avait gardés fermés comme s'il dormait tandis qu'ils l'avaient couvert avec la couverture de l'homme qui sentait la laine et l'essence, ils les avaient gardés fermés tandis que, à genoux, elle lui avait parlé une dernière fois, il les avait gardés fermés, il les avait gardés fermés alors que l'urine refroidissait sur sa peau.*

*Comment va la jambe ? lança son père. Comme si la douleur était vraiment visible, aussi éclatante que des phares dans son rétroviseur.*

*Bien, répondit-il.*

## 6

Angela marcha.

Elle marcha, la bouche sèche. L'enseigne d'un supermarché luisait de l'autre côté de la rue, telle une tache de sang dans la pluie grise qui tombait, oblique. Les arbres s'auto-flagellaient. Le vent s'engouffra avec détermination sous le parapluie et le souleva brusquement. Lorsque le petit piéton passa au vert, elle s'engagea sur le passage clouté et un homme cria « Merde ! » Elle s'immobilisa juste avant la collision – vélo et cycliste se déportèrent en dérapant sur la route dans un éventail d'eau de pluie, les pneus bloqués et le visage humide faisant la grimace sous le casque, puis les freins se relâchèrent, la bicyclette se redressa et l'homme jeta un coup d'œil par-dessus son épaule, non pour voir si elle allait bien, mais pour afficher son incrédulité, sa fureur, avant de faire volte-face et de se remettre à pédaler sous la pluie.

Elle traversa la route, puis le parking, et les portes vitrées s'ouvrirent automatiquement comme elle pénétrait dans l'immense fluorescence qu'était le supermarché, songeant au jour d'hiver où elle l'avait vu la première fois sur ce vélo, ce vélo à trois vitesses d'un autre âge, lui-même vêtu d'un vieux pardessus de l'armée américaine, avec un sac en toile, silhouette improbable d'un messager de la toundra. *Grant Courtland*, lui avait dit quelqu'un. Il s'était avancé à sa hauteur une autre fois tandis qu'elle s'apprêtait à traverser, s'était tourné vers elle, attendant qu'elle le regarde. Attendant. Et lorsque, enfin, elle avait levé les yeux, elle avait d'abord remarqué son visage rouge, l'éclat luisant du froid sur ses joues, l'éclat d'un enthousiasme pur ; ensuite ses yeux, humides et très bleus, et enfin ses lèvres alors qu'il souriait en disant : *Vous êtes élégante aujourd'hui*. Puis il avait poursuivi son chemin.

Dans son appartement, au-dessus de la boulangerie polonaise, il lui faisait la lecture. Elle pouvait encore réciter des extraits par cœur : *Sans logis près de mille foyers j'errais* et *Ô ! Parle encore limpide ange-la*, et *Je veux vous citer partout l'exemple du brigandage*. Des années plus tard, il n'arrivait pas à croire qu'elle se rappelait ces vers alors qu'il les avait complètement oubliés.

Quelles journées, quelles nuits. Quelle chaleur au plein cœur de l'hiver ! Comment cela a-t-il pu prendre fin ?

*Le soleil est un voleur… L'océan est un voleur.*

*Tu peux réciter ce que le pasteur a dit ce jour-là* ? demanda Faith.

Oui : *Dieu ne demande pas à Ses enfants ce qu'ils ne peuvent pas supporter.*

*C'est ça.*

Mais il ne leur permet pas non plus de ne pas avoir à le supporter.

*Il sait que tu as une force que tu ignores.*

« Excusez-moi. » Une femme passait devant elle pour prendre une bouteille d'eau. Angela dit : « Désolée », et s'écarta.

Elle observa les bouteilles. Le choix était si vaste. Elle en choisit une et examina la composition : eau. Un petit garçon de cinq ans environ se tenait près d'elle. Elle baissa les yeux vers lui, et il leva la tête dans sa direction. Le regard bleu plein de larmes, et les sillons sur les joues.

« Où est ta mère ? »

Il secoua la tête.

Angela regarda autour d'elle.

« Bon, ne t'inquiète pas. Viens avec moi. » Elle tourna les talons et le garçon la suivit. Au bout d'un moment, il prit un pan de sa jupe dans sa main. Comme ils passaient devant le long étal de légumes frais, un grondement retentit et une fine bruine tomba comme par miracle sur les tomates étincelantes, les parfaits cœurs de laitue. *Le bruit, c'est pour te prévenir*, avait expliqué Sean, quand il avait dix ans, *pour pas que tu te fasses arroser*. Caitlin avait répliqué : *Ah bon ?* et elle s'était avancée sous l'ondée, les bras nus.

« Bradley ! » cria une voix féminine. Angela entendit un bref remue-ménage derrière elle. « Vous allez où ? » La femme avait les yeux bouffis et écarquillés et, les bras chargés d'un maximum d'articles, elle chercha malgré tout la main de son fils. « Vous allez où avec mon fils ?

— Nulle part, répondit Angela. Nous allions à l'entrée pour...

— Vous sortez comme ça d'un supermarché avec le gosse d'une autre ? »

Angela regarda la femme. Puis le garçon qui avait enfoui son visage dans les cuisses de sa mère.

« Il a l'air très gentil ce petit bonhomme », fit-elle, et la bouche de son interlocutrice se figea en silence. Elle lâcha un paquet de chips mexicaines qui resta là. Puis elle caressa la tête de son fils et s'éloigna avec lui.

Angela paya sa bouteille d'eau et sortit. Il pleuvait toujours mais le vent était tombé. Les arbustes du parking semblaient faire le point, évaluer les dégâts. Sous un auvent en béton, plusieurs tables métalliques étaient disposées, occupées par des employés du supermarché en pause cigarette, des femmes d'affaires picorant à coups de fourchette leurs salades. Était-ce déjà l'heure du déjeuner ? Un vieil homme griffonnait dans un carnet. Elle s'avança et lui demanda si elle pouvait s'asseoir près de lui. Il leva la tête. Derrière d'épaisses montures en plastique, il avait un œil à moitié fermé et l'autre d'un bleu gris marbré. Il dit : « Mais bien sûr », et elle s'installa, ouvrit sa bouteille d'eau, avala une gorgée en observant la pluie.

Elle se tourna à nouveau vers l'homme. Toujours penché sur son carnet, apparemment sans stylo dans ses doigts tordus et enflés. Épais pardessus marron et casquette en tweed à la visière crasseuse à force d'être mise et ajustée. Une canne en bois, à la poignée courbe plus fine, comme si elle avait été poncée encore et encore, était suspendue au bord de la table. Angela examina à nouveau ses mains et distingua cette fois un minuscule stylo.

« C'est quoi comme stylo ? »

Il le brandit. L'objet ressemblait à un suppositoire allongé.

« C'est un Space Pen, répondit-il.

— Un Space Pen.

— C'est ce qu'ils utilisent dans l'espace. »

Pointant l'instrument vers le ciel, il précisa :

« Parce qu'il est antigravitationnel.

— Comment ça ? Il fonctionne même en apesanteur ?

— Oui, ce sont des cartouches d'encre pressurisée. On peut écrire à l'envers avec. Ou sur la lune. »

Il lui montra une dernière fois le stylo et se remit à griffonner.

Angela but de l'eau. La pluie tombait sur les voitures garées. Des femmes en tennis se dépêchaient, les roulettes des chariots projetant de petites gerbes d'eau dans leurs sillages.

« Je peux vous demander ce que vous écrivez avec ce stylo ? »

Le vieil homme hésita. Sans lever les yeux.

« Je prends des notes. Pour mon petit-fils.

— Il vit où ?
— Il ne vit plus. Il est mort.
— Oh. Pardonnez-moi…
— Il est mort au service de son pays.
— Je suis désolée.
— Mmm », fit l'homme.

Angela resta silencieuse. Puis, elle répéta qu'elle était désolée, et le vieil homme se gratta le bout du nez. D'un doigt, il effleura ensuite les poils blancs sur son oreille. « Je me dis qu'il faut que je continue de lui écrire comme avant. Il a une femme et un petit garçon et je me dis que c'est pour ça que je suis encore là, pour lui raconter comment ils vont. Je sais, ça semble dingue. »

Angela secoua la tête. « Non », fit-elle.

Il écrivit durant un moment, puis posa son stylo pour se masser les doigts de l'autre main. Il regarda la pluie par-dessus son épaule comme si elle l'avait traqué toute sa vie. Il déclara : « Une vieille tante m'a dit un jour, Simon, si tu savais ce que vieillir signifie, tu ne serais pas pressé d'y arriver. Je n'ai pas su quoi en penser, à l'époque. »

Elle attendit. « Et maintenant ?
— Maintenant quoi ?
— Qu'est-ce que vous en pensez maintenant ?
— Maintenant ? » Il la regarda, intensément d'une certaine façon, malgré son problème à l'œil. « Maintenant je me demande à quoi bon vivre si longtemps quand on ne reconnaît même plus le monde dans lequel on vit.
— Grand-père ? »

Une femme s'approcha de lui par-derrière, avec un petit garçon à sa suite. Même femme, même garçon. La femme ne sembla pas en croire ses yeux.

Angela sourit au vieil homme. « Merci de m'avoir permis de m'asseoir avec vous. »

L'homme effleura sa casquette et se leva lentement. Le petit garçon lui tendit sa canne. « Tout le plaisir était pour moi, chère madame. »

# 7

En milieu de matinée, Grant fit monter la vieille chienne dans la camionnette et parcourut près de cinq kilomètres à travers les premiers contreforts montagneux pour se rendre dans un bistrot boire un café, manger des œufs et lire le journal de Denver. Habituellement, les autres samedis, lorsqu'il regagnait son véhicule une heure, parfois deux heures plus tard, la chienne était profondément endormie sur la banquette, mais ce matin-là, il revint au bout d'une demi-heure à peine et l'animal leva la tête et le regarda, les yeux vitreux, comme si dans son cerveau canin elle était déroutée de le voir revenir si tôt. Il monta à bord sans un mot ; ne lui gratta pas la tête, n'alluma pas la radio, et tandis qu'il roulait sur le chemin du retour, elle l'observa à plusieurs reprises d'un œil torve jusqu'à ce que, enfin, il dise sans même se tourner vers elle : « Elle n'était pas là, et alors ? »

Il ne s'était pas absenté plus d'une heure lorsqu'il s'engagea sur le chemin de terre, mais cela avait suffi pour que la voiture noire soit de retour.

Billy.

Il arrêta la camionnette et fixa le véhicule de l'autre côté du pré. Étincelant, d'un noir luisant, et stationné n'importe comment à côté de la maison près de la vieille Ford bleue. Les deux juments baies paissaient le long de la clôture, au bord de la route du comté, aussi loin que possible de la maison et de la voiture noire. La chienne se tourna vers lui, haletant tranquillement.

« Je ne peux rien y faire », lâcha-t-il enfin, et il redémarra. Il se gara près de l'El Camino, descendit de voiture et la chienne bondit dehors à sa suite pour s'éloigner en clopinant et disparaître à l'angle de la maison.

Grant alluma une cigarette.

De la chaleur émanait du capot noir. La cabine était jonchée de gobelets de café vides, de vieux sacs de hamburgers et de paquets de Marlboro écrasés. Sur le plateau, juste un pneu à plat et une clé démonte roue, lancés là, selon toute vraisemblance, dans un moment de dégoût.

Grant contourna la maison et s'engagea dans l'impasse en terre au bout de laquelle trônait un épicéa bleu planté sur un îlot herbeux. Derrière l'arbre, il découvrit l'échelle en aluminium appuyée contre l'avant-toit de ferme d'origine. Le vieil homme se tenait à genoux sur le toit en zinc, dans les reflets flamboyants du soleil, agrippé d'une main à la cheminée en brique.

« Merde », fit Grant. Il écrasa sa cigarette et s'approcha de l'échelle. « Tu ne pouvais pas m'attendre, je vois. »

Emmet bascula le poids de son corps pour regarder vers le bas, ses lunettes brillant sous les rayons. « De quoi ?

— J'ai dit : tu ne pouvais pas m'attendre, je vois. »

Le vieil homme se remit au travail. « J'ai attendu, mon Dieu. J'ai attendu toute la matinée pendant que ce toit préchauffait.

— Je monte.

— Prends de l'huile à la cuisine, avant.

— Quoi ?

— Prends de l'huile à la cuisine. Ça attache moins pour se griller le cul. » Il fronça les sourcils sous son chapeau de cowboy en paille. On pouvait le faire sourire quand on lui racontait une histoire drôle, mais lorsque c'était lui qui en prenait l'initiative, il fronçait les sourcils. Sous sa salopette, il ne portait qu'un marcel, exposant au soleil ses épaules blanches. Son coupe-vent rouge gisait par terre tel un apprenti tombé du toit.

Grant grimpa aux barreaux et là-haut observa le vieil homme en train de frotter la base de la cheminée avec une brosse métallique. « Tu aurais pu demander à ton fils de t'aider à monter au moins », suggéra-t-il, et Emmet lança un coup d'œil en direction de l'autre maison avant de se remettre à l'ouvrage.

« Il est arrivé juste après ton départ et il a filé dans sa chambre. On aurait dit un fantôme. » La nuque du vieil homme avait la couleur d'un cuir tanné, presque rouge aux coutures. Une épaisse cicatrice, cramoisie sous le soleil, lui courait sous la mâchoire, là où il s'était fait enlever une partie de la gorge. Grant songea à dire quelque chose de plus sur le fils d'Emmet, mais il se souvint alors de son propre fils, parti un matin sans dire au revoir, sans même laisser un mot. Six mois maintenant. Plus. En prenant la Chevrolet bleue de son père, pour faire bonne mesure. Grant aurait pu appeler les flics. Il pourrait encore le faire.

« Tu penses que c'est assez propre pour reboucher tout ça ? » Emmet s'écarta de la cheminée et Grant chercha un endroit pour se retenir au cas où il glisserait.

« Je crois que ça va le faire. » Un seau de vingt litres était suspendu au sommet de l'échelle, avec à l'intérieur une brosse à poils souples, une petite truelle, et deux tubes de ciment plastique pour toiture. Lorsque Emmet en eut fini avec la brosse métallique, il prit des mains de Grant le pistolet à ciment et commença à enduire de ciment noir la profonde fissure, là où l'ancien joint abîmé était parti et où la brique n'était plus protégée.

« Elle boit tout ce qu'elle peut, lança Emmet.

— Ah oui ?

— Oui, une vraie tique. » Il vida les deux tubes et s'empara de la truelle pour lisser la matière tel du glaçage noir. Au bout d'un moment, il s'essuya le sourcil avec l'avant-bras et déclara : « Ça te semble comment, chef ?

— Comme si c'était moi qui l'avais fait. En mieux.

— Mon œil. Tu aurais démoli la moitié de ce toit pour refaire un joint étanche.

— Ça ira pour le moment.

— C'est tout ce que je demande. Celui qui prendra ma place ici fera ce qu'il veut ensuite. »

Une fois redescendu, Grant rangea l'échelle et ils allèrent chercher de l'ombre sous la véranda d'où ils scrutèrent le ciel à la recherche de l'orage qui pourrait survenir et tester leur réparation. Mais il n'y avait pas un nuage et les articulations du vieil homme confirmaient qu'il ne pleuvrait pas de la journée, ni dans les jours à venir. La chienne était couchée sous la véranda, au frais, la tête posée sur les pattes avant, l'oreille à l'affût.

« Viens manger à la maison, lança Emmet. J'ai de la viande froide et on pourrait se faire frire du bacon, du vrai. »

La maison d'Emmet, qui ressemblait à une sorte de chalet en rondins à un étage, se dressait, belle et austère dans le soleil. De loin, elle semblait faite avec les sapins qui se dressaient sur les pentes alentour, au-delà des près et des champs, mais en vérité le bois était arrivé prédécoupé à l'arrière d'un semi-remorque dix ans plus tôt, et les hommes qui l'avaient transporté avaient érigé la bâtisse en deux jours, et les murs à l'intérieur étaient aussi lisses et blancs que dans une galerie d'art. Emmet l'avait faite pour Alice, sa femme, mais elle n'avait pu en profiter qu'à peine un an avant de mourir subitement, une nuit, d'une attaque cérébrale. Devine sur quoi on peut compter, avait dit le vieil homme : rien.

Grant posa le pied sur une latte bancale de la véranda et déclara qu'il lui restait la moitié d'un steak qu'il vaudrait mieux manger. « On pourrait le partager si tu veux.

— Pas envie de steak aujourd'hui. Pas envie de viande froide non plus, mais il faut bien que je mange quelque chose pour avaler mon putain de cachet. D'ailleurs… » Il fixa son poignet et s'efforça d'effacer une traînée noire. « J'ai rangé quelques médocs là-bas, dans ton placard. Derrière tes céréales. Je les prends pas souvent, mais ils coûtent une fortune. Si tu veux les mettre ailleurs, pas de problème, je te demanderai quand j'en aurai besoin.

— D'accord. »

Le vieil homme avança d'un pas, s'immobilisa et son regard se perdit au loin. Il se gratta la gorge et dit : « Tu as vu la serveuse ce matin au café ?

— Quelle serveuse ? répliqua Grant.

— Quelle serveuse, » répéta Emmet. Il finit de descendre les deux marches, se pencha pour ramasser par terre son blouson rouge, l'épousseta et l'enfila. Il plongea la main dans une poche et lâcha : « Qu'est-ce que c'est que ça ? Ah, oui. » Il remonta les marches et tendit le bras vers Grant. « Prends ça aussi, tant que tu y es. » Grant ouvrit la main et Emmet lui glissa des cartouches de fusil dans la paume comme il l'aurait fait avec des bonbons. Le vieil homme remonta la fermeture Éclair de sa veste jusqu'au menton, baissa son couvre-chef sur ses yeux, remonta et traversa la cour, les épaules voûtées, l'air tassé, comme si l'orage était enfin arrivé.

## 8

Le bus s'immobilisa dans un souffle d'air comprimé, les portes s'ouvrirent et Angela pénétra à l'intérieur, retrouvant une odeur qu'elle aimait tant. On ne pouvait pas la définir, mais c'était l'odeur qu'avaient tous les bus, l'odeur de l'enfance : le car scolaire, certes, mais son père avait aussi été chauffeur pour la ville. Il se découvrait pour saluer celles qui montaient à bord, *Bonjour, mesdames*, et elles glissaient avec nonchalance quelques pièces de monnaie – *Bonjour* – avant de s'engager dans l'allée centrale avec leurs robes d'été, leurs lunettes de soleil, et les lacets de leur maillot de bain leur caressant la nuque ; elles s'asseyaient ensuite là où elles pouvaient l'observer tandis qu'il tournait le volant tel un capitaine de navire, faisant chavirer leurs cœurs à chaque virage : il était courtois avec tous ceux qui montaient à bord, et lorsqu'ils descendaient, il les saluait derechef. Angela se souvint de deux filles au teint hâlé l'embrassant sur les joues, une-deux, avant de sauter d'un bond les marches dans la lumière du soleil et de s'éloigner sans se retourner, mais conscientes des yeux qui les suivaient, ceux des hommes en particulier, tandis que le bus reprenait sa route.

Étés de secrets, d'amour et d'autre chose encore. De cœurs se languissant de ce qui les attendait peut-être au détour du prochain virage, ou de celui d'après.

Une vieille femme s'installa juste derrière le chauffeur avec un sac ajouré sur les genoux, et au bout d'un moment surgit une minuscule tête avec d'énormes oreilles de chauve-souris, des yeux ronds et humides qui regardèrent alentour, et une langue miniature se léchant le museau. Trois adolescents étaient vautrés à l'arrière du bus, deux garçons et une fille, tous vêtus de jeans noirs et moulants, absorbés par leurs téléphones.

Angela regardait défiler la ville. Le centre commercial. L'université. L'église où elle s'était mariée. Le terrain de foot qui, lorsqu'ils avaient seize ans et commençaient à peine à sortir ensemble, était encore un cinéma en plein air, tu t'en souviens ?

*Les jumeaux Meyers que tout le monde voulait qu'on fréquente ?*

Identiquement ridicules.

*Identiquement ennuyeux.*

Identiquement lubriques.

*Oh mon Dieu !*

Le bus s'arrêta, la vieille femme au petit chien se leva et descendit les marches avec précaution. Sur le trottoir elle ouvrit un parapluie jaune, attentive à garder son animal au sec. Personne ne monta. Les portes se refermèrent, le chauffeur enclencha son clignotant et soudain Angela bondit sur ses pieds. « Attendez ! Attendez s'il vous plaît, cria-t-elle, on doit descendre. »

Les adolescents, le chauffeur – tout le monde – l'observèrent se frayer un chemin, seule, dans le couloir.

La vieille femme s'engagea sur le chemin menant à la partie la plus ancienne du cimetière. De loin, son parapluie ressemblait à un soleil de dessin animé s'élevant parmi les arbres dégoulinant et les vieilles pierres humides. Angela se dirigea vers la section la plus récente, avec ses petits arbres et ses bancs de pierre au design moderne. Elle n'était pas venue depuis longtemps, mais curieusement elle se sentait calme ; les tombes, les pelouses, et tout ce qui se trouvait au-dessous, ne l'effrayaient pas. C'était peut-être la pluie, l'absence de soleil, les oiseaux silencieux. C'était peut-être les cachets.

Son père se trouvait ici. Il attendait sa mère, qui vivait encore, à moitié sénile, dans une maison de retraite. Faith était là, aussi. Et à côté de la parcelle de Faith, il y avait un îlot d'herbe intacte. À l'époque les concessions étaient presque toutes vides, mais Angela n'avait pas été dupe. Elle avait compris. Ses parents ne pouvaient pas imaginer les filles séparées ; ils ne pouvaient pas imaginer Angela adulte avec un mari et des enfants à elle. On ne peut imaginer enterrer ses propres enfants – ensevelir leur corps dans la terre tandis que l'on continue de vivre, de vieillir – jusqu'à ce que cela vous arrive. Voilà ce que la seconde parcelle lui avait révélé.

*Tu te souviens comme tu as flippé ? Comme s'il fallait que tu la rejoignes ?*

Ce n'était pas ça ?

Ce n'était pas ça. Je pensais devoir le faire. Ce n'était pas juste que tu partes toute seule.

*Juste pour qui ?*

Elle essuya tant bien que mal l'eau sur le banc, s'assit, et sentit immédiatement l'humidité sur sa jupe, la froideur intense de la pierre. Elle inspira l'air humide, souffla : une légère vapeur s'échappa de ses lèvres. La pluie tambourinait faiblement sur son parapluie. Le sang coulait, épais dans ses veines, se frayant différents chemins.

Le banc était froid et dur ; l'air frais sentait les feuilles, la terre et la pluie, et le parapluie était ouvert au-dessus de sa tête telle une canopée sombre. Elle resta immobile dans ce refuge jusqu'à ce que le banc devienne celui sur lequel Caitlin s'était assise, là où elle avait regardé les pierres tombales, la Vierge pâle et glacée, aux doigts manquants, comme Grant, et la plaque en bronze à ses pieds : "Le bon révérend… octroie dans sa grande miséricorde, au nom du Seigneur, quarante jours de grâce …"

*Sa fille avait-elle prié devant l'autel ? Elle demanderait à Sean : est-ce que Caitlin a prié ? Et toi ?*

*Et si ce n'était pas le cas, qu'est-ce que cela signifierait ? Et si ça l'était ?*

*Elle entendit un bruit, un bruissement, et elle vit à ses pieds un scarabée noir escaladant les feuilles de tremble jaunies. Il en tenait un autre entre les mâchoires, plus petit, plus léger, inerte, mort, ou peut-être paralysé suite à une morsure.*

Prie avec moi, Angela.

*Elle s'était retrouvée seule dans les bois. Grant, le shérif, les rangers, les maîtres chiens, les volontaires, tous s'étaient déployés et avaient continué de marcher sans se retourner. Personne n'avait remarqué qu'elle n'était pas avec eux. Elle s'était emparée du talkie-walkie et l'avait observé : quelque chose ne tournait pas rond ; la batterie était morte.*

*Prier maintenant ? demanda-t-elle. Devant cet autel ?*

*Oui.*

*On est à Lourdes ? Elle soigne et fait des miracles ? Notre Dame des doigts manquants.*

Je t'en prie, Angela.

*Le visage blafard telle une poupée en porcelaine au crépuscule. Les doigts coupés, exsangues. Notre Dame des moignons veille sur les vieilles pierres. Les tombes bringuebalantes d'Américains d'antan, des pionniers et leurs familles attirés vers l'Ouest par les rêves et les projets qu'ils élaboraient dans leurs têtes. Il y avait ce documentaire sur l'expédition Donner : femmes, enfants, familles entières gelant et mourant de faim dans les montagnes, se dévorant les uns les autres. Ça, c'est de l'expédition, mon pote, avait décrété Sean. Il avait douze ans. Caitlin avait affirmé qu'elle aurait fait comme eux. Elle aurait mangé pour rester vivante. Grant – Grant était absent.*

*Le soleil s'était couché. L'air était devenu froid comme en automne, comme en octobre. Son souffle s'échappait en volutes et s'évanouissait telle une ribambelle de fantômes.*

*Tu te souviens quand il est rentré cet été-là, avec la main bandée ?*

Oui, bien sûr.

*Il s'est agenouillé à mes pieds. Il a imploré mon pardon. Tu te souviens des promesses qu'il m'a faites ?*

Oui.

*Fini l'alcool, finies les femmes. Ce n'était pas quarante jours de grâce qu'il me demandait, c'était toute une vie. Une nouvelle vie. Et je la lui ai accordée. J'ai pardonné et je l'ai repris, et j'ai cru que Dieu nous bénirait d'avoir traversé cette épreuve, d'avoir su la surmonter. Et tout ça pour ça. Et tu me demandes de prier devant cette pierre ?*

Tu le faisais avant. Depuis ce jour au lac. Tu n'as pas cessé de prier à l'époque.

*Mais tu ne m'as pas quittée. Tu n'es jamais partie !*

Elle non plus, Angie. Caitlin est toujours là. Tu verras. Mais il faut te battre. Pour elle, et pour Dieu, mais surtout pour toi-même.

*Et si je ne peux pas ? Si je suis brisée comme ces doigts ?*

Oh ma chérie, *répondit Faith, avant de s'interrompre, car des lumières avaient surgi dans les bois – des lueurs se balançant, imprévisibles comme des phares ballottés. Des voix qui appelaient.*

*Angie ! Angela !*

*Son cœur bondit furieusement – Caitlin ! Qu'est-ce qu'il y a ? cria-t-elle, que se passe-t-il ?*

*Ils arrivaient à sa hauteur, piétinant dans la pénombre les feuilles tombées, tendant les mains vers elle. Le visage de Grant, indéchiffrable dans le contre-jour – Angie, mon Dieu… on pensait t'avoir perdue.*

## 9

Parfois, lorsqu'il faisait chaud et que sa journée de labeur était terminée, Emmet sortait avec une bière sur la véranda et s'installait dans un des fauteuils à bascule en bois pour contempler les terres. Au bout d'un moment, Grant le rejoignait, et les deux hommes parlaient du temps à venir, et de ce qu'il fallait tondre, ou peindre, ou planter, ou réparer le lendemain, tout en observant le crépuscule tomber. Emmet encourageait Grant à fumer, et celui-ci acquiesçait, mais il s'en abstenait en fin de compte, par égard pour la gorge du vieil homme, et en silence ils regardaient les étoiles surgir au-delà des collines. Les chauves-souris et les martinets s'adonnaient alors sans un son à leurs danses extravagantes.

Alors que s'achevait ce jour de début septembre, Grant remplit sa tasse, sortit et descendit les marches. La chienne quitta péniblement sa place sous la véranda pour le suivre. L'El Camino noire n'avait pas bougé de la journée.

« Je vois qu'on a eu la même idée, s'exclama Emmet, brandissant son café.

— C'est un soir à boire quelque chose de chaud.

— L'automne arrive. Installe-toi, camarade. »

Grant s'assit dans l'autre fauteuil à bascule, celui d'Alice initialement, qui aurait dû bercer le restant de leur existence commune. La chienne renifla un endroit à l'autre extrémité de la véranda, et tourna deux fois sur elle-même avant de se laisser tomber en soupirant sur les lattes.

Emmet avait fait la sieste et s'était rasé. Il portait son coupe-vent rouge, son visage avait une teinte rosâtre, et il avait passé dans ses cheveux blancs un peigne imprégné d'huile parfumée.

« Ça fait bien d'ici, fit Grant.

— Quoi ?

— La bande sur la cheminée, là où on a réparé, ça fait bien d'ici. »

Vers l'ouest un grand oiseau était perché à la cime d'un pin tordu qui depuis longtemps n'avait plus de branches et pointait vers le ciel à l'instar d'une aiguille. Cet oiseau se posait au même endroit, au même moment, tous les jours, comme pour soigner son effet avant le coucher du soleil, se reposant de profil jusqu'à ce qu'une proie, voire un autre volatile, le pousse à partir. Sa présence quotidienne était devenue partie intégrante du paysage, au même titre que les collines alentour, et ne nécessitait aucun commentaire. Cependant, Grant s'était risqué un jour à aborder le sujet, et le vieil homme s'était muré dans le silence. Puis il lui avait confié que sa femme se plaisait à dire que si elle devait revenir sur terre, au lieu d'aller au paradis, elle espérait que Dieu lui permettrait de prendre la forme d'un oiseau : un faucon, un aigle, un épervier. Et si c'était le cas, poursuivit Emmet, elle souhaitait n'avoir aucun souvenir de sa vie en tant qu'être humain. Elle voulait pouvoir observer la terre de là-haut et savoir ce qu'un oiseau était censé savoir – non pas ce que les hommes pensaient ou faisaient. Elle voulait juste pouvoir les regarder, ni plus ni moins curieuse ou méfiante que n'importe quelle autre créature.

Ils restèrent là, à contempler l'oiseau.

*Tu y crois ?* demanda Grant.

*Croire quoi ?*

*Qu'une personne puisse revenir.*

Emmet décroisa les jambes. Avala une gorgée de bière. Recroisa les jambes dans l'autre sens. Pour finir, il avoua qu'il ne savait pas s'il croyait en ce genre de chose, au sens religieux, si c'était là que Grant voulait en venir, mais il précisa que sa femme avait été la seule chose vraie de son existence, et lorsqu'il observait ses terres et voyait l'oiseau perché ainsi, eh bien… Il expira comme s'il expulsait de la fumée. *Je crois que ce qu'un homme croit peut parfois le surprendre lui-même. Pas toi ?*

L'oiseau décolla alors, battit des ailes à deux reprises et s'éloigna en direction du sud. Les deux hommes gardèrent le silence, la chienne continua de dormir ; et un son soudain et strident rompit le calme – un sifflement aigu et perçant qui transperça les moustiquaires. Emmet se pencha en avant dans son fauteuil comme s'il avait reçu un coup derrière la tête. Ils se retournèrent tous deux. Celui qui sifflait se tenait sur le seuil, derrière la porte à moustiquaire, les lèvres en cul de poule, les observant tour à tour. Au bout d'un moment il ouvrit le loquet et le sifflement s'intensifia.

« Arrête », lança Emmet.

Billy s'interrompit et le fixa. « Tu n'aimes pas ce morceau ?

— C'est pas un morceau que je connais.

— C'était Hank Williams, papa. Écoute bien. » Il se posta entre les deux fauteuils et pivota sur lui-même pour faire face aux deux hommes. C'était un grand jeune homme mince avec un blouson de cuir noir et une chemise blanche amidonnée. Ses cheveux noirs étaient ramassés derrière ses oreilles et quelques poils de barbichette ornaient son menton. Le blouson à la coupe sport crissait à chacun de ses mouvements.

« Je te dis d'arrêter, rétorqua Emmet. Tu me fais mal aux oreilles. »

Billy obtempéra, une main suspendue en l'air, le long goulot d'une bouteille de bière se balançant entre son index et son pouce qui formaient comme un nœud coulissant. Il se tourna vers Grant. « Tout d'un coup il a l'ouïe aussi fine qu'une chauve-souris. »

Le jeune homme s'assit sur la rambarde, croisa les jambes face à son père, en miroir, et agita une botte de cow-boy noire comme pour attirer l'attention dessus. Ses yeux semblaient très bleus dans le jour déclinant. Il posa sa bière sur la rambarde, sortit ses cigarettes, en glissa une entre ses lèvres et s'apprêta à ranger le paquet avant de se raviser et de le tendre à Grant.

« Non merci.

— Vous avez arrêté ?

— Non, je ralentis un peu.

— Ah », fit Billy. Il posa sa botte par terre, tendit la jambe afin de glisser deux doigts dans son jean, et articula, la cigarette au bec : « Bon, comment ça va, Grant ? Je me demandais si vous étiez toujours dans le coin.

— Bah oui, Billy. Et toi comment ça va ?

— Allez, vous tenez le fort, là-bas, c'est ça ?

— En attendant que le proprio me vire.

— Ah », répéta Billy. Il ouvrit un Zippo argenté, fit rouler la pierre et alluma sa cigarette avant de refermer l'objet d'un geste assuré. Il souffla de la fumée en direction de la vieille maison et ajouta : « J'espère que vous aimez le froid. Là-bas on pisse des stalactites les matins d'hiver. Et qu'est-ce qui s'est passé dès que j'ai pris mes cliques et mes claques ? Il s'est construit une espèce d'hôtel surchauffé, le vrai luxe quoi. » Il recroisa les jambes et secoua derechef sa botte dans le vide. Le briquet remuait sans cesse entre ses doigts, argenté, puis d'un bleu violacé, puis argenté à nouveau.

« N'en crois pas un mot, Grant. Il avait la maison tout entière pour lui quand il le voulait. Pour lui et ses copains.

— Avant », précisa Billy.

Grant avala une gorgée de café.

« C'est quoi ton problème, fiston ? fit Emmet.

— Reprends-la si tu veux, Billy, intervint Grant. Je peux m'arranger autrement.

— Quoi ? Sûrement pas, j'ai pas envie de vivre là-dedans. Je veux rien avoir affaire avec cet endroit. »

Emmet secoua la tête et détourna le regard. Billy tira sur sa cigarette et souffla un mince filet de fumée.

« Elles sont sympas tes bottes, Billy », dit Grant.

Billy immobilisa son pied. Il braqua le bout pointu en direction du plafond de la véranda.

« Je les ai prises à un mec à Denver qui croyait savoir jouer au billard. Quand on est con, on a vite fait de se retrouver sans bottes… Hé, s'interrompit-il, regardant au-delà de Grant, te voilà ma fille. Viens par là. »

La chienne couchée dans l'ombre l'observait. Elle tourna la tête vers Grant.

« Ne le regarde pas, lui, viens me voir. » Billy coinça sa cigarette entre ses lèvres, se tapa les cuisses, et la chienne se leva lentement pour s'approcher de lui, tête basse. « Alors, tu réponds encore quand on t'appelle, hein ? » Il prit la tête de l'animal entre ses mains, et la secoua.

« Lâche-la, lança Emmet.

— Allez, elle adore. Pas vrai, Lo, pas vrai ? On se battait avant, comme des putains d'alligators.

— Elle est trop vieille pour ça maintenant. »

Billy se leva et ôta la cigarette de sa bouche. « Putain, papa. Tu crois pas que je connais mon chien, bordel ? »

Emmet le fixa, puis détourna le regard.

Billy s'empara de sa bouteille de bière, colla le goulot à ses lèvres et renversa la tête en arrière. Sa pomme d'Adam saillante fit des va-et-vient dans sa gorge jusqu'à ce qu'il la vide.

« Bon. Tu peux me filer un peu de fric, papa ?

— Pour quoi faire ?

— Pour quoi faire ! Pour pas crever de faim. Il ne me reste que huit dollars et un chèque que je peux pas encaisser avant lundi.

— Pourquoi tu l'as pas encaissé avant de venir ici ?

— Parce que, c'est tout. Bon, tu peux me passer un peu de fric, ou pas ? »

Emmet sortit son portefeuille de sa poche et ajusta ses lunettes pour voir ce qui s'y trouvait. « Je n'ai qu'un billet de vingt.

— Ça le fera. » Billy fourra le billet dans la poche de sa chemise et regarda à nouveau la chienne, qui s'était réinstallée par terre près de Grant. L'animal coucha les oreilles.

Billy se mit à triturer sa barbichette.

« Eh bien, Grant, c'était sympa de vous revoir, si je puis me permettre.

— Et pourquoi tu ne pourrais pas te permettre ?

— Pourquoi ?

— Oui.

— Pourquoi… (Il regarda tour à tour Grant et Emmet.) Parce que si vous êtes encore là, ça veut dire que mon frère n'a toujours pas trouvé votre fille, voilà pourquoi. »

Grant observa le jeune homme. Soutint son regard bleu. La première fois qu'il avait entendu parler de Billy Kinney, c'était dans les montagnes, au tout début, lorsqu'ils vivaient encore au motel : le shérif était passé pour dire qu'il serait absent toute la journée, qu'il devait se rendre en voiture à Albuquerque. Angela l'avait fixé, le regard empreint d'une seule et unique interrogation : *que savait-il?* « Ce n'est rien, avait précisé le shérif, il faut que j'aille sortir mon petit frère de prison, je serai de retour dès que possible. » Ils en avaient été ébahis : c'était la première fois que le shérif ne semblait pas entièrement à leur disposition, exclusivement dévoué à leur cause. Ils ne pouvaient pas protester, ils ne pouvaient lui en vouloir ; mais ils ne pouvaient pas non plus supporter ce sentiment d'abandon, parce qu'au fond cela signifiait qu'avec le temps l'enquête, les moyens déployés, les journalistes, le monde lui-même passerait à autre chose.

« Nom de Dieu, Billy, éructa Emmet, s'agrippant d'une main à l'accoudoir du fauteuil et se penchant en avant. C'est quoi ton problème, bordel ?

— Quoi ? J'ai pas de problème, moi. C'est quoi ton problème à toi, plutôt ? J'essaie juste d'être sympa, c'est tout.

— Ouais bah, va donc être sympa ailleurs, OK ?

— Putain, je pensais pas à mal. Il le sait bien. Pas vrai, Grant ? »

Grant avala une autre gorgée de café. « À plus tard, Billy. »

Billy les regarda l'un après l'autre et secoua la tête. Il jeta d'une pichenette sa cigarette à l'extérieur de la véranda et descendit prestement les marches. Un instant plus tard l'El Camino rugit et la lueur rouge des feux de position illumina l'angle de la maison. L'arrière du véhicule surgit puis disparut d'un coup, laissant dans son sillage des pans de poussière rougeoyants. Ils entendirent la voiture avancer dans le chemin, puis ralentir au niveau de la route. Le moteur vrombit alors mais il n'y eut pas de crissement de pneus, et après quelques instants les bruits s'évanouirent complètement.

Face à eux, au-dessus de la porte de la remise, la lumière automatique extérieure s'était allumée ; un rideau de poussière flottait dans l'air.

« Je suis désolé, Grant.

— Faut pas, Em. Moi aussi j'ai un fils. Il est jeune, c'est tout.

— Pas si jeune. Moi je suis trop vieux. C'était déjà le cas quand on l'a eu. Je me demande si c'est pour ça. » Emmet fixa son café. Grant contempla la nuit. Une chauve-souris apparut soudain dans la lumière, le temps de s'emparer d'un papillon de nuit et de repartir. Sans un bruit.

« Je voudrais ajouter quelque chose, poursuivit le vieil homme. Même si je sais qu'on est pas censés dire ça tout haut. Mais s'il avait fallu choisir de sauver ton fils ou le mien, j'aurais choisi le tien. »

## 10

La camionnette, un pick-up Chevrolet bleu, descendait la voie rapide sous une lune basse et une voûte d'étoiles voilée. Une seule banquette, le modèle d'il y a trois ans, en bon état. Pas d'autocollants sur le pare-brise ni sur le pare-chocs. Pas de râtelier à fusils. Le véhicule avançait à vitesse de croisière, cent vingt kilomètres à l'heure, juste au-dessus de la limite ; tous feux allumés. Sans rien de particulier sinon qu'il était immatriculé dans un autre État. Le conducteur se dirigeait vers le nord, et de l'extérieur il ne semblait pas y avoir de passager, de bagage, ou quoi que ce soit d'autre dans la cabine. Une quinzaine de kilomètres avant la ville suivante, la Chevy passa dans la file de gauche malgré la pente raide, pour doubler un semi-remorque qui transportait une énorme pierre noire, un genre de monument, avant de se rabattre sur la droite. Le 4 × 4 qui la suivait depuis quelque temps fit de même dans une explosion de lumières rouge et bleu, rouge et bleu, clignotant sans bruit dans la pénombre du petit jour.

Le policier resta à l'arrière à vérifier la plaque d'immatriculation. Dans la camionnette, ébloui par les phares se reflétant dans le rétroviseur, le garçon plissa les yeux et le mit en position nuit.

Au-dessus du désert, la lune s'était heurtée à un pan de ciel noir, aussi lisse qu'un plateau, et se tenait là, comme aplatie, dans un champ d'étoiles. Des étoiles inconnues, éparpillées au hasard ; étranges cieux. Le cou tendu par la portière, le garçon scrutait et scrutait, incrédule, étourdi, jusqu'à ce qu'il reconnaisse enfin Pégase, et à partir de là, les autres : Céphée, Cassiopée, et Andromède, la fille du roi, enchaînée à son rocher. Nue, abandonnée, contemplant la mer. Il n'avait jamais été doué pour les études, mais il connaissait les étoiles ; il aimait l'idée qu'elles se trouvaient là, à la même place depuis toujours, avant même qu'on leur donne des noms, avant même qu'un œil humain ne les distingue les unes des autres.

Le policier s'approcha, braqua sa lampe sur le visage du garçon, puis en direction du siège passager, sur lequel était posé un sac de couchage rouge et un sac marin kaki resté entrouvert, qui laissait apparaître un nid de chaussettes grisâtres. Au-dessous, sur le plancher du véhicule, gisait un sac de menuisier en tissu avec des poignées en cuir et une boucle en cuivre le maintenant fermé. Il semblait plein, et lourd.

Le policier baissa sa lampe et resta devant la portière, à moitié éclairé par les phares de sa voiture de patrouille. Sous le rebord de son chapeau, ses yeux étaient sombres et son visage lisse, et il portait une fine moustache noire. Sur sa veste était épinglée l'insigne du bureau du shérif, mais il était trop jeune pour être le shérif lui-même. Il demanda au jeune homme son permis de conduire et sa carte grise. Il braqua sa lampe sur un document puis sur l'autre, avant de la diriger à nouveau vers le visage du conducteur, soudain ébloui par l'éclair blanc.

« C'est votre permis de conduire, monsieur ? » Il y avait dans sa voix l'inflexion d'un autre pays, d'un autre peuple, plus vieux que tout.

« Oui.

— Selon ce document, vous avez dix-sept ans. »

Le garçon garda le silence.

« C'est exact ?

— Oui.

— Depuis combien de temps vous tirez sur ces tiges à cancer ? »

Le garçon jeta un coup d'œil à la cigarette qu'il tenait entre les doigts. « Pardon ?

— Je n'ai jamais vu un garçon de dix-sept ans paraître aussi vieux que vous. »

Le jeune homme garda le silence. Puis : « Pourquoi m'avez-vous arrêté ?

— Vous avez oublié votre clignotant quand vous avez doublé le camion tout à l'heure. Qui est Grant Courtland ?

— Mon père.

— C'est son véhicule ?

— Oui.

— Il sait que vous êtes au volant, aussi loin de chez vous ?

— Comment ça ?

— Comment ça, comment ça ? Est-ce que votre père qui vit au Wisconsin sait que vous conduisez sa camionnette au Nouveau-Mexique ?

— Il sait que je l'ai prise, oui.

— Mais il ne sait pas où vous êtes allé avec ?

— Non. »

L'agent l'observa. « Que faisiez-vous là-bas ?

— Où ça ?

— Dans le Wisconsin.

— Rien, répliqua le garçon.

— Vous faisiez bien quelque chose.

— Non, monsieur.

— Mais si. Vous êtes parti. »

Le garçon soutint le regard du policier. Tout était silencieux hormis le ronronnement du moteur de la voiture de patrouille.

Au bout d'un moment l'agent se pencha en avant et releva le nez d'une curieuse façon. Comme pour sentir l'odeur du garçon.

« D'où venez-vous, jeune homme ?

— Comment ça ?

— Ça fait deux fois que vous me posez cette question. Je veux dire, où étiez-vous avant de passer par ici ?

— J'étais en Californie pendant un temps.

— En Californie.

— Oui.

— Pour quoi faire ?

— Pardon ?

— Pourquoi étiez-vous en Californie ?

— Pour voir l'océan. »

L'agent le dévisagea. « Vous n'avez rien d'autre à répondre, jeune homme ? »

Le garçon resta silencieux.

« Vous avez volé ce véhicule à votre père, non ?

— Il est signalé comme volé ?

— Je vous ai posé une question.

— Non, monsieur. Je lui ai emprunté.

— Vous lui avez emprunté.

— Oui, monsieur. »

Le policier s'écarta et jeta un coup d'œil vers la route où l'ombre de la camionnette s'étirait sur le bitume pour se fondre dans l'obscurité. Il faisait lentement aller et venir le rayon de sa torche comme pour soupeser l'objet. Il ordonna au garçon de descendre du véhicule emprunté et de se mettre à l'arrière, dans la lumière des phares de la voiture de patrouille.

L'aube se levait, faible lueur violette à l'est. Le garçon tira une dernière fois sur sa cigarette, jeta le mégot et l'écrasa du bout de sa botte. L'air avait une odeur sèche et froide de sauge, de genévrier, de pierre et de terre, et même sans fumer, sa respiration se condensait en petits nuages blancs lorsqu'il expirait. Septembre, songea-t-il, début septembre. Les saisons changeaient peut-être, mais il ne s'agissait pas de ses saisons, il n'en reconnaissait pas les signes. Il frissonna et s'efforça d'évacuer les élancements dans son genou. Il avait dormi un moment sur l'aire de repos, avec son sac de couchage comme oreiller, mais le froid et la douleur avaient eu raison de lui, et il avait repris la route.

Les yeux sombres du policier apparurent dans le rétroviseur de la cabine, au-dessus du siège passager, avant de disparaître à nouveau. Entre la route et un plateau lointain s'étendait un champ d'herbes verdâtres dans lequel surgissaient çà et là des boules de broussailles, telles les bosses d'un monstre des mers. Debout à une trentaine de mètres se tenait une antilope. Cornes saillantes en forme de tire-bouchon, son œil d'obsidienne braqué sur le jeune homme. Celui-ci la fixa en retour, les yeux piquants, et il songea au Chinois penché sur lui, lui écartant la paupière entre le pouce et l'index, et braquant telle une flèche un rayon lumineux dans son orbite sans défense. Ses doigts sentaient le caoutchouc. *Bonjour, Sean, je suis le docteur Lee. Des éclairs blancs au-delà du rayon lumineux du Chinois scintillèrent, puis une douleur éclata soudain dans sa jambe. Une explosion de lumières, comme des étoiles filantes, traversa son champ de vision. Ainsi que les phares inattendus du véhicule, cette espèce de jeep surgie des bois qui fit crisser ses pneus, les verres jaunes des lunettes de l'homme derrière le volant et l'expression de son visage, qui n'en était pas une au fond mais juste ce regard jaune tandis que l'espèce de jeep dérapait. Ensuite le garçon dut s'endormir à nouveau, car il se réveilla en train de parler. Tout en articulant, il prit conscience qu'il répondait à des questions. Il ne sentait plus rien dans sa jambe, comme si on la lui avait coupée. Sa mère et son père d'un côté de son lit, et un autre homme penché sur lui, un type baraqué qui portait une veste de shérif, chapeau de shérif à la main. Il avait un grand visage sérieux et s'efforçait de se montrer avenant.*

*C'est bien, Sean. Tu fais très bien. Maintenant j'ai quelque chose à te demander. C'est très important. Il ne faut pas que tu dises à qui que ce soit, sauf si c'est un policier, ce que tu viens juste de me raconter. Tu comprends ? Si on te demande quoi que ce soit, tu réponds que tu ne te souviens de rien. Tu ne dis rien sur les lunettes de soleil, rien sur la couverture, rien du tout. Tu comprends ?*

*Tout le monde le fixait. Mère père Chinois shérif.*

*Je compte sur toi, fiston, d'accord ?*

« Revenez par ici », lança l'agent.

Le garçon s'approcha et jeta un coup d'œil par la vitre de la portière. Le duvet était déplié et le plancher jonché de chaussettes et de tee-shirts. Les outils avaient glissé du sac en toile renversé. La boîte à gants était grande ouverte, et son contenu avait été remis n'importe comment à l'intérieur. *Ne dis rien, Dudley. Tais-toi.*

« Qu'avez-vous à la jambe ? demanda l'agent.

— C'est tout ce que vous voulez savoir ?

— Vous avez emprunté ces outils à votre père aussi ?

— Certains. Mais les autres sont à moi.

— Vous êtes sûr ?

— Oui, monsieur.

— Mon père bricolait un jour et il est rentré pour aller aux toilettes et quand il est revenu dans le garage, sa scie circulaire avait disparu. Quelqu'un la lui avait empruntée.

— C'était pas moi. »

Le policier détourna le visage et cracha.

« Je vais vous dire, jeune homme. Vous m'avez tout l'air d'un petit crétin de Blanc qui n'apporte que des emmerdes, et je ne veux pas de ça par ici. Ni en ville ni même sur cette route. Compris ? »

Le garçon plongea son regard vers l'est, où l'aube se levait. Les étoiles, leurs rois et leurs créatures balayés petit à petit par l'arrivée de la lumière.

*Petit frère, l'avait appelé l'homme aux yeux jaunes.*

« Oui, monsieur, répondit Sean, c'est compris. Mais il me faut de l'essence. J'avais prévu de m'arrêter pour faire le plein. »

Le policier leva le rayon de sa lampe torche telle une grande épée. « Il y a une station Shell à vingt-cinq kilomètres d'ici, sortie 151, précisa-t-il. Ils ont tout ce qu'il faut comme carburant là-bas. »

# 11

*Février. Journées maussades, froides, ciel plombé. Il était assis à la table de la salle à manger, tête baissée sur ses devoirs lorsqu'elle descendit les escaliers et passa près de lui à pas feutrés, en chaussons, peignoir flottant dans l'air, pour gagner la cuisine. Elle sentait encore le sommeil. Il la vit se verser de l'eau filtrée et rester devant l'évier, verre à la main, le regard fixant la fenêtre.*

*Une heure après l'école, une heure avant la tombée de la nuit.*

*Tu veux qu'on aille quelque part ? suggéra-t-il, main crispée sur le stylo immobile.*

*Elle fit volte-face, surprise. Ses cheveux plats pendaient comme une tenture sans vie. Ses yeux étaient creux.*

*On pourrait aller au centre commercial, ajouta-t-il.*

*Non, mon chéri. L'ombre d'un sourire se dessina sur son visage, et elle se retourna vers le carreau. Tu as besoin d'argent ? demanda-t-elle, avalant une gorgée d'eau.*

*Il secoua la tête. Elle serra le verre contre sa poitrine.*

*Il est toujours là, remarqua-t-elle, plus pour elle-même qu'à son intention.*

*C'était le 27 février. Deux jours après son dix-neuvième anniversaire. Ils étaient de retour à la maison depuis trois mois. Son père était resté dans le Colorado, dans la même chambre d'hôtel où il avait vécu avec lui.*

*Le garçon enfila sa veste, s'empara de ses béquilles, sortit par la porte de derrière, traversa les dalles gelées menant au bâtiment en tôle. Il ouvrit la porte et resta sur le seuil une minute, à observer le bureau de son père. Son souffle se condensa au contact du froid plus intense à l'intérieur. La femme en jupe. Ses jambes nues. Qui s'était levée en souriant pour lui serrer la main. Une cliente, avait affirmé son père.*

*Lorsqu'il émergea du bâtiment en tôle, on aurait dit qu'il se déplaçait sur d'étranges supports : complexe cacophonie de béquilles, de pelle et de râteau. Il gagna ainsi le devant de la maison, puis le trottoir, et il s'engagea dans la rue sous les bras noirs du sycomore dans lequel il grimpait autrefois avec Caitlin. Il jeta un coup d'œil derrière lui. Personne n'était à la fenêtre.*

*C'était un écureuil roux, les pattes écartelées comme pour embrasser la route, le monde; intact à cause du froid, le crâne écrasé. Les autorités avaient dit qu'elles viendraient nettoyer, mais ce n'était pas le cas.*

*Appuyé sur ses béquilles, il l'observa. Pourquoi tu n'es pas resté dans ton nid, imbécile?*

*Il plaça les dents du râteau sur le corps et la pelle carrée derrière la queue hirsute, mais les restes de l'animal collaient trop au bitume, et il dut utiliser la pelle comme une spatule en la glissant sous la queue, les petites pattes arrière, le ventre, et la tête; l'ensemble finit par s'arracher du sol. Il prit le râteau et les béquilles dans une main, se pencha en avant sur sa jambe valide, souleva la pelle et la maintint en équilibre tout en ouvrant un sac noir. Il bascula délicatement la pelle, et le corps raide plongea dans le trou sombre. Il ferma le sac, fit un nœud, reprit une béquille dans chaque main, et regarda derrière lui. Personne n'était à la fenêtre.*

*Que pourrait-il lui dire pour l'aider?*

*Que savait-il?*

*Il se souvenait de tout jusqu'au moment où il avait été renversé, où il avait valdingué en l'air, où il s'était vu lui-même voltigeant dans le vide, comme s'il était extérieur aux événements. Il se souvenait ensuite d'avoir été frappé à nouveau, puis de la douleur irradiante et nouvelle de son corps disloqué.*

*Quant au reste…*

*Les choses continuèrent de se dérouler malgré lui, sans lui. Des choses qu'il n'aurait pas dû savoir, qu'il ne pouvait savoir, mais qui n'en étaient pas moins vraies. Comme si quelque chose de plus que son genou avait été transformé dans ce choc. Comme dans les bandes dessinées qu'il adorait autrefois : l'ordinaire se métamorphosant en fantastique sous l'effet d'un cataclysme hors du commun, des étranges lois du hasard.*

*Il éprouvait quelque chose qui s'apparentait à la honte. Comme lorsqu'on s'accroupit devant la fenêtre du sous-sol à écouter. Impossible de dire ce que l'on sait sans révéler comment on l'a appris : je me suis accroupi. J'ai écouté.*

*Et qui le croirait, de toute façon ? Même pas lui. Encore moins lui.*

*Que s'est-il passé là-haut, Sean ?*

*Seulement ce que je vous ai dit. Seulement ce que je vous ai dit.*

## 12

*Elle disparut dans le virage. Il ne l'appela pas pour l'arrêter, et elle poursuivit sur le chemin de terre sur quarante, soixante mètres avant de regarder derrière elle, puis de revenir en arrière en courant, de s'arrêter, et de sautiller sur place, les mains sur les hanches. Elle venait de faire deux pas dans sa direction lorsqu'il émergea péniblement de l'ombre, penché sur le guidon. Il ne cria pas son nom et elle fit demi-tour et repartit en courant, sans se retourner.*

*La lumière se faisait plus rare ici. La forêt plus épaisse et plus sauvage au fur et à mesure qu'ils grimpaient. Comme s'ils pénétraient dans une nature plus rude, se délectant de l'altitude et du manque d'oxygène. Elle dut se demander à quoi servait cette route et où elle menait. Juste avant qu'elle ne l'écrase, un lézard gros comme un doigt humain déguerpit sur la terre rouge pour se réfugier dans les herbes.*

*Ensuite elle aurait l'impression d'avoir eu un pressentiment. L'impression d'avoir vu – ou pas – quelque chose dans les arbres. D'avoir entendu son souffle rauque, d'en avoir senti l'odeur, ou tout simplement perçu sa présence, là-bas, tapi. Ou bien c'était parce que, après coup, il paraissait vraisemblable qu'une chose pareille se produisît sur ce genre de route, dans ce genre de bois. Quoi qu'il en soit, il se manifesta, surgissant des arbres à une vitesse monstrueuse, écrasant le bois mort, traînant dans son sillage des branches gémissantes. Soudain il y eut un terrible rugissement, elle cacha sa tête dans ses bras, les pneus crissèrent, et l'engin heurta violemment quelque chose, qui résonna comme le triste poteau métallique d'un panneau de stop ; elle entendit le choc et le souffle d'air – le corps du garçon projeté en l'air, interrompu dans sa course par un tronc d'arbre.*

*Un voile de poussière flottait dans la côte telle une traînée de sang, et, au-delà, la voiture – ou la camionnette ou l'espèce de jeep – s'était arrêtée en travers de la route, comme pour former une barricade. Totalement immobile et silencieuse.*

*Sean ne se trouvait pas dans le nuage de poussière rosâtre. Ni ailleurs sur la route. Elle vit le vélo, la tache orange incongrue dans la verdure, et elle comprit que son frère était là-bas aussi car naturellement il avait atterri là où était tombé le vélo. Mais quelque chose bougea alors devant elle. C'était un bras qui se soulevait mollement comme pour saluer depuis les broussailles au pied de l'arbre, et elle avança, légèrement irritée – tu gâches ma sortie – avant de s'exclamer, Oh merde, et de tomber à genoux près de lui, le voile rose l'enveloppant tel un filtre onirique. Lorsqu'elle vit sa jambe, son cœur se figea. Le genou ressemblait à un ballon violacé, et le tibia était plié dans un sens impossible.*

*Merde, répéta-t-elle, merde.*

*Mais pas de sang, pas de sang dont elle pourrait stopper l'écoulement à mains nues, ou sur lequel elle pourrait faire un garrot avec son haut. Il souleva à nouveau le bras, et elle fit Non. Ne bouge pas. Reste immobile. Tu m'entends ? Il y avait une odeur nauséabonde dans l'herbe, comme si un animal avait marqué son territoire. Puis elle le regarda à nouveau, et la tache qu'elle avait prise pour de la sueur sur son short, s'était étalée, s'étalait encore, et elle posa la main sur son épaule en murmurant, Oh, Dudley.*

*Arrête, dit-il, et elle enleva sa main.*

*Sean ? Tu m'entends ?*

*Ses yeux étaient fermés. Quelques gouttes écarlates commencèrent à perler d'une griffure sur son visage. La lanière de son casque disparaissait dans les plis de son cou. Mais le casque était toujours sur sa tête. Il semblait acquiescer.*

*Ne fais pas ça, dit-elle. Ne bouge pas ta tête. Ne bouge rien, d'accord ? Elle posa à nouveau sa main sur son épaule, et de l'autre fouilla dans le sac à dos à la recherche de son téléphone. Sentir l'appareil familier sous sa main, intact, envahit son cœur d'un certain soulagement. Détends-toi, lui chuchota-t-elle. Ça va aller. Elle pianota sur le clavier et regarda le petit écran pour vérifier si elle avait du réseau.*

*Ça va pas marcher, fit une voix dans son dos. Toujours à genoux, elle sursauta et laissa échapper un cri, tel un corbeau.*

*Il se tenait juste derrière elle. Il était arrivé sans un bruit. Démesurément grand, à première vue. Il se massa la nuque d'une main comme un homme qui a travaillé de longues heures et fait une pause pour voir comment allaient ce garçon et cette fille au bord de la route. Le frottement de sa paume sur sa peau fit un bruit intime, et l'esprit de la jeune fille ne put s'empêcher de s'y attarder. Elle l'entendait si distinctement.*

*Il n'y a pas de réseau ici, ajouta l'homme. Y en a jamais. Il leva l'autre main pour lui montrer un petit téléphone noir, comme si cela constituait une preuve.*

*Elle fixa son portable. Elle recomposa le numéro, observa l'écran et l'homme en même temps.*

*Je suis arrivé sur la route et il était là, fit-il, juste devant moi, comme une biche. Je n'en revenais pas. Un gamin à vélo, ici. Un truc de dingue. Combien de chances ?...*

*Il fit un pas en avant et s'accroupit sans effort, et cette nouvelle position – voire la façon si soudaine et si aisée avec laquelle il l'adopta – transforma le géant qu'il semblait être en un homme au centre de gravité beaucoup plus bas, un être pour qui cette position était plus naturelle, à la façon d'un primate. Il examina le garçon à travers les verres jaunes de ses lunettes.*

*Comment ça va, petit frère ? lança-t-il, et elle fut sur le point de rétorquer : Ne lui parlez pas. Il sentait la résine, l'essence et la sueur, et elle eut le sentiment que sa présence même la dépossédait de quelque chose. Au bout d'un moment, elle comprit de quoi il s'agissait : elle n'était plus l'aînée, la plus forte, la responsable.*

*Et pourtant… c'était peut-être quelqu'un qui connaissait les blessures et la marche à suivre en montagne en cas d'accident. Il y avait quelque chose dans sa tenue : sa chemise beige soigneusement repassée et rentrée dans le pantalon, et sa casquette de base-ball propre assortie, sa ceinture noire et luisante, son jean bleu et apparemment neuf, et ses chaussures de marche de bonne qualité. Elle scruta sa taille à la recherche d'accessoires ou d'étuis, et sa chemise et sa casquette pour voir s'il avait un insigne. Elle regarda l'espèce de jeep qui bloquait la route derrière lui, mais rien ne lui permit de baisser sa garde, de ne pas se tenir prête.*

*T'es bien amoché, hein petit frère ?*

*Le garçon ne bougea pas. Ses paupières restaient closes. L'écorchure rougie sur sa joue avait déteint à présent sur le reste de son visage et son cou. Il avait cette couleur lorsqu'il était très en colère ou très gêné.*

*Je crois qu'il s'est évanoui, déclara l'homme.*

*Sean, dit Caitlin. Sean, ouvre les yeux.*

*Laisse-le dormir, fit l'homme. Son corps en a besoin.*

*Elle secoua très légèrement l'épaule de son frère. Sean, ouvre les yeux.*

*Je ferais pas ça si j'étais toi, conseilla l'homme.*

*C'est mon frère, répondit-elle d'une voix blanche, sans un regard pour son interlocuteur.*

*Ça change rien. Il s'avança d'un pas pour poser deux doigts dans le cou du garçon.*

*Son cœur bat à toute allure, annonça-t-il. Alors que sa main n'était plus dans son champ de vision, elle prit conscience qu'il portait une alliance dorée. Il est sous le choc, poursuivit l'homme marié. Aide-moi à le charger dans le camion.*

*Non, lâcha-t-elle, ne le touchez pas.*

*OK, fit-il, OK.*

*Il est peut-être touché aux cervicales. Elle se tourna vers lui. Vous avez une couverture ou quelque chose comme ça ?*

*Une couverture ?*

*Quelque chose pour le couvrir. C'est ce qu'on fait en cas de choc, non ?*

*Choc ? Il semblait découvrir ce mot. Il ne bougea pas. Puis il dit : Je vais voir.*

*Une fois seule elle resserra sa main sur l'épaule de Sean et pianota à nouveau de l'autre sur son clavier. Allez, bordel. Elle secoua l'appareil. Elle le brandit à bout de bras dans toutes les directions. Bien haut au-dessus de sa tête.*

*Pars, souffla le garçon.*

*Quoi ? Sean, qu'est-ce que tu dis ?*

*Une portière claqua et elle entendit le pas lourd de l'homme revenant dans sa direction. Comment avait-elle fait pour ne pas entendre ses bottes sur les graviers, avant ? Il portait un tissu épais plié en carré, de couleur militaire, et lorsqu'il le déplia une forte odeur animale s'en dégagea. Il l'étala sur le garçon, et s'accroupit à nouveau tel un singe pour l'aider à le border.*

*Attendez. Elle souleva la couverture, plongea à nouveau la main dans le sac à dos, saisit le téléphone du jeune homme, le sortit et le glissa dans la paume de son frère. Ses doigts se refermèrent lentement, telle une araignée agonisante. Sean ? fit-elle. Rien. Ses paupières restaient closes, mais agitées de soubresauts. Comme s'il était redevenu petit garçon et qu'elle l'observait, attendant qu'il parle dans son sommeil – afin qu'elle puisse leur raconter au petit déjeuner, chacun s'efforçant de ne pas rire, tandis que le garçon devenait cramoisi.*

*L'homme se tenait derrière elle, légèrement sur la gauche, et Caitlin finit par se lever en se frottant les genoux pour en ôter les petits cailloux et la terre qui s'y étaient collés. Elle continua de se frictionner, même s'il ne restait plus que des traces rouges sur sa peau.*

*OK, fit l'homme. On ferait mieux d'y aller.*

*Elle se tourna vers lui. C'était une fille élancée, un mètre soixante-quinze, avec de longues jambes, et même avec ses bottes il n'était pas plus grand qu'elle.*

*Je vais t'emmener en voiture là où ton téléphone fonctionne, poursuivit-il. Je peux même te déposer chez tes parents si tu veux. Ou chez le shérif. Ce que tu préfères.*

*Et quoi ? rétorqua-t-elle. On va le laisser ici ?*

*Ça va aller. Il ne court aucun danger ici. L'homme glissa ses pouces sous sa ceinture et lui adressa une espèce de sourire. N'aie pas peur, ajouta-t-il, et jusqu'à cet instant c'était un sentiment qu'elle n'avait pas encore éprouvé.*

*Je n'ai pas peur. C'est juste que ce n'est pas logique. Vous pouvez très bien descendre dans la vallée jusqu'à ce qu'il y ait du réseau. Appeler les urgences et leur dire où on est.*

*Il resta debout devant elle, à l'observer derrière ses verres jaunes. On s'est peut-être mal compris, déclara-t-il. Je te propose de t'emmener là où tu peux passer un coup de fil. Je peux même te déposer devant le bureau du shérif si c'est ce que tu veux. Mais si je dois y aller tout seul, bah… C'est une affaire classée en ce qui me concerne.*

*Elle crut afficher un visage impassible. Elle se retint de consulter à nouveau son téléphone. Lorsqu'elle ouvrit la bouche, ses mots lui firent l'effet de pierres qu'elle lâchait dans le sable.*

*Comment ça ?*

*Bah, j'ai renversé ce gamin avec ma voiture et j'ai peut-être pas envie de me faire attaquer en justice par son papa.*

*Elle croisa et décroisa les bras.*

*Vous seriez dans un sale pétrin. Si vous partiez, menaça-t-elle.*

*Non, répliqua-t-il. Je ferais tout simplement plus attention.*

*Je vous ai vu. J'ai vu votre voiture.*

*Mademoiselle, as-tu la moindre idée de l'endroit où tu te trouves ?*

*Elle fixa les verres jaunes. Quelle genre de femme attendait cet homme ? Dormait dans son lit ?*

*Très bien, barrez-vous. Descendez dans la vallée et allez vous faire foutre, espèce de connard, on n'a pas besoin de vous.*

*S'il vous plaît, articula-t-elle à voix haute. S'il vous plaît.*

*L'homme soupira. Écoute, fit-il. Voilà comment les choses se présentent. Tu peux rester là avec ton petit frère et espérer que je prévienne quelqu'un, mais tu cours le risque de le voir faire un malaise et mourir devant tes yeux, OK ? Ou quand je serai parti, tu peux essayer de descendre en courant pour téléphoner toi-même. Tu pourrais peut-être y aller en vélo, mais j'en doute, vu l'état de l'engin. Ou bien tu viens avec moi et dans dix minutes tu pourras appeler des secours. Je te laisserai dès que tu capteras un réseau, si c'est ce que tu veux, et le shérif, ou ton papa, pourrra te prendre au passage. Donc voilà ce que je te propose, mademoiselle. C'est à prendre ou à laisser, mais il faut que tu te décides vite. Il se mit à tâter ses poches – de jean, de chemise – à la recherche de cigarettes, de clés, ou d'autre chose. Prends une minute pour réfléchir, je vais remettre ma caisse dans le bon sens.*

*Il s'éloigna. Elle regarda la route d'un côté, puis de l'autre. Les cimes des arbres frémissaient sous le vent. La lumière du soleil filtrait au hasard entre les branches et se projetait sur le sol de la forêt. Ou bien le hasard n'avait rien à voir là-dedans, songea-t-elle. Ils s'agissait peut-être des mêmes branches, des mêmes endroits par terre, jour après jour, du soleil suivant la même trajectoire, et de rameaux immuables, rien d'aléatoire donc, à part sa présence à elle, et son regard assistant à ce spectacle, à cette heure de la journée. Elle vit le visage de la Vierge, et le souvenir de l'endroit – les trembles blancs, la froideur du banc, l'odeur du chocolat, et le son de la mastication effrénée de son frère – l'envahit tel un souvenir d'enfance et lui fit chavirer le cœur.*

*Elle s'agenouilla et lui toucha de nouveau l'épaule.*

*Sean, il faut que j'y aille. Il faut que je descende dans la vallée pour choper du réseau. Je vais revenir très vite, avec papa et maman. Et une ambulance. Ensuite on redescendra tous ensemble, OK? Toi, tu restes allongé là, tu bouges pas, j'arrive, je te le promets.*

*Elle s'apprêta à se lever, mais s'immobilisa. Il venait de dire quelque chose.*

*Quoi ? fit-elle. Sean ?*

*Non, souffla-t-il.*

*Non, quoi ?*

*N'y va pas.*

*Tu veux que je reste ?*

*Non.*

*Qu'est-ce que tu veux que je fasse ?*

*Son visage rougi demeura sans expression. Rien sous ses paupières, sinon les faibles convulsions d'un rêve.*

*Il murmura autre chose d'une voix rauque et faible, et elle se pencha plus près de lui. Quoi ? dit-elle, de façon quasi inaudible. Elle retint son souffle en fixant ses lèvres.*

## 13

La vieille Chevy que son fils lui avait laissée avait encore une bonne reprise en montagne, mais Grant était bien content de ne pas doubler les camions chargés de troncs d'arbres et autres semi-remorques peinant sur les routes en lacet. Il alluma une cigarette et observa les crêtes s'élevant autour de lui, l'épais mur de conifères et, ici et là, un bosquet de trembles, comme si le vert était piqué de rouille. Au sommet du col se trouvait un parking avec vue panoramique, un endroit où trouver refuge après les vertigineux virages – irrésistible pour une famille des plaines qui n'avait jamais vu auparavant ce genre de paysage.

*Pourquoi appelait-on cela la ligne continentale de partage des eaux, si elle n'était pas située précisément au milieu du continent?* avait voulu savoir son fils. Ils se tenaient dos au panorama tandis qu'un inconnu braquait sur eux l'appareil photo, et pressait le bouton. *Parce que,* avait répliqué sa fille, *c'est là où les eaux changent de direction. Sur le flanc est, les ruisseaux et les rivières coulent tous vers l'Atlantique. Sur le flanc ouest, tout va vers le Pacifique.*

Ils avaient contemplé les montagnes, comme s'ils pouvaient distinguer les ruisseaux et les rivières dévalant les pentes jusqu'à leur but final.

Grant atteignit l'extrémité de la ville et se gara devant le Black Bear. Il pénétra à l'intérieur et s'installa au comptoir. *Je crève de faim*, s'était exclamé Sean. *Comme c'est étonnant*, avait répliqué Caitlin. Quelques clients levèrent les yeux – une première puis une deuxième fois, avant de replonger vers leurs sandwichs et leurs soupes. Waylon Reese émergea de la cuisine, le salua d'un signe de tête, puis s'approcha pour lui serrer la main. Il demanda comment il se portait, et Grant répondit qu'il ne pouvait se plaindre, s'enquit à son tour de la famille de Waylon, et ce dernier détourna le regard avant de répondre que tout le monde allait bien, très bien.

Waylon Reese était de ceux qui s'étaient le plus impliqués. Cafés et sandwichs gratuits pour les hommes du shérif, les personnels gouvernementaux, les volontaires. Il avait traîné sa famille entière dans les montagnes, Julie et les deux garçons, pour aider aux recherches. Il avait conservé l'avis de recherche au Black Bear bien longtemps après que les autres commerçants en ville l'eurent enlevé.

Un homme bien qui prit une page vierge sur son calepin, la fixa, et déclara, « Qu'est-ce que je te sers, Grant ? »

Une voiture klaxonna et il leva la tête. Le feu était au vert. Il accéléra en tournant au coin de la rue, passa l'aire de jeu de l'école, la mairie, avant de s'arrêter devant le bâtiment abritant le bureau du shérif. À l'intérieur, l'air avait une odeur vaguement aigre, boisée et poussiéreuse d'église. Le plancher grinçait, les fusils alignés dans les râteliers pointaient vers le plafond tels des tuyaux de grandes orgues. Il regarda par-dessus la tête du jeune officier à l'accueil et sentit son cœur bondir hors de sa poitrine : le visage de sa fille était là, parmi les avis de recherche. Ses dents saines, ses yeux plissés dans le soleil. Ses cheveux noirs au vent, comme si elle était en pleine course. C'était la photo prise sur la ligne de partage des eaux, par un inconnu. Grant, Angela, et Sean, les montagnes et le ciel avaient été coupés. Il l'avait regardée mille fois, et cela le tuait toujours.

Le jeune officier lui fit signe de passer derrière, et lorsque Grant frappa sur le montant de porte, Joe Kinney pivota sur sa chaise, qui émit un crissement strident. « Ah, te voici », fit Kinney. Il se leva et Grant s'approcha pour lui serrer la main. Les cheveux du shérif blanchissaient et se raréfiaient, comme ceux de son père, qui semblaient aussi légers que de la poudreuse. Mais contrairement à Emmet, le shérif était encore un homme solide, avec une bedaine dure et proéminente, qu'il pointait en avant, comme si cet attribut faisait partie de ses fonctions.

Grant informa le shérif qu'il n'avait pas pu s'empêcher de faire une halte au Black Bear, et Kinney, pouces fichés dans la ceinture, affirma que cela valait le détour.

À l'accueil, le jeune officier ouvrit un tiroir, le referma, marmonna quelque chose.

« Ça ne t'embête pas si je ferme la porte un instant, Joe ? dit Grant, et le shérif répondit :

— Non. Vas-y, assieds-toi. Tu veux que Donny t'apporte un café ?

— Non merci. Je n'en ai que pour une minute.

— Prends ton temps. »

Sur le bureau un talkie-walkie crépita. Grant connaissait parfaitement le poids de l'objet, le contact de l'étui en cuir dans lequel il était glissé, son odeur électronique. Sur la droite, mise en évidence par un père fier de sa progéniture, se trouvait la photo de la fille de Kinney, à cheval, au cours d'un rodéo, chapeau de cow-boy flottant dans le dos.

Kinney lui offrit une cigarette, qu'il accepta, et il se pencha vers le briquet. Le shérif alluma la sienne et fit : « Tout va bien chez papa ?

— Bah, commença Grant, et son interlocuteur l'interrompit.

— Merde, ne me dis pas qu'il est encore tombé d'un toit…

— Non, pas du tout.

— Un homme de son âge, qui crapahute sur les toits.

— Il ne s'agit pas de ça », le rassura Grant. Il jeta un coup d'œil attentif au bout de sa cigarette. « Je me demandais juste si tu savais que Billy était de retour. »

Le shérif s'enfonça dans son fauteuil et tira sur sa cigarette. « La dernière fois que j'ai entendu parler de lui, il était dans le Nevada. »

Grant s'avança sur son siège pour laisser tomber sa cendre dans le cendrier en verre. « Non, il est de retour. Je me suis dit qu'il serait bon que tu le saches, si ce n'était pas déjà le cas.

— Merci, Grant. Mais j'imagine que s'il y avait le moindre problème, j'en aurais entendu parler par papa. »

Grant opina du chef. « Ça ne me regarde pas, Joe. Mais, ton père et Billy… Enfin, ton père vieillit. »

Le shérif sourit maladroitement. « Je sais, Grant. Si t'es en train de me dire qu'il n'est pas capable de gérer mon petit merdeux de frère, eh bien, je dirais que c'est mal nous connaître.

— Je n'essaie pas de te dire quoi que ce soit, Joe. J'aurais dû me taire, d'ailleurs. J'ai juste pensé que tu voudrais savoir qu'il est de retour, c'est tout. »

Le talkie-walkie grésilla, et le cœur de Grant s'emballa malgré lui. Kinney s'empara de l'appareil, grimaça et le reposa.

Grant dit : « Bon », et il écrasa sa cigarette avant de se lever. Mais le shérif le stoppa dans son élan d'un signe de la main : « Attends une seconde, Grant. Moi aussi j'ai quelque chose à te dire.

— OK.

— C'est à propos d'Angela.

— Qu'est-ce qu'il y a ?

— Elle s'est remise à appeler. Constamment, jour et nuit. “Qu'est-ce que vous faites, shérif? C'est quoi, votre plan ? Que font vos hommes pour retrouver ma fille ?” Elle a la main collée au téléphone, et… je ne sais pas comment le formuler, Grant, mais elle n'a pas l'air d'avoir les deux pieds sur terre. Je suis désolé de ce qu'elle traverse, de ce que vous traversez tous les deux, tu le sais, mais… » Il leva la main avant de la laisser retomber à nouveau.

Grant fixa ses propres mains. Les deux doigts amputés. Il avait déjà entendu son interlocuteur employer ce ton auparavant : la première fois, le premier matin, lorsque le shérif avait voulu savoir ce qu'un garçon de quinze ans faisait tout seul là-haut dans la montagne.

Kinney tapota sa cigarette contre le bord du cendrier. Il avait quelque chose à ajouter, mais il allait s'abstenir, pour aujourd'hui. Derrière lui était accrochée une grande carte de la chaîne de montagnes ; sur quelques mètres carrés de papier couvert d'encre verte figuraient les millions d'endroits éloignés de tout où une personne pouvait se trouver. Quand fallait-il arrêter de chercher, lorsqu'il ne s'agissait pas de votre enfant ?

Et lorsqu'il s'agissait du vôtre ?

« Pardonne-lui, Joe, je vais lui parler. »

Kinney secoua la tête et se débarrassa de sa cigarette. « J'ai pensé que tu voudrais le savoir, c'est tout. » Il contourna son bureau, ouvrit la porte et suivit Grant jusqu'à l'accueil. Avant de sortir, Grant se tourna vers lui et les deux hommes se serrèrent de nouveau la main.

« Je te remercie de ta persévérance », déclara Grant.

Le shérif ne se tourna pas vers le panneau d'affichage. Il baissa les yeux, frotta la semelle de sa botte contre les vieilles lattes du plancher, et examina longuement la trace qu'il venait de laisser.

« Je ne crois pas que ce soit encore dans les journaux, je n'ai pas vérifié, mais un confrère m'a dit hier qu'une fille au Texas qui avait été kidnappée quand elle avait douze ans venait juste d'être retrouvée, quinze ans après. On l'avait enlevée dans une voiture juste devant chez elle. Elle a vécu dans un garage pendant tout ce temps, derrière la maison du type, à moins de vingt kilomètres de chez elle. Les voisins n'ont jamais rien soupçonné. Ils disent qu'ils ne l'ont jamais vue. Qu'ils n'ont jamais vu non plus la petite que la gamine a eue avec l'homme. »

Le shérif leva les yeux. « Elle a vingt-sept ans maintenant, cette fille. Et une petite fille de l'âge qu'elle avait quand elle a été enlevée, et qui ne connaît rien d'autre de ce monde que le garage dans lequel elle a grandi. » Il inspira par les narines et secoua la tête.

Grant soutint son regard.

« Je ne savais pas si je devais t'en parler ou pas, ajouta Kinney. Manifestement, j'ai choisi de le faire. »

Grant hocha la tête. « Merci, Joe.

— Oh, tu sais… (Le shérif se redressa.) Tu l'aurais lu dans le journal, tôt ou tard. »

## 14

Elle marcha après la pluie sur les trottoirs mouillés et sous les arbres dégoulinant tandis que les nuages se disloquaient dans le ciel tel un tissu en décomposition. La vieille bibliothèque en briques avait disparu et la nouvelle avec sa majestueuse façade de verre se dressait à sa place, digne d'une église. L'édifice avait une histoire. Durant le chantier, les gens l'avaient baptisé la bibliothèque Lindsay-Suskind, parce que la chaise roulante de cette dernière était partie en sens contraire alors que la jeune fille tentait de gravir la rampe d'accès de l'ancien bâtiment, et c'était la mère de Lindsay, Jeanne, fraîchement diplômée en droit, qui avait menacé la ville d'un procès.

Les trottoirs à présent étaient larges et lisses, les portes vitrées s'ouvraient automatiquement au niveau du rez-de-chaussée et les allées de livres étaient aussi larges que des boulevards. Lorsqu'on pénétrait à l'intérieur, c'était comme arriver dans un atrium verdoyant : la vie végétale foisonnait, une fontaine bruissait quelque part, et de grands rais de lumière inondaient l'espace. Cependant, l'odeur était identique à celle de l'ancienne bibliothèque : papier, reliures, vagues relents de moisi. À l'instar de l'odeur des bus, c'était une odeur d'enfance. De jeunes filles en vadrouille seules par une belle journée d'été. De longues heures oisives à bronzer, à manger de la glace, à déambuler sous les yeux des garçons. Des hommes.

Angela regarda les nouvelles sorties. Choisit un ouvrage. Le reposa. En choisit un autre.

Sur un tabouret derrière le comptoir était assise une femme d'un certain âge, un peu enrobée, qui travaillait depuis longtemps dans la vieille bibliothèque et qui avait une façon de sourire qui vous faisait penser qu'elle se souvenait de vous, même si vous ne l'aviez pas vue depuis des années. Angela lui tendit son livre et son regard se perdit derrière la femme. Un jeune homme assis qui portait à l'oreille un anneau argenté fixait un écran d'ordinateur. C'était tout.

« Est-ce que Lindsay Suskind travaille toujours ici ? » demanda-t-elle à la femme.

La femme scanna le livre et sourit. « Bien sûr. Elle est en pause-déjeuner. »

Angela regarda autour d'elle.

« Elle sera de retour dans un quart d'heure, si vous voulez l'attendre. »

Angela reprit son livre et sa carte. « Merci, ce n'est pas grave. »

Elle entra dans le café, commanda un expresso, s'installa à l'une des petites tables et ouvrit son livre.

La jeune fille était en train de lire à l'une des grandes tables. De temps à autre, elle plongeait sa fourchette dans un Tupperware. Pour finir de se faire pardonner, si l'on peut s'exprimer ainsi, la nouvelle bibliothèque avait installé Lindsay à l'accueil, où elle s'acquittait brillamment de ses tâches. Au bout d'un an, avait appris Angela, elle avait obtenu son diplôme de bibliothécaire en suivant les cours du soir et du week-end à l'université où son père enseignait et couchait avec les étudiantes de second cycle, et la bibliothèque l'avait promue, comme il se doit. Mike et Jeanne, séparément, avaient désormais tendance à se vanter de leur fille comme ils ne le faisaient pas lorsqu'elle faisait de l'athlétisme.

Angela se souvenait de ce jour-là : sa propre fille était revenue à la maison directement de la piscine Owensby, les cheveux encore ruisselants, si mince et si bronzée dans son bikini, si belle qu'elle en avait été éblouie, comme si une femme dénudée venait de pénétrer à grands pas chez elle. *Tu rentres comme ça ? était-elle sur le point de lancer à Caitlin lorsque celle-ci s'était précipitée en larmes dans ses bras.*

*Qu'est-ce qui se passe, ma chérie ? Son esprit flirtait déjà avec le pire – viol, grossesse, sida. Ce fut comme tomber dans les ténèbres. La fin de tout. Une fille c'était votre raison de vivre ; c'était aussi simple que cela. Son corps était l'unique corps, son cœur l'unique cœur. L'amour le plus absolu, le plus déchirant.*

*Le soleil de juillet dardait par la fenêtre de la cuisine. L'air vrombissait. La jeune fille ne pouvait ou ne voulait pas parler ; son corps était secoué de spasmes – le contact de ce corps pressé contre le sien, cette peau humide et chaude, cette douceur, cette fermeté, l'odeur de la piscine, de la noix de coco, du soleil lui-même dans ses cheveux mouillés !*

*Ça va aller, ma chérie, dis-moi, dis-moi… Elle avait entendu les sirènes, se souviendrait-elle ensuite.*

*Lindsay, finit par lâcher Caitlin. Oh, maman, c'était horrible… et Angela la serra plus fort. Son cœur hurlait, Dieu merci, Dieu merci, et ce n'est qu'après qu'elle pensa à sa propre sœur, Faith, plongeant du ponton.*

Puis vint ce jour, une belle journée de décembre, une semaine peut-être après être rentrée du Colorado. On avait sonné. Une fille aux cheveux sombres se tenait sur le seuil de la porte, en fauteuil roulant, et l'espace d'un instant, juste un instant, elle avait songé, *Caitlin*.

Angela ferma son livre et s'approcha de la jeune fille. Celle-ci leva la tête. Elle sourit spontanément, puis prenant conscience de la réalité de la situation, son sourire s'évanouit.

« Madame Courtland, dit-elle. Mon Dieu. Bonjour.

— Désolée de t'embêter, Lindsay. Je sais que tu es en train de déjeuner. Je voulais te saluer. »

La jeune fille ferma son livre et posa sa fourchette. « Non, je vous en prie. » Elle posa une main sur le poignet d'Angela. « Voulez-vous vous asseoir ?

— Non, tu manges…

— S'il vous plaît, asseyez-vous. »

Angela tira une chaise, s'installa, et Lindsay la dévisagea de ses grands yeux marron. Angela se perdit brièvement dans son regard. Pourquoi était-elle venue ? Qu'avait-elle cru pouvoir dire à cette fille, à cette jeune femme qu'à une époque elle allait chercher ou qu'elle ramenait chez elle, qu'elle avait nourrie, dont elle s'était occupée comme de ses propres enfants ?

« Madame Courtland, est-ce qu'il y a… enfin, est-ce que quelque chose… ?

— Oh, fit Angela. Non. Non, je suis désolée, j'aurais dû te le dire tout de suite.

— C'est juste que je ne vous avais pas vue. Je ne vous ai jamais vue ici avant. Donc j'ai pensé que peut-être… »

Angela secoua la tête.

« Je suis tellement désolée », souffla la jeune fille.

Un homme s'approcha du comptoir et commanda quelque chose à voix basse, comme s'il souhaitait que personne ne l'entendît, et la serveuse prépara sa commande.

« J'ai vu Ariel ce matin, lança Angela.

— Ah bon ?

— Oui. Je fais un remplacement.

— C'est vrai ? »

La jeune fille ne voulait pas paraître surprise, Angela le savait, mais elle ne put s'en empêcher, elle ne savait pas faire semblant. Son cœur avait été trop éprouvé.

« Excusez-moi, dit Lindsay, je croyais que vous étiez…

— Je l'ai été. Mais c'était il y a plusieurs mois. »

Lindsay hocha la tête. « Est-ce qu'elle a été sage, Ariel ?

— Oui. »

Angela fixa ses mains posées sur le livre. On aurait dit les mains de quelqu'un d'autre. Elle avait le cœur serré.

« Elle est insupportable à la maison depuis quelque temps, poursuivit la jeune fille.

— Je regrette, Lindsay. »

Lindsay haussa les épaules. « C'est ce qu'on appelle une adolescente, j'imagine.

— Ce n'est pas ce que je voulais dire. » Angela soutint le regard de son interlocutrice. « Je regrette de m'être comportée comme je l'ai fait le jour où tu es venue à la maison. »

Lindsay secoua la tête. « Mais non, madame Courtland. Je n'aurais pas dû passer à l'improviste. Ça a dû être un choc pour vous.

— Oui. Mais c'était le cas pour tout. Tout. Je n'ai pas su quoi te dire.

— Ce n'est pas grave.

— Si, ça l'est. Je ne suis même pas venue te voir à l'hôpital après ton accident. Je le regrette aussi. C'était odieux de ma part.

— C'était dur pour les gens…

— Tu étais amie avec ma fille. Et moi, je l'étais avec ta mère. J'aurais dû venir. »

Lindsay baissa le regard et Angela la revit en plein élan, une de ses longues jambes tendue devant elle, et l'autre pliée sous les fesses telle une aile tandis qu'elle sautait une haie. Sans effort, magnifique.

« Caitlin est venue, répondit Lindsay. Tous les jours après l'école. Ou après l'entraînement. Je ne l'oublierai jamais, madame Courtland. »

Angela sourit. Lindsay sourit. Sans réfléchir, Angela tendit la main et du pouce essuya les larmes du visage de la jeune fille, d'un côté et de l'autre.

« Désolée de t'être tombée dessus comme ça. Je ne voulais pas te rendre triste. C'était juste pour te parler.

— Je ne suis pas triste. Je suis contente de vous voir. »

Angela se leva pour partir.

« Madame Courtland ?

— Oui ?

— Je sais ce qui s'est passé. »

Angela la fixa du regard.

« Entre ma mère et votre… enfin, monsieur Courtland. Il y a des années. Je sais tout. Je sais que c'est pour ça que vous et ma mère avez cessé d'être amies. Je sais que c'est pour ça que vous n'êtes pas venue à l'hôpital. »

Angela la scruta. Puis elle se souvint ; mais c'était comme quelque chose qu'elle avait perdu, ou enterré. Elle n'avait pas la moindre idée de ce que cela signifiait de savoir que son mari avait couché – couchait – avec Jeanne Suskind. Elle songea à sa propre mère à la maison de repos, qui parfois l'appelait Faith, qui demandait *Où est Angela ?* L'esprit perdait-il les pédales, ou est-ce qu'il corrigeait tout simplement le tir ? Évacuant la douleur ? Ils n'avaient pas informé sa mère au sujet de Caitlin, et ne le feraient jamais. La vieille femme mourrait sans avoir perdu sa petite-fille.

« C'était il y a si longtemps, ma douce, finit par articuler Angela. Tout cela n'a plus la moindre importance.

— Je sais. Mais Caitlin et moi, on en parlait parfois. Je crois que ça nous a rapprochées. Presque comme des sœurs. Même si ça peut sembler bizarre. »

Angela acquiesça. Elle sourit. « Je suis contente de t'avoir vue, Lindsay. Tu passeras le bonjour à ta mère pour moi ?

— Entendu. Et s'il vous plaît… » Les yeux de la jeune fille se remplirent à nouveau de larmes. « S'il vous plaît, revenez me voir. »

Lindsay l'observa s'éloigner. De là où elle était assise, elle vit Angela passer les portes vitrées automatiques de la bibliothèque, s'arrêter pour ouvrir la petite trappe gris métallisé derrière laquelle on déposait les retours, et y glisser son livre. Elle resta un instant immobile, semblant vouloir entendre le bruit sourd de l'ouvrage tombant dans le bac, puis elle lâcha la trappe et s'éloigna.

## 15

*Un coup de sifflet retentit et trois filles surgirent jambes nues dans les couloirs de la piste, queues-de-cheval au vent, puis elles s'arrêtèrent et rejoignirent en trottinant la pelouse où d'autres filles, éparpillées, chahutaient. Des coureuses de cross, pas des sprinteuses, qui avaient toutes deux à trois ans de moins que Caitlin et qui pourtant la connaissaient toutes et lui aussi. Et lorsque l'une d'elles, gesticulant dans l'herbe, leva les yeux vers la colline et le vit, elle donna un petit coup dans la hanche de sa voisine et il tourna les talons avant de s'éloigner en boitant.*

*Le ciel était d'un bleu douloureusement profond, et les premières nuances d'automne paraient les ormes et les chênes.*

*Les cars scolaires étaient partis depuis longtemps, et il n'y avait rien à voir ni à écouter devant le bâtiment, sinon le mousqueton qui frappait le mât sans drapeau et émettait un son métallique creux. Une fois dans la rue, il prit vers le sud en direction des voies ferrées. Les anciens combattants de l'association des vétérans de l'armée américaine le saluaient, lui tendaient une queue de billard et lui racontaient des histoires de merdiers sans nom dans la jungle où des hommes, des garçons plutôt, pas beaucoup plus vieux que lui, des potes, des frères, disparaissaient d'une seconde à l'autre. Décapités. Tranchés en deux.*

*Ils ne lui permettaient pas de fumer ni de boire. Ils l'appelaient le jeune Américain. Ils juraient qu'ils trouveraient l'enculé qui lui avait bousillé la jambe, et qu'ils l'obligeraient à les supplier de lui foutre une balle dans son putain d'œil d'enfoiré. Les vétérans ignoraient tout de Caitlin – disparue d'une seconde à l'autre.*

*Avant qu'il n'atteigne les voies ferrées, une camionnette ralentit à sa hauteur sur la chaussée, et la portière passager s'ouvrit. Derrière le volant se trouvait son père. Le garçon s'immobilisa, et la Chevy bleue fit de même.*

*Je suis passé à l'école, dit son père. J'ai fait tous les couloirs. Tu étais où ?*

*À me balader. Le garçon se sentit pris de vertige. Le soleil semblait faire le yo-yo dans le ciel. Qu'est-ce que tu fais ici ?*

*Je suis venu pour te parler.*

*Le garçon demeura silencieux.*

*Ce n'est pas à propos de Caitlin, reprit son père. Monte. Le garçon inspira profondément. Il fit basculer son sac à dos sur sa poitrine et se hissa dans la cabine.*

*Tu allais où ?*

*Nulle part. Je me baladais, c'est tout.*

*Tu te baladais, c'est tout, répéta son père. Ton genou doit aller mieux.*

*Le garçon haussa les épaules. Malgré les vitres ouvertes, il y avait une odeur intime dans l'habitacle, comme celle d'un lit que l'on vient de quitter. C'était l'odeur d'un long trajet solitaire. D'innombrables cigarettes et cafés. De sa peau crasseuse et de ses émanations humaines, y compris ses pensées qui, kilomètre après kilomètre, s'étaient déposées sur les sièges et le tableau de bord, telle une rosée matinale sur le pare-brise.*

La Chevy bringuebala sur les rails, et Grant tourna à gauche. Il passa devant le vieux local de l'association des vétérans, avec son canon antiaérien pointé vers le ciel. Le drapeau délavé se souleva faiblement de son poteau avant de retomber.

Ça l'inquiète pas mal, ta tante Grace, que tu te balades comme ça.

C'est pour ça que tu es venu ?

Non, j'avais prévu de le faire de toute façon.

Pourquoi ?

Pour te parler, comme je t'ai dit.

Tu aurais pu appeler.

Ça marche seulement quand l'autre répond au téléphone. Tu as encore perdu ton portable ?

J'ai plus de batterie. Donc, t'es venu jusqu'ici pour parler ?

Ce n'est pas une bonne raison ?

Ils filaient vers le sud, à la périphérie de la ville, sur Old Airport Road. Grant venait de voir Angela. Assis face à elle à la table de la cuisine, chez Grace, il l'avait observée, une tasse serrée entre ses mains fines, son regard sombre et étrange. Comme si elle assistait à une scène qui n'avait rien à voir avec cette cuisine, ni avec lui. Il y avait un matin qu'elle ne pourrait jamais oublier, avait-elle dit.

Un petit bimoteur semblait faire la course avec la Chevy, puis il s'éleva de la piste sur laquelle il roulait, avant de virer brusquement dans leur direction, comme s'il fondait sur eux pour les attaquer. Il passa en vrombissant au-dessus de leurs têtes, son ombre les balayant un instant, puis s'éloigna vers l'ouest. Lorsque Sean était petit, ils venaient ici pour regarder les avions décoller et atterrir, et Grant lui avait raconté l'histoire de son arrière-grand-père, qui avait été pilote de guerre en Allemagne, et dont l'appareil s'était fait descendre. L'un de ses camarades était venu à la maison deux ans plus tard pour dire à la famille que le parachute de son pote s'était ouvert juste devant lui, mais qu'il l'avait perdu de vue dans la nuit noire. Et lorsqu'il avait été capturé, il avait pensé retrouver le pilote dans le camp, et lorsque la guerre s'était achevée il avait pensé le retrouver à l'hôpital des armées, et une fois de retour au *pays il avait pensé le revoir, mais cela n'avait jamais été le cas. Personne ne l'avait plus jamais revu.*

*Et le garçon s'était imaginé l'histoire d'un homme plongeant dans la forêt loin de la guerre et des villes, une forêt noire loin de tout, où l'on pouvait marcher des années sans jamais croiser personne ni en voir le bout. À la maison sa jeune femme et son fils se recueillaient sur sa tombe, mais l'homme était toujours vivant dans la forêt, et il y restait si longtemps qu'il en oubliait l'existence des guerres, des villes, et des familles. Il se transformait, à l'instar d'une biche, d'une chouette ou d'un renard, en créature des bois. Et comme eux, il mourrait un jour, non pas à cause de la guerre ou de la violence d'un autre homme, mais parce qu'il aurait vieilli, ne pourrait plus chasser et se protéger des autres habitants de la forêt.*

*Je crois que tu devrais revenir avec moi dans le Colorado, déclara Grant.*

*Pourquoi ?*

*Tu n'as pas l'air très heureux ici.*

*Je suis censé être heureux ?*

*Grant le regarda.*

*Le garçon saisit l'orthèse qu'il portait par-dessus son jean, les deux barres métalliques lui maintenant le genou, et tira brusquement dessus pour l'ajuster. Et maman ?*

*Quoi, maman ?*

*Elle a besoin de moi ici, tu te souviens ?*

*Grant hocha distraitement la tête. Je crois que c'est plus important pour elle si tu viens avec moi, répondit-il. Pour m'aider à chercher.*

*Le garçon garda le silence un instant. Puis il dit : Elle m'a acheté un truc, sur un coup de tête. Devine.*

*Quoi ?*

*Une maquette d'avion.*

*Grant dévisagea son fils : il avait minci ces derniers mois. Une fine moustache blonde qu'il ferait mieux de raser était apparue au-dessus de sa lèvre supérieure. Il ne s'intéressait plus aux maquettes d'avion depuis des années, même si des chasseurs poussiéreux patrouillaient encore les cieux de sa chambre.*

*Sean, fit-il. Est-ce que maman t'a déjà parlé de sa sœur, Faith ? Sa jumelle ?*

*Celle qui s'est noyée ?*

*Oui.*

*Non. C'est Caitlin qui m'a raconté.*

*Qu'est-ce qu'elle t'a dit ?*

*Que maman avait une jumelle qui s'appelait Faith, qui s'est noyée quand elles étaient jeunes.*

*Grant acquiesça. Elles avaient seize ans, précisa-t-il. Ton âge. Leurs parents, tes grands-parents, louaient une maison au bord d'un lac pendant deux semaines chaque été. Ils nageaient et passaient leur temps à bronzer sur le ponton. Un jour ils ont laissé les filles seules pour aller en ville. La petite Grace aussi. Elle marchait déjà à l'époque, et elle est tombée dans l'eau au bout du ponton. Ça t'embête si je fume ?*

*Non.*

*Il alluma une cigarette et poursuivit, décrivant cette journée comme Angela la lui avait racontée une nuit, peu avant la naissance de leur fille (longue, épuisante nuit sans sommeil, nuit de peur secouant la poitrine de sa femme) : les deux adolescentes sur la véranda en train de se mettre du vernis sur les orteils, de parler à un garçon au téléphone, habituées à ce que leur mère surveille leur petite sœur. À l'instant où elles entendirent le plouf, elles se regardèrent – chacune voyant dans l'autre, sa jumelle, l'expression de la compréhension immédiate. De la peur. Les deux filles s'étaient précipitées de concert jusqu'au bout du ponton et avaient plongé. Angela pouvait voir la petite Grace entre les rochers, telle une poupée immergée. L'eau n'était pas profonde, et très vite elle s'empara d'elle et revint en battant des pieds vers le ponton, et en criant, Je l'ai, je l'ai. Mais Faith n'était pas revenue à la surface. Elle cherchait encore, songea-t-elle. Elle hissa Grace sur le ponton, l'allongea à plat ventre pour lui faire cracher de l'eau, puis la mit sur le dos avant de souffler dans sa minuscule bouche, de remplir ses minuscules poumons, tout en pensant à ses deux sœurs : celle qu'elle s'efforçait de sauver avec son souffle, et celle qui n'était toujours pas là, qui n'était pas revenue à la surface. Elle eut le sentiment, en tant que jumelle, que son double jumeau devrait être capable de plonger pour aider Faith, sa vraie jumelle. Elle pensa pouvoir être à la fois sur ce ponton et dans l'eau à nouveau, simultanément.*

*Le bout de la cigarette rougeoya, et Grant laissa lentement s'échapper la fumée.*

*Grace a fini par tousser, elle s'est remise à respirer, poursuivit-il. Et alors que la vie revenait dans le corps de sa petite sœur, ta mère m'a dit qu'elle avait senti une autre vie disparaître. Sortir d'elle-même. Elle a replongé dans l'eau pour chercher, elle est revenue à la surface pour vérifier que Grace était toujours sur le ponton, en larmes, avant de replonger à nouveau. Ça durait trop longtemps. Elle sentait une partie d'elle-même s'en aller. Juste s'en aller.*

*Le regard de Grant se perdit au loin, comme s'il considérait les eaux de ce lac. Faith avait mal évalué la profondeur, précisa-t-il. Elle s'est cognée contre un rocher au fond, ses poumons se sont remplis d'eau, et elle a dérivé sous le ponton.*

*Il tira une dernière fois sur sa cigarette et l'écrasa.*

*Le garçon avait déniché des albums photo abandonnés dans le garage de sa tante Grace. Il avait parcouru les pages plastifiées qui crissaient en s'ouvrant, comme si le temps s'en échappait, révélant tour à tour les jumelles bébés, petites filles blondes à leur anniversaire, adolescentes aux traits purs et réguliers. Il trouva qu'elles avaient plus l'air d'être les filles de la femme adulte qu'il connaissait à présent que sa sœur elle-même. Après seize ans, il n'y avait plus qu'une seule fille blonde, et tout en examinant les photos de sa mère qui grandissait, il se demandait si, dans un monde parallèle, un monde divergent, sa sœur jumelle, autrefois heureuse et jolie, demeurait heureuse et jolie, ou si elle devenait elle aussi une femme aux traits tirés et au regard sombre.*

*Il ne savait pas quoi dire. Il comprenait que sa mère pleurait non seulement sa fille, mais aussi la moitié perdue d'elle-même.*

*Mais cela ne changeait rien.*

*L'école vient juste de commencer, souligna-t-il, et Grant lui affirma qu'il l'inscrirait dans une école là-bas, ou à Denver ; il fallait qu'ils se renseignent.*

*Tu as ton permis maintenant, n'est-ce pas ?*

*Oui.*

*Et tu conduis sans problème ? Il jeta un coup d'œil au genou de son fils.*

*Oui.*

*Il lui tendit une clé, sortit trois billets de vingt dollars de son portefeuille et les lui donna. Il lui demanda d'aller chez lui après dîner chercher la vieille Chevy verte, de faire le plein, et de la ramener chez tante Grace. De faire ses sacs. Et de se tenir prêt le lendemain à sept heures du matin.*

*Ta mère est au courant, ajouta-t-il.*

## 16

C'était une modeste mais ravissante maison avec un joli pignon et de larges baies vitrées qui laissaient pénétrer la lumière du matin et du soir. Il fut un temps où, lorsqu'elle s'en approchait, son cœur s'envolait, comme lorsqu'elle contemplait l'océan, ou les montagnes. Cette bâtisse était à l'image de sa vie, de tout ce qu'elle aimait. Une solide demeure. Rien de délabré. La maison d'un menuisier. Grant avait fait lui-même la chambre au-dessus du garage alors qu'Angela était enceinte de Sean, et une fois le chantier terminé, Robert et Caroline, de l'autre côté de la rue, qui avaient observé tout le processus, avaient affirmé avoir du mal à croire qu'elle n'avait pas toujours existé.

Il était tard, le soleil plongeait derrière les arbres lavés et dégoulinant. Au-dessus de sa tête se tendait le long bras du sycomore où ses enfants se balançaient autrefois. Elle prit conscience qu'un chien aboyait, mais seulement au moment où l'animal cessa de le faire. Les lumières s'allumaient aux fenêtres. De chaudes lueurs jaunes dans les maisons où ils se rendaient autrefois pour dîner, boire un verre, voir les nouveau-nés. Pour fêter des anniversaires dans les jardins. Elle fut presque surprise de constater que ses propres fenêtres ne s'illuminaient pas. Pas de fils en train de faire ses devoirs à la table de la salle à manger. Pas de femme devant l'évier de la cuisine.

Un minivan déboucha au coin de la rue, tous phares allumés, et Angela s'engagea dans l'allée en farfouillant dans son cabas, à la recherche de ses clés. Elle mit la main dessus et ouvrit la porte tandis que la voiture rôdait dans la rue, puis elle pénétra à l'intérieur et referma derrière elle, comme si de rien n'était.

À cet instant, dans le silence, elle entendit le cliquetis des petites griffes de Pépé qui surgissait en glissant dans le couloir. Sauf que Pépé était mort depuis des années, son petit corps tordu était enterré sous l'orme, dans une boîte en pin que Grant et Sean avaient fabriquée. L'absence avait été si intense pour une si petite créature. Pendant des jours elle l'avait pleuré, et Sean l'avait harcelée pour qu'ils adoptent un remplaçant.

*On verra.*

*Quand ? Quand on verra ?*

*Après le Colorado.*

Elle resta debout dans l'ombre à regarder les escaliers. La maison tout entière était immobile. Un silence assourdissant résonnait. Une légère odeur de vieille bougie, peut-être, mais à part cela, rien, pas même l'odeur de la poussière.

Elle tourna le thermostat et écouta la chaudière se mettre en route, puis elle se rendit dans la cuisine, alluma la lumière, et fit couler l'eau dans l'évier. À cause des canalisations, il fallait faire couler de l'eau dedans. Au sous-sol elle remplit un vieux pichet en plastique dans l'évier de la buanderie et versa de l'eau dans le conduit d'évacuation de la machine à laver et dans celui du sol. Ensuite, elle n'eut plus qu'à monter au premier étage. Il y avait trois lavabos là-haut. Deux douches. Deux baignoires. Deux toilettes.

*Il faut qu'on parle de la maison, Angela.*

*D'accord, parlons-en.*

*Aucun de nous ne travaille depuis un an.*

*C'est pour ça qu'on a fait un deuxième emprunt, non ?*

*Oui. Mais on est en train de tout dépenser. Tous ces allers-retours en avion. Les factures, les frais d'hôpitaux.*

*Grant.*

*C'est juste une maison, Angie. Ça ne signifie rien.*

*Juste une maison ?*

*Tu sais ce que je veux dire.*

*C'est ça qu'on lui dira quand on la retrouvera ? Chérie, c'était juste une maison ? Ça ne signifiait rien ?*

Elle s'immobilisa devant la chambre de Sean, au bout du couloir. Spontanément, elle eut envie de frapper, mais elle secoua la tête et ouvrit la porte, pour découvrir un spectacle étonnant : un essaim d'avions militaires flottait dans l'espace ; les derniers rayons du soleil léchaient les ailes et les volets des appareils avec en toile de fond un ciel étoilé.

Il avança d'un pas assuré devant la carte qui recouvrait tout le mur, tel un petit explorateur. *Là, c'est Polaris, maman, l'Étoile du Nord. Et là, Andromède.*

Juste au-dessus de sa tête plongeait un chasseur au sourire carnassier. Il dériva, puis frémit à son contact.

Elle ferma la porte, fit quelques pas et s'immobilisa devant la chambre de sa fille, la main sur la poignée.

*Tu n'es pas obligée de le faire*, souffla Faith.

Je sais.

Elle tourna la poignée et pénétra à l'intérieur.

Des affiches. Photos de magazines qui fascinent les jeunes filles depuis qu'existent les magazines. Des chanteurs aux coiffures extravagantes, la bouche collée au microphone, un guitariste torse nu, mais principalement des athlètes, saisis dans tel ou tel moment merveilleux, avec leur physique hors norme.

La coiffeuse blanche était dans l'état où Caitlin l'avait laissée. Produits de beauté éparpillés. Livres, CD. Petits cadeaux d'amies : un cœur en caoutchouc avec jambes et bras, chaussé de souliers clownesques, et qui salue de la main. Une boîte à bijoux ouverte, pleine principalement de bandeaux. Photos de famille, photos d'amies. Lindsay Suskind et trois autres filles flottant nonchalamment dans l'air, comme si elles lévitaient. Angela perçut ses mouvements dans le miroir, sans vraiment se regarder, ses yeux venant de se poser sur la brosse argentée qu'elle avait toujours adorée. Le poids de l'objet, le camée au dos représentant une jeune femme, tête légèrement inclinée, comme pour recevoir une bénédiction. Poli par des générations de jeunes filles. *Notre héritage capillo-familial*, comme aimait à dire Caitlin quand elle était petite. Il était posé sur le dos. Au bout d'un long moment, Angela tendit la main et le toucha. De fins cheveux s'entrelaçaient dans les picots. Des cheveux qui avaient encore dix-huit ans, soyeux. Des cheveux qui jamais ne vieilliraient.

Trophées recouverts d'une pellicule de poussière. Ribambelle de rubans, souvent bleus. Petit Christ mignon sur sa croix. Lit soigneusement fait. Oreillers. Singe en peluche aux yeux étincelants et nounours élimé, lavé et séché un nombre incalculable de fois, appuyés tous deux l'un contre l'autre tel un couple, comme elle les avait laissés.

Le crépuscule inondait la pièce. Elle était épuisée.

Elle posa son cabas sur le lit et en sortit son téléphone, la bouteille d'eau du supermarché, le flacon ambré, qu'elle déposa soigneusement l'un après l'autre sur la table de chevet blanche près du lit. Puis elle poussa le singe et le nounours et s'allongea, les mains sur le bas-ventre. L'obscurité gagna la chambre. La ventilation souffla de l'air chaud. Le chien se mit à japper dans le jardin derrière la maison, ce petit fou de Pépé, tourmenté par le gros chat gris des voisins. Dans le bâtiment en tôle, une scie se mit à résonner, pénétrant mélodieusement dans une planche de bois dur – chêne ou érable peut-être –, Grant rappelant à

Sean de la faire glisser doucement, *doucement*, et d'un instant à l'autre maintenant, la porte d'entrée s'ouvrirait d'un coup et elle laisserait tomber par terre son sac de sport avec un cri de joie, et elle aurait tellement faim, elle serait *affamée, mon Dieu, maman… quand est-ce qu'on mange ?*

## 17

Dans le jour naissant, le garçon passa devant la station-service juste à la sortie de l'autoroute, pénétra dans la petite ville que le policier lui avait ordonné d'éviter. Il s'engagea dans Main Street à la vitesse réglementaire, se gara, glissa deux pièces de dix *cents*, puis une troisième, dans le parcmètre.

La porte du café s'ouvrit dans un bruit de clochettes et il s'immobilisa un instant dans les relents tièdes et vieillots de café et de bacon. Le cliquetis paisible des couteaux sur les assiettes. Une fille lui dit « Où vous voulez », et il se dirigea vers la rangée de tabourets au comptoir. Elle s'approcha, lui versa un café, lui tendit la carte. Elle avait les cheveux noirs et le visage d'un peuple autochtone, mais lequel exactement, il l'ignorait. Il commanda un muffin anglais.

« C'est tout ?

— Avec du beurre et de la confiture, s'il vous plaît. »

Elle l'examina de près. Il semblait mince et musclé sous sa veste en jean, et spontanément elle avait songé qu'il boitait à cause du rodéo, mais il n'avait pas les bonnes bottes et ne portait pas de chapeau. Il avait l'air d'avoir dormi sur un rocher. Elle s'imagina touchant ses cheveux blonds, aussi sales fussent-ils.

Elle fit tourner sa queue-de-cheval autour de son poignet, et soutint son regard. « Douglas en cuisine a fait un énorme gâteau aux flocons d'avoine, et ça coûte seulement un dollar de plus qu'un muffin anglais. »

Le garçon jeta un coup d'œil à des hommes installés derrière lui, qui mastiquaient leurs repas.

« Non merci », répondit-il. Soupirant, avec l'air d'avoir fait tout ce qu'elle pouvait, la serveuse s'éloigna. Une minute plus tard, le grille-pain libéra le muffin, et elle le plaça devant lui avant de regagner la caisse.

« Le petit déjeuner était bon, Gabe ?

— Je crois que je survivrai. » L'homme adressa au garçon un clin d'œil – sa paupière était tannée comme le cuir –, et il sortit de son portefeuille un billet de vingt dollars. Le tiroir-caisse s'ouvrit dans un tintamarre de pièces de monnaie.

D'autres clients arrivèrent, et la serveuse sillonna la salle, les bras chargés d'assiettes pleines. Au cours d'un de ses passages, elle déposa devant le garçon une part de gâteau aux flocons d'avoine fumant. Lorsqu'elle repassa derrière le comptoir, Sean n'y avait pas touché. Elle poussa un petit bol vers lui.

« Du vrai sirop d'érable », dit-elle.

Le garçon avala sa dernière bouchée de muffin. « Merci. Mais je ne le mangerai pas. »

Elle inclina la tête comme un oiseau. « Pourquoi pas ? » Derrière elle, dans le passe-plat, un homme baraqué se pencha pour regarder. Cure-dents entre les lèvres. Surveillant d'un œil noir le garçon tandis que l'autre parcourait l'espace alentour.

« J'ai mangé le muffin et ça me suffira », se justifia le garçon.

Elle se tourna vers l'homme dans le passe-plat et ce dernier fit volte-face en marmonnant. Puis elle ramassa l'assiette et jeta le gâteau dans la poubelle. À chaque mouvement de sa tête, sa queue-de-cheval se balançait comme celle d'une fille en mouvement, d'une fille en pleine course, aussi épaisse et turbulente, aussi vivante.

Il quitta le café et marcha jusqu'à un lavomatique. Il posa ses mains sur la vitrine pour regarder à l'intérieur, avant d'entrer.

Il pensait être seul, mais ce n'était pas le cas – une femme rondelette et presque naine se tourna vers lui et cligna de ses petits yeux noirs avant de se remettre à surveiller la porte d'un séchoir, la tête inclinée comme pour repérer la moindre fausse note dans le rythme sourd de l'appareil. L'air était humide et aigre à cause des odeurs nauséabondes d'urine. Il se dirigea vers l'arrière de l'établissement, près du distributeur de lessive, empila ses pièces de vingt-cinq *cents* sur le téléphone public, sortit un morceau de papier de son portefeuille et l'observa. Il avait cessé d'appeler son portable depuis quelques mois, à cause de la façon dont elle répondait, du ton qu'elle adoptait lorsqu'elle comprenait qu'il ne s'agissait pas du coup de fil qu'elle attendait.

Il prit une cigarette entre ses lèvres, glissa deux pièces de vingt-cinq *cents* dans l'appareil, composa le numéro, et une voix lui demanda de mettre plus d'argent. Ce qu'il fit avant d'allumer sa cigarette et d'attendre.

« Vous ne pouvez pas fumer ici. »

C'était la femme, la naine de garde, interrompue dans sa mission.

Il hocha la tête et lui montra le combiné collé à son oreille.

« C'est un espace non-fumeur, souligna-t-elle. C'est écrit là. »

La sonnerie au bout du fil s'interrompit, et il tourna le dos à la petite femme alors qu'une voix aux sonorités électroniques disait faiblement, à des centaines de kilomètres de là : « Allô ? *Allô … ?*

— Allô, tante Grace ? C'est Sean.

— Sean ? fit-elle. Je t'entends à peine. Où es-tu ? Tu es toujours en Californie ?

— Je suis au Nouveau-Mexique maintenant.

— Nouveau-Mexique ! Pourquoi… Jordan, arrête de l'embêter avec ça, il t'a demandé d'arrêter, alors arrête. » Il y eut un silence, un cliquetis de couverts, la voix désespérée d'une petite fille. Couvrant le combiné de la main ou de la poitrine, sa tante lança : « Très bien, mademoiselle, si tu continues comme ça, je me mets en colère, compris ? »

Le garçon tira sur sa cigarette, et une douleur soudaine lui transperça le genou, profondément entre les os. Blanche, incandescente, tourbillonnante. Il bascula le poids de son corps sur cette jambe pour obliger la lame à changer de place.

Sa tante dit dans le téléphone : « Beurk. Désolé. Tu es là, allô… ?

— Je suis là.

— Au Nouveau-Mexique ? répéta-t-elle. Pourquoi au Nouveau-Mexique ?

— J'ai du boulot, répondit-il.

— Tu devrais revenir à la maison, Sean. Tu peux faire ce genre de boulot ici, non ? »

Il savait que s'il y avait eu des nouvelles du Colorado, sa tante lui en aurait fait part.

« Maman est là ? » demanda-t-il, et durant un certain temps il crut que la communication était coupée. Enfin, sa tante articula : « Sean, tu n'as pas parlé avec ton père ? »

Le garçon demeura silencieux. Puis : « Pourquoi ? » et sa tante répondit : « Sean, mon chéri, ta mère est retournée à l'hôpital. »

Il entrevit le reflet fantomatique de son visage dans le distributeur de lessive.

« Quand ?

— Il y a deux semaines. Elle a pris trop de cachets.

— Elle a fait une tentative de suicide.

— Non, Sean, c'était un accident. Elle a juste pris trop, trop de ces satanés cachets.

— Et les médecins, ils croient que c'est un accident ?

— Les médecins sont… prudents. Ils veulent la garder en observation quelque temps, c'est tout. »

Derrière lui une alarme stridente retentit, et la petite femme ouvrit le séchoir. Elle sortit poignée par poignée son linge pour le déposer dans un panier métallique sur roulettes. Près du distributeur de lessive se trouvait un panneau en liège couvert de prospectus et d'affichettes publicitaires : camions et matériel de ferme à vendre, collecte de rebus et offres de baby-sitting.

Automatiquement, il chercha le visage de sa sœur sur le panneau.

« Sean ? » fit sa tante. Il tira en silence sur sa cigarette. Fit tomber la cendre sur le sol crasseux.

« Elle va bien ?

— Oui. Enfin, bien si on peut dire. »

Ni l'un ni l'autre ne dit quoi que ce soit.

« Elle est saine et sauve, ajouta sa tante pour finir. Elle se repose. »

Ils raccrochèrent. Il étala dans sa paume les pièces de vingt-cinq *cents*, les compta, en glissa deux autres dans le téléphone. Il composa un numéro figurant sur le panneau en liège tout en observant la petite femme boulotte poussant de l'épaule la porte en verre, son corps dodelinant sous le poids de deux gros sacs-poubelle remplis à ras bord qu'elle tenait dans chaque main. « Vous n'avez pas le droit de fumer ici, grommela-t-elle, le fixant de ses petits yeux noirs. Vous n'avez pas le droit de filer votre cancer aux autres. »

## 18

Grant quitta le shérif et traversa une nouvelle fois la ligne de partage des eaux, pour redescendre vers le crépuscule. Il sortit de l'autoroute alors qu'il dominait encore la ville et prit la route du comté à travers les collines, en direction de la vieille ville minière, qui était encore habitée même si le cuivre avait depuis longtemps disparu.

Alors qu'il se dirigeait vers le fond du café Whistlestop, un homme tendit la main pour l'arrêter. « Où courez-vous comme ça, monsieur ? » C'était Dale Struthers, le vieux vétérinaire qui possédait la ferme au bout de la route de chez Emmet. Lui et sa femme, Evelyn, souriaient chaleureusement. Ils invitèrent Grant à se joindre à eux pour dîner ; ce dernier jeta un coup d'œil à sa montre et répondit qu'il ne pouvait pas, il avait seulement le temps de boire une bière, et ensuite il devait rentrer voir dans quel pétrin Emmet s'était mis en son absence.

« On a failli s'arrêter en venant ici, on avait pensé apporter quelque chose à manger à ce vieux crabe, dit Struthers, mais quand on a vu la voiture de Billy, bah…

— On n'a pas voulu déranger, intervint Evelyn.

— Ça fait longtemps qu'il est rentré ? demanda Struthers.

— Quelques jours », fit Grant, et le vieil homme reprit : « Ah bon ? » avant de soigneusement disposer ses couverts, comme pour une intervention chirurgicale. Sa femme tapota le bras de Grant, pour le libérer.

Il poursuivit son chemin jusqu'au comptoir, s'installa, fit un signe de tête à Jack Portman et à l'homme qu'il servait, même s'il ne le connaissait pas. Il sortit ses cigarettes, puis se souvint, et les rangea. Jack lui servit une pinte et un petit verre à shot d'alcool. Grant avala ce dernier cul sec et le fit descendre avec une gorgée de bière avant d'en commander un autre d'un hochement de tête. Il observa le bar et la salle de restaurant au-delà, dans le miroir derrière le comptoir. Il en profita pour examiner l'homme assis à quelques tabourets de lui. Le visage de l'individu était ordinaire et ne révélait rien de son caractère.

Maria Valente apparut dans le miroir, s'arrêtant devant un box où étaient installés des lycéens pour prendre leur commande. L'espace d'un instant, avant de regagner la cuisine, elle sembla regarder dans la direction de Grant, mais son visage était obscurci par un voile argenté qui recouvrait le vieux miroir.

Il songea à commander un autre shot et une autre bière. Il frotta avec son pouce l'extrémité de ses deux doigts amputés, et jeta à nouveau un coup d'œil dans le miroir pour voir l'homme au visage ordinaire. Le type avait disparu. Grant commanda la même chose.

« La place est libre ? »

Maria se tenait près de lui, à sa gauche, ses yeux sombres croisant les siens dans le miroir. Elle s'installa sur le tabouret, et disposa une assiette de nourriture entre eux. « J'ai pris un gros steak et un supplément de frites, dit-elle. Voici des couverts.

— Non, c'est ton dîner.

— Tu rigoles ? T'as vu la taille de ce truc ? Y en a pour quatre. » Dans sa voix, à sa façon de prononcer les mots, on entendait des inflexions de son enfance en Italie. Grant savait qu'il avait tendance à observer sa bouche.

« Tu as fini ton service ? demanda-t-il, et elle secoua la tête.

— Debbie-Lynn est malade. Autrement dit, elle a un rencard. Et toi ?

— Et moi ?

— Tu as des trucs de prévus ce soir ?

— Bien sûr. (Grant prit une frite.) Moi et Emmet, on fait une fête. Ça va déménager, je peux te dire. Tu devrais passer.

— Ah bon ? Une fête de bienvenue pour Billy ? »

Il la regarda, et elle ajouta : « Il est passé tout à l'heure. Avec cette Gatskill, la fille qui aime rouler des pelles en public. » Elle l'observa dans le miroir, puis s'empara de son couteau, et se mit à couper la viande. Au bout de quelques instants, il l'imita.

Ils venaient de finir le steak lorsque la fille de Maria surgit à côté d'elle, plantant ses coudes sur le comptoir et se hissant pour regarder l'assiette pleine de jus de viande. « C'est dégoûtant. Tu l'as cuite, au moins ?

— Carmen, *tesoro*. Tu te souviens de M. Courtland ?

— Oui. Bonsoir monsieur Courtland.

— Bonsoir Carmen. »

La fille avait les mêmes yeux sombres et les mêmes cheveux bruns et bouclés que sa mère, mais sa peau était plus mate que celle de Maria. C'était tout ce que Grant savait à propos du père.

« Bon, fit la fille en plaquant une carte de crédit sur le comptoir. Voilà.

— Tu leur as demandé de vérifier le liquide de transmission ?

— Je l'ai vérifié moi-même. C'est bon.

— Qui t'a montré comment faire ça ?

— L'auto-stoppeur que j'ai pris l'autre fois.

— Ah, très drôle. Elle est drôle, non, monsieur Courtland ? »

Un son retentit, un pépiement ludique, et la fille jeta un coup d'œil à son téléphone. Elle embrassa sa mère sur la joue et fit en quittant son perchoir : « Faut que j'y aille, Jenna m'attend.

— Soyez sages, toutes les deux, lança Maria.

— Toi aussi.

— Et tu rentres à minuit, dernier carat, pas une seconde de plus, je ne rigole pas. »

La jeune fille traversa à grands pas le restaurant, et les lycéens la regardèrent passer. L'un des garçons écarquillait les yeux avec concupiscence, et un élan de violence s'empara du cœur de Grant. Il se vit traverser la salle et soulever le garçon par le col.

« Elle a une voiture, alors ? » demanda-t-il.

Maria regarda le plafond avec émerveillement. « Quand elle a quitté le parking du concessionnaire, juste elle assise derrière le volant, je me suis dit, c'est pas possible. Regarde-la. Elle a l'air tellement jeune ! »

Elle se tourna vers lui et toucha son avant-bras. « Oh, mon Dieu, je suis désolée… »

Grant secoua la tête. *Chut.* Il tapota sa petite main.

Lorsqu'elle finit son service à vingt-deux heures, elle le trouva là où elle l'avait laissé, penché sur ses verres. Il y eut un petit moment de tension dehors, sous la lumière jaune du lampadaire, lorsqu'il refusa de lui donner ses clés de voiture, mais finalement elle eut gain de cause, et il monta dans sa Subaru. Maria ne s'attendait à rien. Quelque chose avait eu tout le temps de se passer, mais rien ne s'était produit, et la situation lui allait bien comme ça.

Grant demeura assis, les mains sur les genoux, les yeux rivés sur la route qui défilait dans la lumière des phares. Maria alluma la radio, écouta un moment une chanson country, puis éteignit.

« C'est une très belle fille, dit-il.

— Qui ?

— Ta fille. Carmen.

— Merci.

— Et intelligente. Intelligente. Je parie que cette voiture va lui donner des ailes. La prochaine étape, c'est la fac. »

Maria tourna brièvement la tête vers lui. Il palpa la poche de sa veste, puis s'interrompit, replaça sa main sur son genou. « Tu peux fumer si tu veux. Sérieusement, je crois même que j'ai un allume-cigare.

— Oui, là », fit-il, enfonçant le bouton. Il prit une cigarette entre ses lèvres et ouvrit légèrement la glace. L'allume-cigare revint dans sa position initiale, et il saisit la résistance incandescente. Il souffla la fumée par l'entrebâillement de la vitre, maintint sa cigarette aussi près du vent qu'il le put sans qu'elle se volatilise. À la lueur du tableau de bord, l'alliance qu'il portait au doigt brillait d'un faible reflet vermeil.

« Et Sean ? s'enquit Maria.

— Quoi, Sean ?

— Il est prêt pour la fac ?

— Je ne sais pas.

— Tu ne sais pas ?

— Non, madame.

— Est-ce que… Tu n'as pas envie de savoir ? »

Absorbé, il approcha lentement sa cigarette du vent, jusqu'à ce que la braise se disloque et s'envole tels des oisillons étincelants.

« Excuse-moi, je me mêle de ce qui ne me regarde pas, dit-elle.

— Non, pas du tout.

— Je profite des circonstances.

— Quelles circonstances ? »

Elle le regarda, puis se retourna promptement vers la route. Ralentit pour prendre un virage sans visibilité, les phares balayant un bosquet de trembles – les écorces blanches flashant soudain dans l'obscurité, avant de disparaître de nouveau.

Grant reprit : « Demande-moi quelque chose à quoi je peux répondre. » Elle acquiesça. « D'accord. J'ai toujours été curieuse de savoir ce qui t'était arrivé aux doigts.

— Quels doigts ? »

Elle le regarda, incrédule, et il ouvrit la paume face au pare-brise.

« C'est un accident du travail ? demanda-t-elle. Avec une scie ou un truc comme ça ?

— Non. Enfin, il y avait une scie, mais ce n'était pas un accident du travail. C'était un accident dû à l'alcool.

— Ah.

— J'étais porté sur la bouteille, avant.

— Ah.

— On approche de la sortie.

— Je sais. Mais merci. »

Lorsqu'ils arrivèrent à la ferme, il lui fit contourner le grand épicéa et se garer devant la vieille maison de plain-pied. Il se débattit avec la ceinture de sécurité jusqu'à ce qu'elle se penche pour l'aider. La chute noire de ses cheveux, leur odeur intense.

« Je devrais peut-être rentrer et te faire du café, suggéra-t-elle. Tu en as ? »

La labrador vint à leur rencontre sur la véranda, et Maria lui fit renifler sa main, caressa ses douces oreilles. Grant ouvrit la porte, alluma la lumière. L'aspect fonctionnel, ennuyeux et typiquement masculin lui sauta aux yeux. Des relents de linge sale qu'il avait laissé s'empiler parce qu'il n'aimait pas le bruit des machines à laver, le vrombissement et le martèlement, faussement hypnotique.

« Fais comme chez toi, lança-t-il.

— Où vas-tu ?

— Là-bas, voir comment va Emmet. Allez, viens, toi », s'exclama-t-il à l'intention de la chienne.

Par la fenêtre au-dessus de l'évier, elle observa homme et chien s'éloigner dans la lumière bleutée de la cour. Grant marchait bien droit et d'un pas assuré, et elle sentit son cœur chanceler. Elle avait essayé d'imaginer ce qu'il traversait – d'imaginer ce qu'elle aurait ressenti si sa propre fille avait disparu –, mais elle en avait été incapable. Ne serait-ce que l'espace d'une seconde. Des choses terribles arrivaient aux gens bien. Dieu savait ce qu'il faisait, toujours. Mais en quoi cela aidait-il cet homme ? Sa famille ? Cette fille ? Elle se mit à chercher le café.

Grant s'immobilisa devant la véranda d'Emmet et lorgna par la fenêtre du salon. À travers le carreau, il pouvait entendre deux détectives se disputer à la télé. Des lueurs bleues et vertes telles des aurores électriques glissaient sur les murs et sur les pieds du vieil homme posés sur le repose-pieds. Il portait des chaussettes blanches. La télécommande se dressait dans sa main maculée de taches de vieillesse, mais ses paupières étaient closes et sa mâchoire s'était entrouverte. Il était mal rasé. Grant pensa à ses enfants, ses propres enfants – lorsqu'il les portait au lit quand ils étaient petits. Leur poids, l'odeur de leur peau jeune, la façon dont ils murmuraient tandis qu'il les allongeait. Angela qui l'attendait en bas avec un verre de vin, assise dans le canapé, ses pieds nus ramassés sous elle. Il resta là, devant la fenêtre du vieil homme, à se souvenir de ce passé bien réel.

## 19

La lame n'était pas affûtée mais les bûches de peuplier étaient sèches et se fendirent facilement, les moitiés s'écartant de part et d'autre avant que le fer ne s'enfonce dans la souche, elle-même en peuplier, qui servait de billot. Le garçon coupait chaque bûche en deux, et encore en deux, pour obtenir une famille de quatre, encore et encore, ne s'interrompant que pour transporter le bois à l'angle de la maison, et l'empiler sur le tas, tournant chaque morceau pour qu'il s'imbrique mieux. La maison était en stuc, d'une couleur fatiguée, avec des faisceaux de poutres en bois surgissant de la façade. Tout autour s'étendait un cimetière de camionnettes, d'équipement de ferme et autres épaves, le tout gisant dans les hautes herbes jaunies. À l'ombre du petit porche de l'entrée de la maison était couché un chien trapu au pelage bringé, qui suivait des yeux chaque mouvement du garçon. Il semblait attendre une bonne raison de l'attaquer.

Aux alentours de midi, alors que le soleil était impitoyable, Sean marcha jusqu'à la pompe près de la maison plus petite, la *casita*, et se démena jusqu'à ce qu'enfin un filet d'eau froide au goût de pierre et de fer surgisse. Il pencha la tête sous l'eau, puis souleva son tee-shirt pour s'essuyer le visage. Lorsqu'il eut fini, il s'aperçut qu'une fille était assise sur une chaise à l'ombre, avec le chien. Une fille aux bras minces avec un haut de maillot de bain noir et d'énormes lunettes de soleil rondes, la plante des pieds appuyée sur la rambarde en bois.

Le garçon alluma une cigarette qu'il fuma debout à l'ombre de la *casita*.

Peu après, l'homme sortit avec deux bouteilles de bière et un sandwich au jambon sur une assiette en plastique. Il avait un visage rougeaud et portait un tee-shirt noir qui lui moulait le ventre, et des espèces de sandales. Son dos le faisait souffrir et il se déplaçait comme s'il avait les chevilles enchaînées. Il s'appelait Tom Carl, mais le garçon ignorait si Carl était son nom de famille, ou la deuxième partie de son prénom.

Sean prit le sandwich et une des bières, et déclara : « Je ne crois pas que je pourrai faire grand-chose avec ça maintenant. Mais merci. »

Tom Carl regarda le tas de bois près de la maison. « Je vois bien que tu sais travailler. Tu n'as pas besoin d'essayer de m'impressionner. »

Le garçon chercha un endroit où poser sandwich et bière, ailleurs que sur la souche.

« Nous aussi, on est venus ici pour travailler, dit Tom Carl en parcourant du regard les machines en ruine de son royaume. Passer plus de temps ensemble, tout retaper. Un projet familial. Angela a tenu cinq mois avant de rentrer vite fait à Phoenix, et maintenant ma fille compte les jours. Un de ces quatre, ce chien partira aussi.

— Angela, répéta le garçon.

— Angela. Ma femme, précisa Tom Carl.

— C'est le nom de ma mère. »

L'homme le regarda, puis avala une longue gorgée de bière. Le garçon demeura debout, sandwich et bière à la main.

« Donne-moi ça », lança Tom Carl. Le garçon obtempéra, et l'homme tourna les talons, fit deux pas en direction de la maison, avant de s'arrêter net. « Depuis combien de temps tu es assise là ? »

Les orteils vernis de la fille formaient un collier rubis dans le soleil. Elle ne leva pas les yeux du magazine posé sur ses genoux. Elle tourna une page. « Depuis la nuit des temps », répliqua-t-elle.

Le garçon se trouvait à l'angle de la maison en train d'empiler du bois lorsque la fille se leva de sa chaise et tendit les bras vers le plafond du porche pour s'étirer, révélant son ventre musclé, l'accordéon de ses côtes, et il songea à Caitlin et ses amies en shorts et maillots de course moulants – impératrices aux pieds nus des jours d'été, complotant sans faire d'effort pour ne pas être entendues par le garçon de la maison, la masse masculine insignifiante et sans intérêt qui se consumait non loin d'elles.

Ce garçon qui était plus vieux désormais que ces filles à l'époque. Plus vieux que celle qui se tenait devant lui.

« Allez, viens », dit la fille en prenant son élan devant le chien. Elle se pencha en avant et se tapa la cuisse. « Allez », répéta-t-elle. Elle agita un os creux. « Tu le veux ? Tu le veux ? » Le chien se mit à quatre pattes et la suivit mollement. La fille agita l'os devant le chien, et s'exclama « Va le chercher ! » avant de le lancer dans les hautes herbes embrasées de lumière. Le chien fit un pas vers l'os, tourna la tête pour observer le garçon qui regagnait la souche de peuplier, puis retourna à l'ombre et à son tapis sale. La fille lui tournait le dos dans l'éclat rougissant du soleil, jeune, déhanchée, ridiculement belle.

« Je peux te piquer une clope ? » demanda-t-elle.

Elle se tenait à sa gauche, la main en visière sur le front, protégeant ses grosses lunettes de la lumière du soleil. Creux blanc d'aisselle dégageant une vague odeur.

« Pardon ?

— Une cigarette ? »

Il vit son reflet dans les lunettes sombres. Il baissa les yeux vers les pieds nus de la jeune fille, ses ongles rubis couverts de poussières. Il sortit son paquet aplati de sa poche et le lui tendit. Elle prit une cigarette entre deux doigts, la glissa sous le haut de son maillot de bain, puis lui tendit la main.

« Victoria », fit-elle.

Il s'essuya la paume sur la cuisse, serra la main petite et chaude en articulant son nom.

« Qu'est-ce qui s'est passé avec ta jambe, Sean ?

— C'était un accident.

— Un accident de voiture ?

— Oui.

— Tu as des cicatrices ?

— Tu ferais mieux de reculer », fit-il.

Elle continua de l'observer tandis qu'il plantait la hache dans une autre bûche, prenait une des deux moitiés et la repositionnait. Avant de recommencer. Il réfléchissait à chaque mouvement, chaque instant d'immobilité.

« Bon, Sean, dit-elle. Je peux te poser une question ?

— Oui.

— Qu'est-ce que tu fais ici ?

— Ici ?

— Ici, répéta-t-elle, en balayant du regard le monde aride autour d'elle.

— Je me fais de l'argent pour mettre de l'essence dans ma voiture.

— Pour aller ailleurs ?

— Oui.

— Ailleurs en particulier ?

— Non.

— Donc en fait, tu te balades dans ta camionnette.

— Ouais. »

Elle acquiesça. L'observa. Il s'essuya le front avec son avant-bras. Très haut dans le ciel, trois gros oiseaux décrivaient lentement un cercle. Il posa une autre bûche sur la souche.

« Et tu as de la compagnie ? reprit-elle.

— Comment ça ?

— Tu ne te sens pas seul, des fois ? »

Il abattit la hache sur la bûche, qui se sépara en deux. Il ramassa une des deux moitiés et l'examina, comme si la nouvelle face jaune du bois allait lui apprendre quelque chose. Puis il la posa sur la souche et la fendit en deux.

« Enfin, poursuivit la fille. Tout le monde a besoin de compagnie parfois. » Et sans attendre la réponse, elle tourna les talons et repartit vers la maison. Elle était consciente qu'il l'observait, il le savait, mais il la regarda malgré tout.

Pourquoi pas elle ? songea-t-il. Pourquoi pas cette fille au lieu de Caitlin ? L'idée d'un tel hasard, d'une sélection si arbitraire, le rendit presque malade.

Le temps que le soleil se couche, il ne restait que quelques bûches, qu'il finit de couper et d'entasser sur le tas de bois.

À l'horizon, une lune jaune s'élevait au-dessus des contreforts montagneux. Tom Carl réapparut avec deux bouteilles de bière dégoulinant de condensation.

« Tu as faim maintenant ?

— Non, mais j'ai soif. »

Autour d'eux, les insectes chantaient. Tom Carl jeta un coup d'œil à la Chevy et remarqua que le garçon avait fait un sacré bout de chemin depuis le Wisconsin. Ce dernier répondit qu'il ne vivait plus là-bas, et Tom Carl lui demanda où il habitait ; le garçon regarda la lune et répondit que le dernier endroit où il avait vécu sous un vrai toit, c'était dans le Colorado, avec son père.

« Ça remonte à quand ?

— Février.

— Et tu es sur les routes depuis ? De taf en taf ?

— Oui. »

Tom Carl avala une gorgée de bière.

« T'as d'autres proches, là-bas dans le Colorado avec ton père ? »

Le garçon le dévisagea.

« Des gens de ta famille. »

Le garçon bascula le poids de son corps sur sa jambe meurtrie, et Tom Carl ajouta : « Ce ne sont pas mes affaires. Je suis juste curieux de savoir si ton père est seul là-bas ou pas.

— Il y a un vieux monsieur, là où il vit. »

Tom Carl leva la main avec laquelle il tenait la bouteille, et de l'autre se frappa le bras pour tuer un moustique.

« Pourquoi tu es parti ? Sauf indiscrétion. »

Le garçon demeura silencieux un bon moment. Un matin froid et mordant, se souvenait-il, Persée, le bourreau de Cetus, brillait encore à l'ouest, et la vieille camionnette verte ne voulait pas démarrer ; il prit alors la Chevy bleue, qui, elle, était en bon état. Il vivait avec son père dans la ferme depuis cinq mois, et il n'avait pas pensé, avant d'être à plusieurs kilomètres de là, à ce que son père ressentirait au réveil lorsqu'il se rendrait compte qu'un autre de ses enfants avait disparu.

« J'ai eu l'impression qu'il était temps d'y aller, c'est tout », répondit-il enfin, avant d'avaler une gorgée.

Tom Carl posa une main dans le bas de son dos, et grimaça. « Je m'étais dit que tu avais eu des ennuis ou un truc comme ça.

— Des ennuis ?

— Des ennuis. »

Le garçon croisa le regard de l'homme. Puis il se tourna vers le coucher du soleil, et fit : « Non, monsieur. Pas d'ennuis. J'essaie juste de me faire de l'argent pour mettre de l'essence dans ma voiture. »

Tom Carl lui montra la *casita*, le lit d'appoint et le pommeau de douche au-dessus du sol en pierre. En sortant, il s'immobilisa et demanda au garçon s'il avait un téléphone portable.

C'était le cas, mais la batterie était morte.

Son hôte parcourut la petite pièce du regard. « Si tu as besoin de téléphoner à quelqu'un, déclara-t-il, viens à la maison. J'ai un téléphone sans fil que tu peux utiliser dehors. Côté discrétion, c'est tout ce que je peux te proposer. »

Le garçon le remercia, et Tom Carl inclina sa bouteille en signe de bonne nuit, avant de fermer la porte derrière lui.

Le garçon ôta ses bottes et ses chaussettes et s'allongea sur le lit étroit, son genou vibrant au souvenir de son ancienne blessure, et son épaule répondant au rythme des coups de hache qui résonnaient encore dans ses muscles et dans ses os. Tout en écoutant ces douleurs dialoguer en lui, il songea à son père dans le Colorado, à sa mère dans le Wisconsin, à l'hôpital, et à Caitlin, quel que soit l'endroit où elle se trouvait – et il ne croyait pas pouvoir s'endormir mais il sombra malgré tout, et dans son sommeil il grimpa sur un chemin à travers bois, dans l'obscurité, se frayant un chemin derrière l'animal qu'il suivait, un chien ou un loup au pelage si blanc que des ombres surgissaient dans son sillage, sur les arbres et sur les pierres. Il s'efforça de garder le rythme du chien blanc, jusqu'à ce que la pente devienne vraiment raide. Il resta alors à la traîne, et se retrouva bientôt dans le noir absolu. Les branches d'arbres le griffaient au passage, il tomba à quatre pattes mais il continua d'avancer tant bien que mal jusqu'à ce que, soudain, il la trouve sur son chemin. Pâle, nue et recroquevillée sur elle-même. Elle semblait très jeune, mais il savait que c'était elle. Il prononça son nom, mais elle resta allongée là, les mains agrippées aux genoux, et lorsqu'il leva les yeux il s'aperçut que le chien blanc l'observait. Il se baissa pour la ramasser, et le chien avança vers eux. Il la lâcha et recula. Le chien s'approcha encore de lui, et il continua de reculer, jusqu'à ce qu'il la perde de vue, jusqu'à ce qu'elle s'évanouisse de nouveau dans l'obscurité. Puis le chien repartit vers elle, et à la lueur de son pelage il la distingua à nouveau, la vit se redresser, et il s'aperçut qu'elle était adulte. Elle se couvrit la poitrine d'un bras, et lui fit signe de l'autre, lui fit signe de revenir. *Reviens…*

## 20

*Il y avait un matin qu'elle ne pourrait jamais oublier, dit Angela. Un matin lumineux et étourdissant où elle s'était réveillée dans son propre lit après une si longue absence, dans sa propre chambre – le premier matin après le Colorado, et elle n'avait pas rêvé, elle ne l'avait pas pensé une seule seconde –, et dès qu'elle ouvrit un œil, elle comprit que Grant n'était plus là. Comprit qu'il n'était même pas venu se coucher, mais qu'il avait dormi quelques heures par terre dans le salon, et qu'il était parti aux premières lueurs du jour, afin de lui épargner ce départ, cette séparation – afin de la laisser se réveiller à son rythme, et d'en prendre conscience quand elle le souhaiterait. C'était comme avant, quand il les avait quittés, quand il l'avait quittée, elle, pour une autre femme, pour un autre lit, expliqua-t-elle. Sauf que maintenant, elle n'en souffrait pas ;*

*tous les moments qu'il passait auprès d'elle étaient des moments où il n'était pas dans le Colorado, à chercher, et elle détestait cette idée.*

*Grant prit son café et but une gorgée. Il était assis en face d'elle à la table de la cuisine, au beau milieu de l'après-midi, en plein mois de septembre. Sean était à l'école ; les enfants de Grace aussi, et Grace et Ted étaient partis travailler. On aurait dit que tout le monde avait été assassiné dans la maison : la vaisselle du petit déjeuner dans l'évier, un camion en plastique sur le comptoir, la terrible horloge murale avec son tic-tac incessant. Grant était revenu à la demande de Grace, pour voir Angela, pour voir son fils dont la jambe était désormais guérie, ou du moins aussi guérie qu'elle pouvait l'être. Elle ne le dirait pas directement, mais Grant savait que sa belle-sœur voulait qu'il voie comment les choses étaient devenues dans sa petite maison surpeuplée.*

*Caitlin avait disparu depuis un an et deux mois.*

*Ce matin, ce premier matin, Angela avait descendu les escaliers en robe de chambre. Sean était allongé dans le canapé, sous des couvertures, ses livres, ses devoirs et d'autres affaires rapportées de sa chambre étaient étalés sur la table basse. Le fauteuil roulant à portée de main. Il avait l'air de dormir, et Angela se glissa dans la cuisine où elle trouva le message de Grant près de la cafetière :* Je n'ai pas voulu vous réveiller, etc. *Elle regardait dehors par la fenêtre de la cuisine lorsque Sean pénétra dans la pièce en chaise roulante. Elle le regarda et sourit. Comment tu te sens ?*

*Papa est parti ?*

*Il n'a pas voulu te réveiller. Il a dit qu'il appellerait sur la route.*

*Sean parcourut la cuisine du regard comme s'il ne l'avait jamais vue auparavant. Il s'habituait peu à peu à voir tout de plus bas. Comme s'il était redevenu petit. Angela se tourna et regarda à nouveau par la fenêtre, le jour froid et brut. Pas de voitures, personne sur les trottoirs ; chacun était enfermé à l'intérieur à récupérer après Thanksgiving. Pour leur part, ils étaient allés au restaurant où ils avaient mangé en silence de la dinde. Ils étaient si peu loquaces qu'ils avaient entendu clairement le jeune serveur lancer en cuisine : Bon sang, mais qui est mort ?*

*Maman ? fit Sean.*

*Oui ? Elle le regarda à nouveau. Oui ?*

*Il souleva légèrement sa jambe avant de la reposer. Rien, répondit-il. Je crois que je vais manger des céréales.*

*Oh, excuse-moi, j'aurais dû te demander. Tu veux des œufs ?*

*Non.*

*Tu veux un muffin ?*

*Non, juste des céréales.*

*OK. Elle s'avança vers les placards, sortit des boîtes. Il va falloir qu'on mette des choses à ta hauteur. Elle lui fit une place à table, poussa les chaises, disposa les boîtes de céréales, le lait, et le regarda s'approcher du bol.*

*Tu ne manges pas ? s'enquit-il.*

*Pas maintenant. Je vais prendre ma douche. Ça ira ?*

*Je crois que je vais m'en sortir, maintenant.*

*Elle lui toucha l'épaule et regagna le salon. Elle avait dit à Grant que tout avait changé dans la maison, comme les pièces d'un puzzle : la chambre vide du garçon, le salon transformé en chambre, son propre lit à moitié vide et l'autre chambre vide elle aussi, au-delà de tout ce que l'on pouvait imaginer. Elle monta les escaliers. Une fois là-haut, elle entendit Sean dire quelque chose, mais elle ne s'arrêta pas, ne se retourna pas.*

*Grant attendit. Angela souleva sa tasse, avala une gorgée, et la reposa en silence sur la table.*

*C'est tout ? dit-il.*

*C'est tout. Oui.*

*Grant tourna les yeux vers les escaliers.*

*Bon sang, cette horloge, s'exclama-t-il. Il regarda par la fenêtre. Pour finir, il lui fit face à nouveau. Angie, tu étais sous le choc.*

*Elle songea à cette idée. Est-ce que les gens se souvenaient d'avoir été sous le choc ? Je me souviens très bien de cet instant. Il m'a appelé et j'ai fait comme si je ne l'entendais pas.*

*Grant contempla son café. Il secoua la tête. Il ne faut pas t'en vouloir, Angie. Je sais que c'est ton instinct en tant que parent, en tant que mère, mais il ne faut pas t'en vouloir.*

*Il prit conscience de la vacuité de ses paroles tandis que le tic-tac de l'horloge continuait de résonner sans répit dans cette cuisine qui n'était pas la leur.*

*Elle attendait qu'il lève les yeux vers elle. C'est pire que ça, fit-elle.*

*C'est quoi ? Dieu ? Tu en veux à Dieu ?*

*J'aimerais bien.*

*Il fit un geste comme pour lui toucher les doigts, mais elle glissa ses mains sous la table.*

*Il l'observa, la scruta, et elle distingua l'instant même où il comprit ce qu'elle voulait dire. Il y avait songé lui-même. Pas seulement elle.*

*Oh, Angie, mon Dieu, articula-t-il doucement. C'était juste un gamin. Et il était blessé. Qu'est-ce qu'il aurait pu faire ?*

*Je ne sais pas, je ne sais pas. Ses yeux restaient secs. Sombres. Grant ne les reconnut pas. Mais il est resté couché là, c'est tout, dit-elle. Il est resté couché là tandis qu'elle montait dans la voiture de cet homme, et je ne peux pas m'en empêcher, Grant, quand je le regarde, tout ce que je me dis, c'est : Pourquoi tu n'as rien fait ? Pourquoi tu ne l'as pas empêchée d'y aller ?*

## 21

Le garçon se réveilla en sursaut, désorienté, allongé sur un lit étroit dans une pièce exiguë. C'étaient des sons d'animaux qui l'avaient sorti du sommeil, un jappement aigu et improbable, et de lointains aboiements de chiens. Cœur battant la chamade et tee-shirt trempé, il fixa, interdit, les poutres au plafond et les murs dénudés.

Il sentit l'odeur de la fumée, puis il vit la cendre rougeoyante décrire un arc de cercle et enfin la fille, assise non loin du lit, sur le seul autre meuble de la pièce, une chaise en bois branlante. Son bras mince maintenant son genou nu replié contre sa poitrine.

« La vache, s'exclama-t-il, se redressant sur les coudes. C'est quoi ?

— Quoi ?

— Ce bruit.

— Des coyotes. Des putains de coyotes. Ou peut-être des coyotes qui copulent. »

Il détourna le regard, l'oreille à l'affût. Elle l'observait.

« Quelle heure est-il ? demanda-t-il.

— Trois heures du mat. J'arrivais pas à dormir avec tout ce raffut. » Elle tira sur sa cigarette et expira. La chaise craqua. « Tu veux que j'y aille ? »

Il la fixa, la silhouette laiteuse de ses bras, de ses jambes. Elle semblait ne porter presque rien.

Il secoua la tête pour s'éclaircir les idées, en vain.

« Ça veut dire non » ? fit-elle.

Au bout d'un moment, il balbutia : « Quoi ? »

La fille ne le quittait pas des yeux. S'il se décalait un peu, vers le mur, elle prendrait la place à côté de lui, comme le faisait son chien, avant. Petit corps chaud contre son ventre.

Elle le dévisagea dans la semi-obscurité. « Ça va ? On dirait pas. »

Les bruits d'animaux cessèrent soudain et la fille inclina la tête, pour écouter. Puis, elle baissa la jambe et se pencha vers lui. « Qui est Caitlin ?

— Quoi ?

— Tu as dit Caitlin pendant que tu dormais. C'est ta copine ? »

Avant qu'il puisse répondre, la porte s'ouvrit d'un coup et la silhouette de Tom Carl apparut dans l'encadrement.

Le bout incandescent de la cigarette s'envola telle une luciole sur le sol en pierre.

« Salut Thomas », lança la fille.

Tom Carl ne bougea pas. Le chien au pelage bringé haletait derrière ses jambes. Avec une agilité surprenante il s'avança, prit la fille par le bras, la remit sur pied et la poussa vers la porte.

« On était en pleine conversation, Thomas !

— La conversation est terminée. Rentre à la maison, maintenant. »

Elle s'immobilisa sur le seuil, se frottant le bras. Ils se lancèrent un regard noir, leur lien de parenté ne faisant aucun doute. Elle finit par soupirer, tourna les talons et s'éloigna à grands pas, ses jambes blanches découpant l'obscurité. Tom Carl se tourna vers le garçon.

« Tu l'as touchée ? » Il n'y avait rien d'accusateur ni d'hostile dans sa voix ; il ne cherchait pas à savoir ce que le garçon avait voulu faire. Elle était aussi dépourvue de tout jugement. Il souhaitait simplement savoir s'il l'avait fait.

« Non, monsieur. »

Tom Carl secoua la tête. Il se passa la main dans les cheveux. « Je t'ai donné du boulot. Et un lit pour dormir. Elle a quinze ans, tu le sais ? »

Le garçon s'assit et tendit la main pour prendre ses chaussettes. Ses bottes. « Il ne s'est rien passé. »

Tom Carl l'observa enfiler ses chaussettes. Il renifla, regarda autour de lui, avança et écrasa la cigarette avec sa sandale. Puis il quitta la pièce sans un mot de plus, et le chien, jetant un dernier regard au garçon, balança sa tête carrée et le suivit.

Dehors la lune était haute dans le ciel, et une étrange palette de lumière baignait le paysage : les camions, les épaves de camions, les premiers contreforts montagneux, les genévriers et les sapins qui y poussaient. Tout était saturé, phantasmatique.

Le garçon tira sur sa cigarette et regarda vers le nord, l'endroit dans le ciel où il pensait que les montagnes du Colorado devaient se trouver, la chaîne blanche des Rocheuses, mais il n'y avait rien, seulement l'obscurité, les cieux constellés d'étoiles à perte de vue. Une étoile filante traversa la constellation du

Cancer, avant de disparaître, et les coyotes se remirent à hurler, à glapir et à aboyer, tout près.

Il contourna la *casita*, et lorsqu'il arriva de l'autre côté, il eut la conviction que les animaux l'avaient imité et se trouvaient désormais à l'endroit qu'il venait de quitter. Il rebroussa chemin et éprouva la même certitude. Il y avait des choses dans le monde qui demeuraient inexplicables. Des êtres naissaient sous l'effet de la lune, ou de leur mystérieuse volonté d'être, de hurler, de courir, de s'accoupler, de chasser. Andromède sur son rocher regardait la mer à la recherche de ce qu'elle cachait, les écailles noires, les yeux noirs hébétés, le sourire carnassier. Non loin de là, dans les montagnes au nord, sur les plus hautes crêtes, elle connaissait bien ces êtres. Elle se débattait, les blessait, s'en échappait, mais d'autres arrivaient pour s'emparer d'elle, et l'emporter. Ne pars pas, était-elle sur le point de dire dans le rêve. Ne me laisse pas, et elle se débattait et courait et la lune observait la scène depuis son lit d'étoiles, sans rien faire.

## 22

*N'y va pas, je t'en prie n'y va pas, ne monte pas dans cette voiture, mais elle monta à bord malgré tout. Il lui dit d'attacher sa ceinture, ce qu'elle fit aussi, et il accéléra, l'espèce de jeep cahotant sur le chemin en terre. Sa main était posée sur le levier de vitesse, telle une canne élégante, jusqu'à ce qu'il le manipule soudain avec violence, comme si c'était la seule façon de le faire fonctionner.*

*D'un coup de volant sec, il tourna à droite sur le bitume et elle pivota sur son siège pour voir si elle pouvait repérer quelque chose, mais elle ne distingua que le nuage rouge de poussière, et le monde sans forme des arbres, et tu l'as laissé là, seul avec les animaux. Blessé, seul, alors que ce n'est qu'un garçon, et tu l'as laissé là.*

*Elle essaya de lire le compteur kilométrique, en vain – puis elle se souvint de sa montre.*

*C'est quoi ? fit l'homme. Qu'est-ce que tu fais, là ?*

*Je mesure la distance, répondit-elle. Elle remarqua son rythme cardiaque, et inspira lentement et profondément.*

*Tu n'as pas besoin de faire ça, rétorqua l'homme. T'auras qu'à leur dire de prendre Fox Tail Road sur la Route 153. Le shérif saura exactement où aller.*

*Elle consulta son téléphone.*

*Ils filèrent sur le bitume, tournant à gauche et à droite, les pneus crissant faiblement, et les mèches de sa queue-de-cheval lui fouettant le visage dans le vent. Les sapins de part et d'autre défilaient, flous, à l'instar des rayons d'une roue de bicyclette lancée à pleine vitesse.*

*S'il ralentit, tu pourrais sauter, tu pourrais sauter et te réfugier dans les bois, et retourner auprès de lui, ou descendre dans la vallée.*

*Elle voulait le sol, les forces de la terre sous ses pieds, chaque arbre sur son passage singulier et essentiel, comme les filles sur la piste. Elle saurait quoi faire. Instinctivement agile dans sa fuite, les bois s'ouvrant devant elle, elle distinguerait chemin après chemin, descendant toujours plus loin.*

*Descendant vers où ? Il lui faudrait des heures. Tu pourrais te perdre, et que lui arriverait-il alors ?*

*À cet instant, l'homme cria, comme pour se faire entendre par-dessus un bruit assourdissant. Qu'est-ce que vous foutiez là-haut, de toute façon ?*

*Elle aurait pu lui demander la même chose. Elle consulta son téléphone.*

*Qu'est-ce que vous foutiez là-haut, de toute façon ? répéta-t-il.*

*On courait.*

*Vous couriez ?*

*Oui.*

*Après quoi ?*

*Elle fixait son téléphone. Comment ?*

*Vous couriez après quoi ?*

*Rien. On courait. C'est tout. On s'entraînait.*

*Ah. Il freina dans un virage serré, changea de vitesse, puis remit les gaz. Vous vous entraîniez pour quoi ?*

*Pour courir, répondit-elle.*

*Très bien, fit-il. C'est drôle. Tu as la tête sur les épaules, toi, pas vrai ?*

*Tu veux pas fermer ta gueule ? répliqua la tête sur les épaules, mais en silence.*

*La route en croisa une autre, un chemin en terre non balisé, et il s'y engagea. Ils traversèrent encore une forêt, pour finir par atterrir soudain sur une autre route goudronnée, ou sur la même, et elle perdit tout espoir d'être celle qui pourrait montrer le chemin pour retrouver son frère. Mais le shérif saurait. Le shérif saurait. Comment as-tu pu le laisser ?*

*Comment tu t'appelles, au fait ? s'exclama l'homme.*

*Et vous ? répondit-elle automatiquement. Comme une enfant.*

*Il sourit et articula quelque chose qu'elle ne saisit pas. Elle consulta à nouveau son téléphone. L'écran s'était modifié : le petit éventail d'icônes avait changé. Elle pianota sur le clavier et attendit. Son cœur bondit dans sa poitrine lorsqu'elle vit sur l'écran que la communication passait.*

*Et toi ? demanda l'homme.*

*Elle pressa le téléphone contre son oreille.*

*C'était la fin de la matinée. Ils seraient levés à présent, et douchés. Assis au bar près du motel à boire un café et à lire le journal local, tout en essayant de ne pas regarder trop souvent par la vitre – s'efforçant de ne pas le faire, même s'ils avaient choisi la table, sans même en parler, pour la vue qu'elle offrirait. D'une seconde à l'autre, les silhouettes familières de leur fille et de leur fils, identiques à ce qu'ils imaginaient, à ce qu'ils voulaient voir, déambuleraient nonchalamment dans cette rue inconnue. Peut-être, en se réveillant dans ces chambres inconnues, même séparées, mais se réveillant sans enfant dans ces chambres inconnues baignées de cette étrange lumière éblouissante, et respirant cet air qui sollicitait le cœur, peut-être s'étaient-ils sentis plus proches l'un de l'autre.*

*Peut-être avaient-ils ri. Peut-être s'étaient-ils touchés. Leur ancien amour connaissait peut-être un nouvel essor dans leurs cœurs tandis qu'ils buvaient leur café. Tandis que le téléphone se mettait à sonner.*

*Elle souriait, elle pleurait, l'entendant déjà parler. Allô? Caitlin? Où es-tu, ma chérie? Puis elle entendit sa voix, profonde et calme, familière, et même s'il ne s'agissait que de la boîte vocale, elle se mit à sangloter.*

*Papa, articula-t-elle, avant que le premier coup ne l'atteigne.*

## 23

Dans son sommeil il entendit de la musique, des basses assourdissantes, le ramenant à la conscience. Grant était allongé sur le canapé en chien de fusil, ses genoux à elle remplacés par un petit coussin qu'elle avait dû lui glisser sous la tête. Il s'assit, posa les pieds par terre, et se passa rudement la main sur le visage. La musique venait du dehors, le vrombissement tonitruant faisant trembler la terre et le parquet. Il parcourut la chambre sombre du regard. Qu'avait-il fait? Il l'avait embrassée, là, sur le canapé poussiéreux. Il lui avait touché les seins, et elle avait posé sa main sur la sienne. Mais lorsqu'il avait commencé à défaire les boutons, elle l'avait arrêté. Avait frotté ses doigts amputés comme des pièces de monnaie. Elle ne voulait pas être un accident dû à l'alcool, s'était-elle justifiée. Il avait alors posé la tête sur ses cuisses, et elle avait décrit avec ses doigts de longs cercles sur ses tempes. Elle avait éteint la lumière en partant.

Mais non, elle était là : sa silhouette devant la fenêtre de la cuisine se dessinait dans la lumière bleutée.

« Tu devrais venir voir », dit-elle.

Il se leva, s'approcha, et ils observèrent tous deux ce qui se déroulait dehors.

Ils étaient six sur la véranda d'Emmet. Trois garçons, deux filles, et Emmet. Tous une bière à la main, à l'exception de ce dernier. Deux des garçons et une des filles étaient assis sur les marches, tandis qu'au-dessus d'eux, dans les fauteuils à bascule, trônaient, tels des pachas, Billy et la fille Gatskill, suffisamment proches pour que celle-ci puisse glisser ses doigts dans les cheveux du garçon. L'El Camino était garée devant eux, la musique se déversant comme du sang par la vitre ouverte.

« La voilà ta fête », remarqua Maria.

Emmet se tenait dans le rai de lumière émanant de la porte à moustiquaire, une main encore sur le loquet, ses cheveux blancs hirsutes. Il avait pris la peine d'enfiler sa salopette par-dessus son pyjama, et ses vieux brodequins, sans toutefois les lacer. De sa main libre, il fit un geste en direction de l'El Camino et parla à Billy, qui répondit quelque chose par-dessus son épaule, et les autres penchèrent la tête en riant.

Grant leva sa montre vers son visage. « Presque minuit, fit-il. Ta fille sera bientôt rentrée à la maison. »

Maria le dévisagea dans la pénombre. « C'est-à-dire qu'il est temps que je parte ?

— Non. Pas vraiment. Mais… »

Quelque chose était en train de se produire sous leurs yeux : Emmet traversait la véranda. Il enjamba les jeunes gens avant que Billy ne se lève de son fauteuil à bascule pour le saisir par le bras. Emmet regarda interloqué la main sur son bras, puis le visage de son fils. La lumière bleue de la maison se refléta dans ses lunettes.

Maria prit le poignet de Grant et prononça son nom.

« Attends, dit-il. Attends.

— Il va lui faire mal.

— Attends. »

Billy dit quelque chose à Emmet, qui dit quelque chose en retour, puis le fils obligea le père à remonter les marches.

Emmet tenta de se libérer de l'emprise de Billy, et se planta sur ses pieds ; mais ce dernier le bouscula, et le vieil homme s'éloigna piteusement vers la porte à moustiquaire. Billy ouvrit le battant, poussa son père et referma derrière lui. Les deux hommes se dévisagèrent à travers la moustiquaire. Puis Emmet tourna les talons et son ombre sur le sol de la véranda rétrécit avant de disparaître. Billy regagna son fauteuil sous les acclamations, tandis que les bouteilles se levaient.

« Je reviens tout de suite, fit Grant.

— Grant, on devrait appeler quelqu'un.

— Qui ?

— Le shérif Joe.

— Il est là-haut dans les montagnes.

— Le shérif Dave alors. »

Grant ouvrit un tiroir et fouilla entre les piles et les vieilles lampes torches.

« Qu'est-ce que tu cherches ?

— Rien. » Il glissa les cartouches dans sa poche.

« Grant, tu sais ce qu'il a fait au fils Haley.

— J'en ai entendu parler. » Il sortit, descendit les quelques marches, et la vieille chienne émergea de sous la véranda, et le suivit en traînant la patte.

« Salut, voisin, lança Billy depuis son fauteuil à bascule. Tout le monde, voici Grant, le lieutenant de mon vieux. Grant, voici tout le monde. »

Les jeunes levèrent leurs bières et le saluèrent.

« Et vous êtes venu avec ma chienne, je vois. T'étais planquée où, ma fille, hein ? Viens là. Viens là, ma fille. Allez. » Billy se pencha en avant sur son siège et le blouson en cuir noir suspendu sur le dossier derrière lui se gonfla telles des ailes.

La chienne mit ventre à terre et baissa les oreilles.

« Putain, cracha Billy en se tapant sur la cuisse.

— Laisse-la tranquille, Billy.

— Ne me dites pas quoi faire, Grant.

— C'est juste une vieille chienne apeurée.

— C'est ma vieille chienne apeurée. Maintenant viens là, bordel, petite garce, avant que je descende te chercher. »

Grant regarda la chienne. Elle leva les yeux vers lui, il lui fit signe de déguerpir. Elle se redressa sur ses pattes et disparut dans le noir.

« Ton chien se barre, Billy », fit l'un des garçons sur les marches. Un garçon dégingandé et boutonneux, avec une cigarette aux lèvres.

Billy le regarda fixement jusqu'à ce que le sourire du garçon s'évanouisse, et qu'il détourne les yeux.

« Je crois qu'il faut mettre un terme à ta soirée, Billy, suggéra Grant. Ton père ne peut pas dormir avec tout ce bruit. Et d'ailleurs, moi non plus.

— Ah bon, rétorqua Billy. Je ne croyais pas que vous pensiez à dormir, Grant.

— C'est la voiture de la serveuse, intervint le garçon boutonneux. Celle qui a fait une fille avec un nègre. »

Grant s'approcha du garçon. C'était vraiment un gamin, il avait peut-être dix ans de moins que Billy. Ils étaient tous plus jeunes, y compris la fille Gatskill. « Fais gaffe à ce que tu dis, fiston.

— Ah bon, papa ?

— Ouais.

— Ouais, merde, Vernon, intervint Billy. Tu parles comme un dégénéré, à croire que ton père a baisé sa sœur. » Les rires fusèrent, et Vernon sourit, révélant ses dents gâtées. « Hilarant, Billy.

— Je vais rentrer à l'intérieur un instant, déclara Grant, et j'aimerais bien en ressortant, que vous soyez tous rentrés chez vous, comme je l'ai demandé.

— Je suis chez moi, Grant. Et vous voulez savoir l'ironie de la chose ? Cette situation n'existerait même pas si ma vieille maison là-bas n'était pas occupée par quelqu'un d'autre. »

Grant jeta un coup d'œil à la maison de plain-pied. La fenêtre de la cuisine dessinait un carré sombre et lisse.

« On n'y peut rien ce soir, dit-il.

— Non, ça c'est sûr », acquiesça Billy.

Grant gravit les quelques marches de la véranda, pénétra à l'intérieur, et monta les escaliers. Emmet se trouvait dans sa chambre, assis au bord de son lit. Il semblait absorbé par ses bottes, dont il était toujours chaussé. Grant s'assit à côté de lui, ce qui fit faiblement grincer les ressorts du matelas.

« Je suis désolé s'ils t'ont réveillé, Grant.

— Oh, je ne dormais pas.

— Ils n'ont aucun respect. Pas le moins du monde.

— Emmet, on devrait peut-être passer un coup de fil. »

Le vieil homme leva la tête, les yeux larmoyants derrière ses lunettes. « À qui, bon Dieu ?

— Il faudrait peut-être mettre Joe au courant de ce qui se passe.

— Sûrement pas, Grant. Je ne vais pas appeler un frère pour s'occuper de l'autre. Je te l'ai déjà dit. (Il secoua la tête.) Ces gamins ne vont pas tarder à se fatiguer, et ils vont rentrer chez eux.

— J'ai pas l'impression que ça va se passer comme ça, Emmet. Je crois plutôt qu'ils vont s'en donner à cœur joie, surtout maintenant que je m'en suis mêlé. »

Emmet se passa une main sur le visage. « C'est qui ce garçon ? Je ne le connais même pas. »

Ils restèrent assis là, le rythme de la musique résonnant comme des battements de cœur dans le lit. Un vieux lit matrimonial affaissé dans lequel le vieil homme continuait à dormir année après année, du côté le plus près de la porte.

« Il est où, ton fusil, Emmet ?

— Pour quoi faire ?

— Juste pour leur faire peur. »

Emmet le dévisagea, puis fit un geste vers le placard.

Grant trouva l'étui, le posa sur le lit et ouvrit la fermeture Éclair, libérant une odeur de noyer, d'acier et d'huile de culasse. C'était un vieux Remington calibre 20, à double canon.

« Tu sais t'en servir ?

— J'en avais un avant qui ressemblait à ça. Il était à mon père. Angela a refusé que je le garde dans la maison quand les enfants ont commencé à grandir. » Il ouvrit les canons, vérifia l'alignement, et les remit en place. « Tu t'en es bien occupé », remarqua-t-il, mais le vieil homme ne sembla pas entendre.

Grant descendit les quelques marches de la véranda, se dirigea vers l'El Camino et tourna la clé de contact, éteignant d'un coup moteur et musique. Le pot d'échappement chromé cracha en frémissant un ultime nuage bleuté, avant de s'immobiliser.

« Enculé, s'exclama le boutonneux, le lieutenant est armé.

— Qu'est-ce que vous foutez, Grant ? s'exclama Billy.

— Je vous ai demandé d'aller faire la fête ailleurs, mais maintenant je ne demande plus.

— C'est le vieux qui vous envoie ?

— Non. Il était contre.

— Et qu'est-ce que vous avez l'intention de faire ? De nous tirer dessus ?

— Non. Je vais tirer dans les pneus d'une de ces bagnoles. Après ça, si vous êtes toujours là, je viserai la suivante. S'il faut que je vous achète de nouveaux pneus demain, je le ferai, mais la fête est terminée pour ce soir.

— Comment vous voulez qu'on se casse, si vous crevez nos pneus ?

— Ta gueule, Vernon. Grant, je ne crois pas qu'il soit chargé, ce vieux pétard.

— Tu as absolument raison. » Il déverrouilla la sécurité, ouvrit les canons, glissa deux cartouches rouges à l'intérieur, et arma le fusil.

« D'accord, railla Billy. Ça, c'est l'étape numéro un. Mais je crois qu'on va devoir passer à l'étape numéro deux avant que les négociations puissent se poursuivre.

— Putain, Billy, lança la fille sur les marches. Tirons-nous ailleurs avant que ce vieux nous pète un câble.

— Assieds-toi et ferme-la, Christine.

— Y a rien à négocier, Billy, intervint Grant. Voilà ce qui va se passer si tu restes le cul posé sur ce fauteuil. » Sa voix ne trahissait aucune émotion, sa respiration restait paisible. Il y songea tandis que Billy portait sa cigarette à sa bouche, posait une de ses bottes noires sur son genou, et tripotait la touffe de poils marron et informe sous sa lèvre inférieure. Puis il opina du chef. Grant contourna l'El Camino et leva le fusil en direction du pneu avant d'un vieux pick-up GMC. Avec son index amputé il pressa la détente. Le coup partit et un morceau de caoutchouc voltigea dans un nuage d'air comprimé. Le véhicule s'affaissa lourdement comme un cheval terrassé, et des hirondelles s'échappèrent de l'épicéa pour se disperser parmi les étoiles tandis que l'écho de la détonation résonnait au loin. Une odeur de poudre et de caoutchouc chaud envahit l'air nocturne.

« Vous avez tiré dans mon pneu, espèce de malade », éructa Vernon.

Grant avança d'un pas et leva son arme vers une petite Honda rouge dont le pneu ressemblait à un jouet d'enfant.

« Billy ! » glapit la fille sur les marches. Billy éclata de rire, et dit : « D'accord, d'accord. » Il coinça sa cigarette entre ses lèvres, et applaudit. Il se leva, et tendit une main à la fille Gatskill. « Il est temps d'y aller, pour ceux qui le peuvent.

— Et ma putain de caisse, bordel de merde !

— T'as entendu le monsieur, Vernon. Il t'a dit que tu aurais un nouveau pneu demain. Et tu as pu constater que c'était un homme de parole, donc arrête de pleurnicher et monte avec moi. »

Tandis que les jeunes s'entassaient dans l'El Camino et la Honda, Grant contempla les étoiles. Des corps ancestraux et monstrueux dispersés au hasard, tels des éclats de grenaille étincelants. Des forces inimaginables. Billy s'immobilisa en passant devant lui, et regarda dans son dos les contreforts qui s'élevaient dans l'obscurité. Il plissa les yeux, comme s'il avait aperçu quelque chose, et fit : « Qu'est-ce que c'est que ce... ? »

Grant ne se tourna pas pour regarder. Billy jeta sa cigarette, qu'il écrasa sur le sol de la pointe de sa botte.

« J'ai cru voir quelqu'un, poursuivit-il. (Il leva les yeux vers ceux de Grant.) Mais il n'y a personne. Pas vrai, Grant ? » Il fit un clin d'œil et, jetant le blouson en cuir sur les genoux de la fille Gatskill, il s'engouffra dans l'El Camino.

Les feux arrière s'évanouirent dans la nuit. Grant resta là avec le Remington sur l'épaule, le poids des canons, l'élégant manche en noyer, les détentes tièdes, et le claquement de la crosse résonnant encore dans ses os : le tout suscitant en lui un étrange plaisir.

Emmet se tenait derrière la porte à moustiquaire, une main sur la poignée, comme s'il hésitait entre sortir dans la nuit ou fermer le verrou. Grant soutint le regard du vieil homme un instant, puis il tourna les talons et se dirigea vers la vieille ferme. Une silhouette sombre émergea de l'ombre de l'épicéa et glissa vers lui. La chienne le rejoignit, se déplaçant toujours difficilement, la gueule entrouverte. Elle marqua l'arrêt lorsque Grant s'immobilisa. Il y avait du mouvement dans la maison : quelqu'un s'éloignait de la fenêtre de la cuisine. Une femme. Elle revint et resta derrière le carreau, s'activant avec ses mains, occupée à préparer quelque chose, comme si elle vivait là.

Grant resta derrière l'épicéa, fusil à la main, la chienne haletant doucement. Il regarda vers le nord, et devina la forme des montagnes à l'absence d'étoiles à la base du ciel. Dans ses rêves elle courait. Elle courait toujours. Le cœur solide et les pieds sûrs, sans jamais trébucher, sans jamais se fatiguer, kilomètre après kilomètre, dévalant la pente comme l'eau d'un torrent. Il regarda vers le nord et se mit à parler, comme il le faisait chaque nuit. Il se mit à parler, et la vieille chienne cessa d'haleter, et tendit l'oreille dans la nuit.

# 24

*Elle courait bien, sa foulée était longue et légère, son pied se déroulait facilement, ses poumons s'activaient mais pas trop, et son cœur aussi, chronomètre liquide dans sa poitrine. Et tandis qu'une part de son esprit parcourait ainsi son corps – observant, évaluant, ajustant –, ses sens aiguisés triaient les messages qu'elle recevait au fil de la course : le bruit des semelles sur le tartan, et la respiration des autres ; l'odeur de la rosée dans l'herbe printanière, et les agréables relents d'hydrocarbure émanant de la piste chauffée par le soleil ; les visages indistincts les encourageant le samedi matin, au-delà du couloir qu'elle fixait devant elle, les quelques derniers mètres de piste, sa propre ombre, noire et silencieuse, devant, toujours devant, elle la poussait jusqu'à ce qu'il ne reste qu'elles deux, loin devant les autres qui n'avaient plus d'autre motivation que la nécessité de terminer – deuxième, troisième, quelle importance ?*

*Et elle gagnait du terrain ; elle s'accrochait aux talons de son ombre tandis qu'elle s'engageait dans le dernier virage, prête à allonger sa foulée et à s'emparer de la course, s'en emparer tout simplement, sans pitié, sans demander la permission, comme on s'empare de l'amoureux d'une autre – boum, il est à moi maintenant, pas à toi ! Elle courait sans crainte et sans effort, une fille de dix-huit ans solide et tout en jambes, une fille invaincue, avec en ligne de mire toujours plus de courses, de vie et d'amour infini de sa famille, elle courait aussi pour eux, ses proches qui l'attendaient derrière la ligne d'arrivée, qui l'accueilleraient encore une fois, la célébreraient avec fierté et amour, et l'emmèneraient prendre le petit déjeuner quelque part. Elle courait, et c'était comme si elle rêvait qu'elle courait sous un soleil printanier. La journée était tellement magnifique, et son cœur si plein, qu'elle remarqua à peine l'ombre qui revint à sa hauteur, assombrissant la piste devant elle, comme si elle venait de prendre un autre virage, bien que cela ne fût pas le cas. Son cœur battait à tout rompre, ses jambes donnaient tout, tout, mais ce n'était pas assez, l'ombre conserva son avance, s'étira, et elle la regarda, incrédule, s'éloigner. Se séparant centimètre par centimètre de ses propres pieds, et filant sur la piste libérée de toute attache, insaisissable, déjà loin.*

*Et de là, elle se retrouve dans une situation qui devrait relever du rêve, mais ce n'est pas le cas : cet espace obscur et spartiate aux murs et au plafond en planches brutes, et au sol sombre en bois épais, à travers les interstices duquel allaient et venaient une multitude de petites créatures. Une pièce tellement carrée et uniforme qu'elle aurait pu rouler comme un cube d'enfant et rester strictement la même, mur à la place du plafond, et plafond à la place du sol. Elle cligne des yeux à plusieurs reprises, la lumière et les couleurs de la course la quittant, le soleil la quittant, le vent, la vitesse la quittant, la chaleur, l'odeur, et les battements de cœur des autres filles – tout cela disparaît, et les seuls bras qui l'attendent sont ceux qui se sont emparés d'elle, sans pitié, sans demander la permission, qui se sont emparés d'elle tout simplement, dans la montagne.*

# DEUXIÈME PARTIE

# 25

Quelques kilomètres après une petite ville à l'est du Nebraska, à environ trois cents kilomètres de la rivière marquant la frontière avec l'État voisin, le garçon alluma ses feux de détresse et se rangea sur la bande d'arrêt d'urgence en pente, sortit de sa voiture, la contourna et découvrit le pneu avant presque à plat. Il avait fait le plein dans la petite ville, et maintenant il regardait derrière lui dans cette direction.

« Tu as oublié de vérifier tes pneus, Dudley. »

Il sortit sa veste du véhicule, l'enfila, alluma une cigarette et resta là à regarder le paysage. Dans les fils de la clôture toute proche, des boules de broussaille tremblaient comme des créatures vivantes, et au-delà, les terres s'étendaient, jonchées de pieds de maïs coupés et délavés. Fin février, songea-t-il. Mars peut-être. À l'ouest, un voile sombre tombait du ciel gris et balayait le sol, pluie ou neige à venir, l'odeur lui parvenait déjà, et tout en contemplant le monde désert qui l'entourait, il se demanda ce qu'il ferait, où il irait, s'il était là-bas, à pied, sans rien d'autre que les vêtements qu'il portait, seul dans ce vide au moment où la tempête s'abattrait sur lui. C'était toujours ce qu'il se demandait lorsqu'il songeait aux plaines, aux montagnes, ou au désert.

Il avait dix-huit ans à présent. Elle en aurait vingt et un.

Il jeta sa cigarette, l'écrasa, considéra la camionnette, sa position sur la bande d'arrêt d'urgence. Ne voyant aucun moyen de l'améliorer, il mit le frein à main, libéra le cric et le démonte-pneu de leurs attaches derrière le siège, et se mit au travail. Il fixa le démonte-pneu sur un écrou et appuya dessus, appuya encore plus fort, mais n'obtint aucun résultat. Quelques semaines auparavant, dans une petite station-service près de la frontière mexicaine, il avait fait permuter les pneus par un homme qui avait resserré les écrous avec sa visseuse à air comprimé, et lui avait pris dix dollars.

Il replaça l'outil puis, en s'appuyant sur la carrosserie, grimpa sur la barre métallique, pesant de tout son poids. Soudain, le démonte-pneu lâcha prise et tomba à terre. Il s'agenouilla et se rendit compte que trois des bords de l'écrou étaient émoussés, trois fines mèches d'acier pendant aux extrémités.

*Bien joué, Dudley. C'est quoi ton prochain truc ?*

*Comme mon père aimait à le dire*, aurait lancé son père, en vieux roublard de la mécanique, *même un singe connaît la valeur d'un bâton.*

Les premières gouttes de pluie commencèrent à tambouriner sur le plateau de la camionnette. L'une s'écrasa froidement dans sa nuque, les autres tombèrent en sifflant sur la route derrière lui. Il courba l'échine pour se protéger, mais l'averse l'atteignit, martelant sa tête et criblant violemment la carosserie, tout en noircissant la route au fil de sa progression.

Il se réfugia dans l'habitacle, défit la boucle de son sac de toile, et ce faisant jeta un coup d'œil dans le pare-brise arrière embué. Il distingua une silhouette s'approchant de lui sous la pluie, seule et aussi grise que le déluge qu'elle traversait. Il essuya le carreau de la main et observa la silhouette avancer nonchalamment, les pouces glissés sous les bretelles de son sac à dos, la veste trempée.

« Qu'est-ce que c'est que ça ? » marmonna le garçon.

Il sortit de la voiture avec un gros marteau, s'agenouilla derechef, plaça le démonte-pneu sur un écrou, le maintint en position de la main gauche, souleva le marteau et l'abattit avec précision sur la barre. Il n'obtint rien d'autre qu'une soudaine décharge électrique dans la main gauche. Il frappa une nouvelle fois, puis encore une autre, et encore une autre, avant de lever la tête dans la pluie battante, et de voir le visage du jeune homme, la casquette ruisselante, qui s'était arrêté derrière lui et qui le regardait à travers les verres ronds et opaques de ses lunettes. Sur le coup, l'individu lui parut plus vieux que lui, de plusieurs années ; mais le jeune homme eut le même sentiment en regardant le garçon devant lui sur la bande d'arrêt d'urgence, armé d'un gros marteau.

Un pouce toujours glissé sous la bretelle de son sac à dos, le jeune homme fit un signe de son autre main, et dit « Holà ». Le garçon hocha la tête et répondit « Holà ».

« Celui qui a vissé ces écrous n'était pas un gars qui rigole, remarqua le jeune homme.

— Et tout ce que Chevrolet a été foutu de mettre à bord, c'est cette clé à deux balles. »

Le jeune homme renifla, regarda la route devant eux comme s'il songeait à poursuivre son chemin. Puis il examina le démonte-pneu et le pneu lui-même, et déclara : « Je crois que c'est une question de levier.

— T'aurais pas cinquante centimètres de tuyau en fer dans ton sac à dos, des fois ?

— Tu as essayé de marcher dessus ?

— Ça a glissé et j'ai niqué un écrou. »

Le jeune homme acquiesça. « Hmm. » Il continua d'observer le pneu. « Je crois que j'ai une idée si tu as fini avec ce marteau. »

Le garçon réajusta le démonte-pneu une fois de plus et le maintint à deux mains. Le jeune homme, après l'avoir contourné et pris appui sur la camionnette, posa une basket trempée puis une autre sur la barre. Il se maintint ainsi en équilibre pendant un instant, puis se mit à sautiller légèrement. Le garçon sentit la barre se tordre dans ses mains. L'acier était sur le point de rompre, et il allait dire au jeune homme d'arrêter lorsque la barre frémit dans ses mains. L'écrou émit un crissement surnaturel, et la barre, tel un ascenseur, déposa le jeune homme sur le bitume.

« Et d'un, fit ce dernier.

— Et d'un », répéta le garçon.

Il continua de pleuvoir, mais avec moins de violence, et le petit outil en acier tint bon. Bientôt le garçon positionna la roue de secours, tandis que le jeune homme tripotait le pneu à plat, noircissant ses mains humides. « Voilà, c'est là », finit-il par lancer. Le garçon leva les yeux. La tête argentée d'un clou brillait dans une rainure.

« J'ai travaillé sur un chantier dans le Texas, fit Sean, mais c'était il y a plusieurs semaines.

— Ça fait ça parfois. La tête bouche le trou pendant un moment, et ça finit par céder. Mon oncle Mickey est entrepreneur, et je l'ai vu presque virer un homme pour avoir laissé traîner un clou par terre. » Il caressa doucement la tête du clou. « Celui-là a un côté plat. Comme ceux qu'on utilise dans les pistolets à clous. »

Le garçon réfléchit à ce qu'il venait d'entendre, puis se leva, son genou craquant, et il rangea le démonte-pneu et le cric derrière le siège tandis que le jeune homme hissait le pneu à plat sur le plateau de la camionnette avant d'essuyer ses mains l'une contre l'autre. « À plus », lança-t-il, et lorsque le garçon se tourna dans sa direction il marchait déjà le long de la route.

Sean le héla, le jeune homme fit volte-face et s'immobilisa.

« Je vais par là, si tu veux je t'emmène.

— Merci, j'aime bien marcher.

— Bah, protesta-t-il, j'aimerais bien te rendre service à mon tour.

— C'est pas pour ça que je l'ai fait. »

Le garçon plissa les yeux vers le ciel, comme pour localiser le soleil dans tout ce gris détrempé. « Y a mieux comme temps, pour marcher, observa-t-il.

— C'est vrai. Mais je suis déjà trempé, et je ne veux pas dégueulasser ta camionnette.

— C'est juste une camionnette, et je suis trempé aussi. »

Sean referma son sac à outils, empila son sac de voyage et son duvet entre les sièges, et le jeune homme lança son grand sac à dos sur le plateau du pick-up avant de s'engouffrer dans la cabine. Le garçon enclencha la marche avant et regagna la route, laissant derrière eux un rectangle parfaitement sec sur la bande d'arrêt d'urgence, tandis que la Chevy s'éloignait dans la brume.

Le jeune homme ôta sa casquette détrempée et la posa tel un saladier sur ses genoux. Il s'appelait Reed Lester, dit-il, et Sean lui indiqua à son tour son nom et son prénom, puis ils restèrent silencieux pendant un moment, à écouter le bruissement des essuie-glaces, le grésillement humide des pneus. L'air dans l'habitacle était chargé d'effluves de corps sales et de vêtements mouillés et crasseux.

« Depuis combien de temps tu marches ? demanda le garçon.

— J'ai quitté Lincoln il y a deux jours.

— Et tu as marché tout du long ?

— Pratiquement.

— Tu vas où ?

— Nulle part en particulier. Et toi ?

— Pareil. »

Reed Lester parcourut la cabine du regard. « C'est une belle camionnette.

— C'est vrai.

— Elle a l'air toute neuve.

— Elle l'était, il y a quatre ans. »

Le jeune homme rit, et le garçon lui jeta un regard surpris. Autant à cause du rire lui-même, qui lui paraissait insolite dans sa camionnette, qu'à l'idée d'en être le responsable.

« Ça t'ennuie si je fume ? » s'enquit-il, et Reed Lester répondit : « Carrément pas, c'est ta voiture.

— T'en veux une ?

— Non merci. »

Il enfonça l'allume-cigare et replaça sa main sur le volant.

« Ton oncle, il a déjà vu un clou à pistolet à clous dans un pneu ? »

Reed Lester fixait la route. « D'habitude on trouve pas des clous comme ça tout seuls. »

L'allume-cigare revint dans sa position initiale. Le garçon alluma sa cigarette, inhala la fumée, entrouvrit la glace et expira dans le filet d'air froid.

Reed Lester ajusta ses lunettes. « Tu crois que quelqu'un l'a mis là exprès pour toi ? »

Le garçon garda un instant le silence, les yeux rivés sur la route. « Au Texas, j'ai rencontré un type dans une station-service, et il m'a engagé sur-le-champ. Il m'a dit qu'il avait pris du retard sur le chantier d'une maison à la périphérie d'Austin. Le lendemain, je me suis retrouvé avec une bande de Mexicains qui étaient sur place depuis des mois, et je crois bien qu'ils n'ont pas trop su quoi penser de moi. Un petit Blanc sorti de nulle part avec une belle Chevy bleue. »

Reed Lester secoua la tête. « Ils savent pas quoi penser de toi et c'est ton putain de pays. »

Le garçon tira sur sa cigarette.

« Qu'est-ce qui s'est passé ensuite ? reprit Reed Lester.

— Rien. J'ai bossé deux semaines, et j'ai levé le camp.

— Avec un clou de pistolet à clous dans ton pneu. »

Le garçon resta silencieux. À observer le doute. Puis il dit : « J'ai jamais vu quelqu'un bosser aussi dur que ces Mexicains. Ils gagnaient bien leur vie, et ils ne bouffaient que des haricots et de la tortilla. Ils envoyaient tout leur fric à leurs familles.

— Bah tiens, fit son passager. Voilà.

— Voilà quoi ?

— C'est tout le problème avec ces mecs-là. Ils crient à la discrimination et à l'expulsion, et pendant ce temps ils envoient des devises américaines de l'autre côté de la frontière. Et ça ne revient jamais, ça, jamais. Mon oncle Mickey ne les embauche plus, même quand ils ont des papiers en règle. Il dit qu'il y a plein d'Américains capables de manier un marteau. »

Le garçon regardait devant lui, sans rien trouver à répondre. Il propulsa de l'air sur le pare-brise embué.

« Certains disent que c'est du racisme, poursuivit Reed Lester. Mais si c'est pas des Américains qui ont le boulot, ils auront pas l'argent pour bâtir des maisons. Et s'ils bâtissent pas des maisons, bah, mon oncle Mickey, il pourra pas embaucher. C'est pas du racisme. C'est le b.a.ba de l'économie. »

Le garçon tira sur sa cigarette. Il se débarrassa de la cendre dans l'entrebâillement de la vitre. « J'ai jamais dit que c'était du racisme.

— Je sais, chef », répliqua Reed Lester. Il souleva sa casquette mouillée, et la soupesa dans sa main.

« Pour tout te dire, poursuivit-il, ma copine au lycée était cubaine. Cent pour cent. Toute sa famille avait fait la traversée sur une espèce de radeau. Le père, le grand-père et tous ses oncles et ses tantes. Sa mère avait dix-huit ans, et elle était enceinte d'elle. Ils ont traversé une tempête juste avant d'arriver à Miami. Ils voyaient les lumières de la ville, et tout à coup plus rien. Quand les gardes-côtes sont arrivés sur place, il n'y avait plus que des filles à l'eau : sa mère et les sœurs de sa mère. Tous les hommes, le père de Mia, son grand-père et ses oncles, ils s'étaient tous noyés. (Il se gratta la joue.) Ils ne les ont pas renvoyées. Qu'est-ce que quatre adolescentes sans famille auraient fait à Cuba, avec l'une d'entre elles déjà enceinte, en plus ?

— Pourquoi tous les hommes se sont noyés ? »

Le jeune homme leva les yeux, comme sorti brusquement d'un rêve éveillé. « Quoi ?

— Pourquoi les hommes se sont noyés ?

— Parce qu'il y avait seulement des gilets de sauvetage pour les filles. »

La pluie se transformait en grésil : les granules de glace s'écrasaient sur le pare-brise tels des insectes avant de s'agglutiner en paquets aux extrémités des essuie-glaces. Le long de la route, les bornes luisaient d'une lueur verte dans la lumière des phares. Quinze kilomètres plus loin, à environ cent kilomètres d'Omaha, quelque chose surgit sur la route, et le garçon leva le pied de l'accélérateur pour appuyer sur la pédale de frein.

« C'est quoi ? lança Reed Lester. Un coyote ?

— Non, c'est trop gros. »

Les essuie-glaces balayèrent le pare-brise, et l'animal grandit dans l'obscurité. C'était un chien. Un berger allemand couché sur le côté, à moitié sur la route, à moitié sur le bas-côté. Il gisait, la colonne vertébrale tournée vers eux, une oreille noire pointée vers le ciel, la queue flasque et détrempée sur le bitume. Le garçon se rangea sur la bande d'arrêt d'urgence à quelques mètres du chien, coupa le contact et éteignit les phares.

« Qu'est-ce que tu vas faire ? demanda Reed Lester.

— Aller voir.

— Voir quoi ? Il est mort, ce chien. »

Le garçon se pencha pour ouvrir le sac à outils posé aux pieds de son passager, et en sortit des gants. Puis il mit ses feux de détresse, ôta la clé de contact et sortit dans la pluie glacée.

Reed Lester sortit à son tour du véhicule, et resta debout, les mains enfoncées dans les poches de sa veste. Le garçon enfila ses gants, se dirigea vers le chien. Reed Lester le suivit.

La bête ne semblait pas être là depuis longtemps. Sa fourrure épaisse n'était pas détrempée, et bougeait encore dans le vent, au niveau des cuisses et du cou. La route était recouverte d'une fine couche de grêle fondue, blanche et uniforme à l'exception des traces noires de pneus. Dans les deux directions, les traces étaient rectilignes. Rien n'indiquait qu'une voiture avait fait une embardée ou freiné, ou s'était arrêtée sur le bas-côté.

Le garçon s'approcha lentement, fixant les côtes du chien, l'oreille noire dressée. Rien ne bougeait, sinon les grêlons, et la fourrure frémissant dans le vent. Il s'approcha encore, se pencha, s'approcha encore, et soudain le chien leva la tête, et le garçon sursauta en arrière. Reed Lester perdit l'équilibre et tomba à la renverse sur la bande d'arrêt d'urgence. « Putain de merde ! » lâcha-t-il, avant de se lever à toute allure, et de déguerpir.

Le chien reposa la tête sur le bitume, et le garçon resta pétrifié, frigorifié. Le berger allemand avait tenté de le mordre, mais il n'avait plus de mâchoire inférieure. Le museau était encore là, et les canines, mais c'était tout. La langue et la mâchoire inférieure avaient été arrachées et avaient volé quelque part. Ou bien elles étaient restées collées au pare-chocs d'une voiture en route pour l'Iowa.

Il enleva ses gants et s'approcha de nouveau. Il mit son genou valide à terre, et cette fois, lorsque la tête du chien se souleva, il posa ses mains nues sur le corps de l'animal, une au niveau des côtes et l'autre dans le cou, et il palpa la fourrure, en disant « Chut ». Son regard croisa les yeux écarquillés et désespérés de la bête. La tête retomba, et il écouta les gémissements aigus qui sortaient des narines pleines de sang. Il répéta « Chut », avança la main jusqu'au crâne. Il caressa les oreilles. Quel que soit l'endroit où il regardait, l'animal était amoché. Des trous sanguinolents dans la fourrure, des os disloqués sous la peau. Le chien avait connu cet envol soudain et stupéfiant, ce long trajet dans le vide, et ce claquement du squelette brisé à l'atterrissage. La seule partie apparemment intacte semblait être le cou, et palpant la fourrure, il sentit le collier. Il enfonça un peu plus les doigts, les glissa sous le cuir noirci. Il tourna le collier jusqu'à ce qu'il voie la médaille.

« King, souffla-t-il. Ça va aller, King. Ça va aller, bonhomme. » Il y avait un numéro de téléphone. Il ouvrit la boucle, ôta le collier du cou du berger allemand, le glissa dans la poche de sa veste, se redressa lentement tandis que l'animal le regardait de son œil tourné vers le ciel. Il souleva à nouveau la tête, sans agressivité cette fois, mais comme pour se lever, et Sean tendit la paume ouverte en disant « Bouge pas ». Reed Lester le regarda faire demi-tour, revenir vers la camionnette, poser ses avant-bras sur le rebord du plateau.

Il s'approcha de lui.

« Qu'est-ce que tu vas faire, chef?

— Je sais pas.

— Tu ne peux rien faire pour ce chien. »

Des granules de glace crépitaient sur le plateau. Un monospace sombre siffla en passant sur la route, le visage d'une jeune fille derrière la glace.

« Il y a une chose », fit le garçon. Dans la cabine, il se pencha vers le sac d'outils, en sortit le marteau, et retourna auprès de l'animal. Reed Lester ne le quittait pas des yeux. L'oreille du chien se dressa au bruit des pas et, tandis que le garçon s'approchait, la bête tenta d'agiter la queue. Le garçon s'agenouilla à nouveau, posa sa main libre sur le cou du chien tout en lui disant quelque chose que le jeune homme ne pouvait pas entendre. Le garçon caressa les oreilles, puis le front, et après avoir couvert les yeux il abattit le marteau une fois, puis encore une autre, très fort, très près de sa main.

Ils soulevèrent la carcasse de l'animal, la transportèrent jusque dans le fossé, où ils la déposèrent. Le garçon regarda la route à droite et à gauche. Puis il regagna la camionnette, prit derrière le siège le chiffon rouge que son père rangeait là, retourna au fossé et l'attacha au fil supérieur de la clôture. Il resta là à observer le chien tandis que le grésil continuait de tomber, puis il regarda le ciel, et frissonna. Il revint à nouveau à sa voiture, se pencha derechef derrière le siège, retourna au fossé et déroula la bâche bleue, et il en recouvrit la dépouille du chien, en bordant bien sur les côtés. La bâche lui avait servi d'abri, de toit en plastique pour se protéger de la rosée, quand il dormait à la belle étoile. Il fit un pas en arrière et les petits grêlons martelèrent le plastique, comme sous l'effet de la colère. Il rangea son marteau dans le sac, et ils remontèrent tous deux en voiture. Sean éteignit les feux de détresse et démarra. Les essuie-glaces se remirent bruyamment en marche. Il jeta un coup d'œil dans le rétroviseur, s'engagea sur la route, et en silence il alluma une cigarette, et en silence ils roulèrent.

# 26

*Un rayon de lumière filtre par un trou de la taille d'un œil dans la fenêtre barricadée au-dessus du lit de camp, une lumière qui n'a pas d'autre but que de projeter un cercle incandescent sur les interstices du parquet – limites irrégulières d'une horloge aberrante. Le rayon est rose à l'aube et devient d'un jaune blanchâtre tandis que le soleil se déplace vers l'ouest au-dessus de la terre – ou plutôt que la terre tourne sur elle-même en sens contraire –, progressant d'un coin de la pièce, où se trouve un coffre fermé à clé, à l'autre. Le rayon vire au rouge avant de rosir à nouveau, et pour finir il s'éteint complètement près du pied en forme de patte de lion du poêle, comme démoralisé, comme vaincu jour après jour par l'objet en fer noir.*

*Certains jours, le rayon n'apparaît jamais, et c'est comme si le soleil et le temps s'étaient arrêtés. D'autres fois, le rayon tremblote, se flétrit au milieu de sa course, signe de l'arrivée imminente d'une tempête. Et lorsqu'il s'éclipse d'un coup, comme éteint par un interrupteur, elle se plaque contre le mur, allongée sur son lit, et attend qu'il réapparaisse, que l'œil qui l'observe, et à cause duquel le rayon a disparu, reparte.*

*Actuellement, le rayon est au milieu du plancher. Elle pourrait tendre la main, ouvrir la paume et sentir une petite flaque de chaleur automnale, lien continu au monde extérieur, libre d'aller et de venir.*

*Elle ne bouge pas d'un pouce. Son cœur récupère après une course qu'il croyait faire, une course en rêve contre sa propre ombre.*

*Tu devrais te lever. Tu devrais te lever. Tu ne devrais pas rester allongée comme ça.*

*La pièce de lumière repose au centre de son champ de vision, coupée en deux par une fente dans le bois. Plus elle tarde à se lever, plus son véritable moi continue d'exister en rêve, laissant derrière lui cette chose pesante et négative, cette coquille. Pourquoi se lever ? Pourquoi bouger ? Le désespoir tombe telle l'ombre d'un grand oiseau ; les pensées noires jaillissent comme de l'eau. Puis soudain, sans même le décider, elle s'assied. Les mains sur les cuisses. Ses cuisses. Elle peut faire bouger ses doigts. Mes doigts. Mes jambes. À moi.*

# 27

Ils traversèrent l'orage en se dirigeant vers l'est, et le temps d'atteindre les abords d'Omaha, il faisait nuit et la glace s'était épaissie aux bords du pare-brise, là où la chaleur et les essuie-glaces la repoussaient, et lorsque les pneus de la Chevy quittaient les traces sur la route blanchie, la neige fondue s'écrasait sur leur passage en faisant un bruit d'explosion humide.

La route s'élargit, la circulation s'intensifia. Un semi fonçait devant eux, projetant une gerbe sale sur leur pare-brise, et ils distinguèrent, à travers les éclaboussures, deux feux de position, mais curieusement placés et inclinés. Un peu plus loin, ils virent les traces se croiser soudain devant eux, s'entremêlant telles des hélices, avant de se perdre sur le terre-plein central ; là, ils virent le 4 × 4 noir immobile, la lueur bleue du téléphone à l'intérieur, et les lèvres de l'homme remuant calmement, comme s'il poursuivait la conversation qu'il avait entamée avant de quitter la route.

« Avec un matos comme ça, tu te retrouves dans le décor, railla Reed Lester.

— On pourrait être les suivants, rétorqua le garçon.

— Ça m'étonnerait.

— Quatre roues motrices, c'est pas super sur la glace, et j'ai pas de poids à l'arrière.

— Tu veux que je m'assoie derrière, chef ? »

Le garçon lui jeta un coup d'œil. « Ça t'embête ?

— Pas du tout. Arrête-toi une seconde.

— Et si tu passais par la fenêtre ?

— Je pourrais. Mais si je tombe, qu'est-ce que tu feras ? »

Le garçon fixa la route. Les traînées rouges des feux arrière. Les enseignes lumineuses des stations-service et des motels défilant sur leur passage.

« Peut-être qu'on devrait s'arrêter quelque part et voir ce que ça donne ? suggéra son passager.

— Tu m'as dit que tu allais juste de l'autre côté de la ville.

— Ouais, mais c'est une putain de grande ville, et la circulation va pas s'arranger, et je suis pas pressé. T'es pressé, toi ? »

Le garçon observa l'orage. « Tu sais où aller ? »

Ils quittèrent la voie rapide et longèrent une enfilade de parking découverts, de magasins de vente d'alcool et de bâtiments sombres et abandonnés. Au beau milieu se trouvait un petit restaurant en forme de wagon de marchandise, avec des enseignes à l'effigie de marques de bières illuminant les fenêtres, et un panneau éclatant en forme de palmier annonçant le nom de l'établissement : le Paradise Lounge.

« T'aimes les burgers ? demanda Reed Lester.

— Parfois.

— Cette fois, ça sera la bonne. »

Lester lui indiqua de se garer à l'arrière, et il s'engagea sur un terrain couvert de graviers plein de nids-de-poule, où il immobilisa la Chevy parmi une douzaine d'autres voitures et camionnettes. Ils prirent le sac à dos mouillé sur le plateau et le transférèrent dans la cabine. Le garçon ferma le véhicule et suivit Lester, en direction d'une porte métallique rouge.

À l'intérieur, se trouvait une foule de clients bruyants qui, bizarrement, donnaient l'impression de s'être réfugiés là plusieurs heures auparavant, à cause du mauvais temps, et tous en même temps. Les visages se tournèrent vers eux avant de revenir à leurs occupations, sans expression particulière. L'air sentait la grillade, le parfum, l'alcool. Une musique des îles émanait du plafond, et les murs étaient couverts de grandes affiches multicolores représentant des plages de sable blanc, des eaux turquoises, des filles bronzées.

Ils trouvèrent deux tabourets au comptoir, s'installèrent dans la lumière de torches électriques en bambou et commandèrent deux bières au barman, un homme blond aux épaules larges qui portait une chemise hawaïenne et qui, d'un coup d'œil professionnel, reconnut deux hommes épuisés d'avoir tant roulé sous les intempéries. Il leur servit leurs bières en disant : « Vous voulez manger ici, ou vous préférez attendre une table ? »

Lester regarda le garçon, qui haussa les épaules, et il répondit qu'ils mangeraient là, si cela ne le dérangeait pas.

« Ça me dérange pas si ça ne vous dérange pas.

— Pourquoi ça nous dérangerait ?

— Je sais que je suis beau gosse, mais la plupart des mecs qui viennent ici préfèrent être servis par Barb ou Patti. »

Ils pivotèrent sur leur tabouret et virent les serveuses, l'une blonde et l'autre rousse, toutes deux vêtues d'une chemise hawaïenne, et toutes deux plus âgées qu'eux d'au moins dix ans.

« On verra si une table se libère », décida Lester, et l'homme fit une moue approbatrice, avant de prendre un crayon derrière son oreille. « Donc, fit-il, qu'est-ce qu'on vous sert comme burgers ? »

Ils burent leur bière tout en regardant en silence un combat de lutte universitaire à la télé au-dessus du bar, deux hommes tout en muscles quasiment nus s'entremêlant comme des pythons, jusqu'à ce que l'image change soudain et qu'un match de basket surgisse à l'écran. Sur le miroir derrière le bar, le garçon se vit assis à côté de Lester et cela lui sembla incongru. Le barman leur apporta deux gros burgers, chancelant au sommet d'un tas de frites, et ils attaquèrent tous deux de bon cœur, même si le garçon n'avait pas faim.

Le barman désigna du doigt leurs verres, mais seul Lester était prêt à en boire un autre.

« Je ne suis pas tellement le sport universitaire, dit-il au garçon entre deux bouchées. Et toi ?

— Pas vraiment.

— Comment elle s'appelle l'équipe dans le Wisconsin ? Les Buckeyes ?

— Les Badgers », répondit Sean. Il vit le mot s'inscrire en rouge sur le voile blanc de sa mémoire : son short de sport dans la montagne, dans les bois.

« Tu sais comment on les appelle ici, les footballeurs ? »

Il l'ignorait, et Reed Lester se pencha en articulant, sur le ton de la confidence, « Cornhuskers. Éplucheurs de maïs. T'y crois, toi ? »

Ils finirent leur burger et poursuivirent avec les frites. Le barman s'approcha pour vérifier leurs verres, et tapota du poing fermé sur le comptoir. « J'ai rien contre vous, messieurs, mais il y a un box qui s'est libéré là-bas, si vous voulez. »

Ils se tournèrent, et Lester demanda : « Qu'est-ce que t'en dis ? »

Le garçon jeta un coup d'œil par la fenêtre la plus proche. Le grésil tombait encore, dru. Des aiguilles transperçaient sans cesse le voile rouge du panneau lumineux de l'enseigne.

« Je veux bien m'asseoir, mais je vais plus boire.

— Assieds-toi, moi je boirai. »

Ils emportèrent leur verre jusqu'au box et la rousse, Patti, vint prendre leur commande avant de repartir.

« Elle a quel âge, tu crois ? demanda Lester.

— Je ne sais pas. Trente.

— Je dirais plutôt trente-cinq. De toute façon, c'est ce qu'il y aura de mieux ce soir. » Comme il finissait sa phrase, la porte d'entrée s'ouvrit et deux jeunes femmes surgirent bras dessus bras dessous, hilares mais attentives à ne pas glisser sur leurs bottines à talon. « Bordel, mes cheveux », lâcha l'une d'elles et elles rirent de plus belle tout en balayant la salle du regard.

Reed Lester haussa un sourcil en direction de Sean.

Les filles repérèrent les deux tabourets libres au comptoir et s'y précipitèrent. Tirant ostensiblement sur leur minijupe et balançant à tour de rôle leur derrière et leurs cheveux, elles finirent par s'asseoir.

« Elles sont défoncées, souffla le garçon.

— Même défoncées, peut-être qu'elles aimeraient s'asseoir dans un box », suggéra Lester. Il se tourna vers les filles et son sourire s'évanouit. « Merde. »

Deux hommes avaient traversé la salle et se tenaient de part et d'autre des filles. Enfin, plutôt deux garçons baraqués, vêtus de maillots de football rouge et blanc, casquettes à l'envers sur la tête. Chacun se penchait vers la fille à ses côtés, un bras tendu sur le comptoir comme pour la maintenir prisonnière. Le maillot du plus grand arborait le nom de Valentin. Deux autres garçons, assis à une table un peu plus loin, observaient aussi la scène, et au bout d'une minute les filles se retournèrent dans leur direction. Elles se consultèrent ensuite, le nez dans les cheveux l'une de l'autre, puis elles rirent, se levèrent de concert et, tirant à nouveau activement sur leur jupe, précédèrent les garçons. Le plus petit des deux garçons en maillot s'empara de deux chaises à une table voisine, sans demander quoi que ce soit, et ils s'installèrent tous. Les présentations commencèrent.

« Enculés », lâcha Reed Lester.

La serveuse revint avec leurs verres avant de disparaître comme elle était venue. Le garçon n'avait pas envie d'être là, il ne voulait pas boire d'alcool, mais il sirota un Coca tandis que Lester buvait un whisky Coca.

« Il y avait des gros malins comme ça qui matait Mia dans les bars, avant », remarqua Lester.

Le garçon leva les yeux vers lui.

« Ma copine… la Cubaine. Je les voyais comploter et tu peux être sûr qu'ils rappliquaient, ces enculés, et commençaient à lui parler comme si je n'étais même pas là. Elle me regardait genre, c'est quoi ce bordel, qu'est-ce que je suis censée faire. Elle était juste assise là. Et c'est ça le truc, chef, elle était assise là. C'est tout ce qu'elle faisait, et eux ils la ramenaient quand même. » Il siffla la moitié de son verre, et en silence évalua ce qui restait. « Enfin, ajouta-t-il, c'est tout ce qu'elle faisait quand j'étais là. Mais je n'étais pas toujours là. Et au bout d'un moment, elle n'était plus là non plus.

— Où elle était ?

— Où elle était ? Tu me demandes où elle était ? Je me suis posé la même question. Et je dois avouer que j'ai commencé à me faire des idées noires. Je suis allé devant son immeuble. Pour voir si je la voyais entrer ou sortir. Je voulais voir son visage, je voulais qu'elle me regarde dans les yeux, c'est tout. » Un sourire triste se dessina sur ses lèvres. « Enfin, tu imagines où ça va. J'étais là de l'autre côté de la rue un soir et une Cadillac noire s'est arrêtée cinq ou vingt minutes, je ne sais pas. Au bout d'un moment en tout cas, le plafonnier s'est allumé et elle est sortie, en souriant au type au volant et en lui faisant un petit signe de la main. Mia. Ma Mia. Bon Dieu. »

Il se pencha vers son verre, le porta à ses lèvres, but et le reposa sur l'anneau humide, sa place initiale sur la table.

Le garçon avait envie de fumer. Il chercha en vain une horloge.

Lester le regardait par en dessous. « Le truc, c'est que je connaissais cette voiture, chef. Et j'ai reconnu la tête chauve qui est apparue quand le plafonnier s'est allumé. C'était l'écrivain. Le célèbre écrivain que la fac avait engagé pour l'année. »

Le garçon attendait le nom de l'homme en question, mais Lester se contenta de lever son verre et d'avaler une gorgée avant de faire la grimace.

« Deux soirs plus tard, j'ai revu la Cadillac garée devant un bar, une espèce de trou à rat où les vieux profs vont peloter leurs étudiantes dans les box du fond. Je suis entré et ils étaient là. À se raconter leur vie. Juste sur le point de se pencher l'un vers l'autre par-dessus la table et lui avec sa vieille patte sur son poignet. Tout ce que je sais, c'est que je suis allé droit vers eux. Je suis allé droit vers eux et ils ont levé les yeux et en me voyant le sourire de Mia s'est volatilisé, juste volatilisé. »

Tandis qu'il tournait lentement son verre dans ses mains, son regard se perdit quelque part derrière l'épaule droite du garçon.

« Je suis resté debout devant le box et l'écrivain m'a regardé. Avec sa tête chauve et sa putain de barbichette. Il s'est tourné vers Mia, et encore vers moi et il a fait : "Le petit ami jaloux, je présume ?" Moi j'ai répondu : "Très heureux de vous rencontrer, monsieur. J'admire beaucoup votre travail." Il a acquiescé et il a dit : “C’est très gentil.” Et je l’ai coupé et j’ai fait : “Et c’est comment de sauter ma copine ?” »

Lester souleva son verre, le sirota et le reposa.

« Mia a dit quelque chose mais je n’ai pas entendu. C’était entre moi et l’écrivain et on ne se quittait pas des yeux. “Jeune homme”, il a fini par dire, très calme. Très serein. Et je me souviens de chacun de ses mots, chef. “Jeune homme, qu’il a fait, j’imagine, avec un commentaire pareil, que vous pensez qu’à cause de mon âge, de ma façon d’être, ou de Dieu sait quoi, je ne vais pas me lever pour botter votre petit cul d’insolent comme il se doit. Eh bien, vous vous mettez le doigt dans l’œil jusqu’à l’omoplate. D’un autre côté, il est vrai que je préférerais rester assis. Pourquoi est-ce que vous ne vous joindriez pas à nous pour boire un verre ?” Là-dessus j’ai répliqué : “J’ai lu un de vos livres une fois, espèce d’enculé, et je vais bientôt me torcher le cul avec le suivant au lieu de perdre mon temps avec.” Bref, l’écrivain s’est tourné vers Mia, s’est excusé, comme s’il s’apprêtait à aller aux toilettes, il s’est levé, a pivoté et m’a balancé une espèce de direct à l’ancienne, mais il m’a juste touché au poignet. J’ai entendu ses os craquer et avant qu’il lève la main, j’ai riposté du gauche. Il s’est rassis direct dans son box, le nez en sang. Ça giclait de partout, sur sa belle chemise, sur sa veste, et sur les mains de Mia qui s’est précipitée pour éponger avec des serviettes en papier. On aurait dit une infirmière, nom de Dieu, en train d’essayer de soigner une blessure au bide avec ces putains de serviettes en papier. »

Il leva son verre pour le finir.

Le garçon détourna le regard, en direction des torches électriques du bar. Une lumière qui tremblotait de façon apparemment aléatoire, mais qui, à y regarder de plus près, était en réalité cyclique et prévisible.

« Et après, fit-il en se tournant vers son interlocuteur.

— Après quoi ?

— Qu’est-ce qui s’est passé ? »

Lester le dévisagea froidement. « Je suis assis avec toi, là, non ? » Il inclina son verre vide et croqua des glaçons. « J'ai été convoqué par le doyen, et tu sais ce qu'il a dit ? Qu'il fallait que je dégage de son campus avant dix-sept heures, ou que j'irais directement en prison. C'était à moi de voir. Je lui ai dit que c'était pas moi qui avais commencé, mais il m'a répondu que le grand écrivain affirmait le contraire. J'ai répliqué que le bar était plein de témoins, et il m'a dit qu'aucun d'entre eux n'allait dans mon sens. J'ai continué en disant qu'il y en avait au moins une qui pouvait confirmer ce que je disais. Le doyen a demandé qui, et j'ai répondu Mia, la fille qui était assise là tout le temps. Là il a secoué la tête, le doyen, et il a fait : "Fiston, y avait pas de fille." »

Le garçon se leva pour aller fumer. Il passa devant les toilettes, vit le téléphone qu'il n'avait pas remarqué en arrivant. Il songea à l'heure qu'il était et se rappela la dernière fois où il avait appelé : quelques jours après sa sortie de l'hôpital. Et même si elle paraissait optimiste, même si elle avait affirmé être heureuse d'entendre sa voix, tout ce qu'il avait perçu dans la sienne, c'était cet endroit : ceux qui déambulaient dans le couloir, ceux qui parlaient tout seuls, ceux qui ne quittaient pas la télé des yeux, ceux qui sanglotaient, les oubliés, les brisés de la vie.

Il poussa la porte métallique et sortit dans le froid glacé de la nuit.

Un homme fumait dans la lumière jaune, le dos contre le mur et une jambe repliée, le talon de sa botte de cow-boy posé contre les briques. Le grésil blanchissait la nuit, et tombait à quelques centimètres devant le bout de son autre botte. Il effleura la visière de sa casquette, et déclara : « Y a pas beaucoup de place, mais c'est au sec. »

Le garçon remonta son col, glissa une cigarette entre ses lèvres, et son voisin sortit un briquet pour la lui allumer.

« Quelle belle nuit », fit l'homme. Son visage était marqué de profondes rides, sa barbe de trois jours partiellement argentée, et ses yeux à peine visibles sous la visière de sa casquette. « T'as encore beaucoup de chemin à faire ?

— Pas trop.

— Tant mieux. Je crois que ça va virer à la neige, et la neige sur le sol glacé, ça rigole pas. »

Le garçon hocha la tête. Il tira sur sa cigarette. « Et vous, vous allez loin ?

— J'ai fait le plus gros du chemin. Mais c'est les derniers kilomètres les pires, pas vrai ? Surtout quand ce qui t'attend vaut vraiment la peine. » Il tourna la tête et croisa le regard du garçon. Ce dernier esquissa un sourire et détourna les yeux.

L'homme fit un signe en direction des camionnettes garées. « J'imagine que c'est celle-là, là-bas. La Chevy.

— Pardon ? fit le garçon.

— Je dis que c'est ta Chevy là-bas, la bleue. »

Le garçon fixa sans expression le véhicule en question. Il sentait que l'homme l'observait du coin de l'œil. « Pourquoi vous dites ça ?

— Bah, à la tête que tu as faite en sortant, j'ai compris que tu n'avais jamais eu l'occasion de profiter de ce magnifique espace fumeur. J'ai remarqué aussi qu'elle était immatriculée dans le Wisconsin. Et j'ai vu qu'il y avait pas mal de matos à l'intérieur, le matos d'un type qui taille la route. »

Le garçon inhala une bouffée de cigarette. « C'est laquelle, la vôtre ? » Il parcourut le parking du regard, à la recherche de la voiture d'un détective ou d'un policier en repos.

« La Ford noire là-bas, à double cabine », répliqua l'homme.

Le garçon regarda. Un autocollant à l'effigie du drapeau américain était collé sur le pare-brise arrière, et le pare-chocs au-dessous en arborait un autre avec les mots, SMITH & WESSON, rien d'autre.

« J'imagine que vous pouvez dormir là-dedans, si vous avez besoin, nota le garçon.

— Je pourrais, sauf que c'est tellement blindé que même une souris pourrait pas se retourner. »

Ils fumèrent tout en regardant la nuit blafarde, et en écoutant le grésil tambouriner sur les toits et les plateaux des camionnettes. L'air froid revigora l'esprit du garçon.

« En venant ici, j'ai trouvé un chien sur le bas-côté, dit-il. Un berger allemand. Il avait un collier avec une médaille. » Il bascula le poids de son corps d'une jambe à l'autre, sans regarder l'homme.

« Mort ?

— Non.

— Quelqu'un l'avait renversé ?

— Oui.

— Qu'est-ce que tu as fait ?

— Il n'y avait rien à faire.

— Alors, qu'est-ce que tu as fait ?

— Je l'ai achevé. Et après, je l'ai mis sous une bâche près de la clôture. Il y a un numéro de téléphone sur la médaille. »

L'homme jeta un coup d'œil au garçon, puis se tourna vers la tempête. « Un jour, mon père a dû tuer un chien à coup de fusil. Le vieux Jim-Jim. » Il tira sur sa cigarette et secoua la tête. « J'entends encore le bruit de la détonation, comme si c'était hier. »

Une voiture de patrouille passa lentement devant le restaurant. Dans la lumière du tableau de bord, ils distinguèrent le visage de l'officier qui les observait attentivement, enregistrant leurs traits dans sa mémoire.

« Celui qui s'est pris ce berger allemand n'a même pas ralenti, fit le garçon.

— Ça te surprend ? »

Le garçon examina sa cigarette. « Peut-être qu'ils ne s'en sont pas rendu compte. »

L'homme se tourna vers lui. « Tu penses toujours que les gens ont un bon fond ?

— Non, pas toujours. »

L'homme tira une dernière bouffée et brandit devant lui son mégot, comme s'il s'agissait d'une chose nouvelle et étrange.

« Avant, on pouvait manger et s'en griller une sans quitter la table. Tu t'en souviens ? » Il jeta son mégot dans un nid-de-poule plein de neige fondue, s'écarta du mur et effleura la visière de sa casquette. « Bon courage.

— Vous aussi.

— Fais gaffe à toi. »

## 28

*Évidemment, il y a l'espèce de jeep – quelque part. Planquée sous un amas de broussailles. Elle devine quand il s'en est servi aux relents d'essence et aux odeurs des endroits où il a été qui imprègnent ses vêtements : un fast-food, un coiffeur, un bar. Entre ces murs, les odeurs sont toujours les mêmes, et celles qu'il rapporte de l'extérieur doivent être reniflées et identifiées, comme les invités par le chien de la famille. Elle renifle pour retrouver l'odeur du motel où elle était avec sa famille. Le restaurant où ils ont mangé, le Black quelque chose. Elle renifle à la recherche du parfum de sa mère.*

*Une fois par mois il va faire des courses, et elle sait que c'est une fois par mois aux dates des magazines qu'il rapporte,* National Geographic, Field & Stream. *C'est ainsi qu'elle sait plus ou moins depuis combien de temps elle est ici. Pas de quotidiens. Rien qui puisse lui indiquer quoi que ce soit sur elle ou sur les recherches, rien qui lui donne des nouvelles de son frère : combien de temps est-il resté allongé là, qui l'a trouvé, comment l'ont-ils descendu de la montagne, comment va sa jambe, et tu n'aurais jamais dû le laisser, jamais dû faire ça, le laisser allongé là, terrorisé, avec sa jambe en vrac, et l'homme a dit qu'il avait appris en descendant dans la vallée qu'il était tiré d'affaire, donc arrête de demander. Et parfois, il apporte une nouvelle chemise, masculine, parce qu'il n'achète rien au rayon femmes, pas même des tampons ou des serviettes hygiéniques, il y en avait déjà tout un stock ici, empilés sur une étagère au-dessus des toilettes. En les voyant le premier jour, elle avait tout compris. Tout.*

*Les gens le voient quand il part avec son espèce de jeep, quand il descend quelque part. C'est sûr. Il vaque à ses occupations comme n'importe qui. Mène à bien ses transactions. Fait des blagues. Il portait une alliance le premier jour, qui a disparu depuis, et il n'y a pas de femme dans la vallée, elle le sait comme toute femme le saurait. Est-ce que quiconque s'interroge à son sujet ? Le trouve bizarre ?*

*Le cercle jaune de lumière a glissé au-delà du neuvième interstice sur le plancher, et elle quitte son lit de camp. Elle se dirige en traînant les pieds vers la salle d'eau en suivant le rayon bleu de la lampe frontale qui précède ses pas.*

*Toilettes. Façon de parler. C'est plutôt comme un cabanon au fond d'un jardin, mais avec une cuvette en porcelaine – sans tout à l'égout. Elle tire la mince porte et fixe le petit crochet dans l'œillet, prend une boîte sur l'étagère, jette dans le seau d'eau un tampon débarrassé de son emballage, et le regarde gonfler et flotter telle une petite créature noyée. Encore quatre dans cette boîte. Vingt autres dans chacune des quatre boîtes restantes. Était-ce son emploi du temps, une façon de compter les jours ? Derrière les toilettes, en bas, dans un coin du vieux bois sombre, il y a un endroit plus clair que les autres. Une fois, elle s'est mise à quatre pattes et a regardé attentivement. A tâtonné du bout des doigts. De petites cicatrices marquaient le bois. Des hachures. Des mois et des mois comptabilisés, mal effacés au papier de verre. Cela l'avait rendue malade, et lui avait appris une chose : ne compte pas. Ne marque pas. N'envisage aucune issue possible, qui te pousserait à attendre, attendre.*

*Elle s'assied et l'urine tombe en tambourinant au fond de la cuvette sèche. Elle prend par la ficelle le tampon dans le seau, et le jette dans le trou. Avec un peu d'eau, elle expédie le tout vers le bas, quel qu'il soit, selon les lois de la pesanteur et de la topographie. La ligne de partage des eaux décide même de cela.*

*Le petit miroir terne vissé au mur reflète le visage blafard d'un mineur avec au milieu du front une lueur halogène. Son pyjama gît par terre à ses pieds, comme si elle venait d'en émerger, et la chair de poule lui couvre la peau. Elle mouille le gant de toilette dans ce qu'il reste d'eau dans le seau, le frotte au savon et se lave tandis que la fille dans sa tête reprend le fil de son histoire… il y avait une chose que je devais me dire tous les matins en me réveillant dans cet endroit… d'une voix qui n'était pas la sienne, mais celle d'une fille plus âgée, plus aguerrie, comme si elle s'exprimait devant une assemblée de jeunes filles concentrées, même si leurs corps imaginaient et leurs cœurs s'agitaient, étrangement excités, et elle se voit parmi elles, assise à leurs côtés. Écoutez, tel est le message de la fille, ça pourrait vous arriver.*

*Elle saisit la serviette grise et rêche, se sèche rapidement, et commence à s'habiller.*

*Qu'est-ce que je devais me dire ?*

*Il n'y a que toi. Il n'y a que toi.*

*Dans l'autre pièce, elle fait des étirements. Des cercles avec la tête, et se penche en avant pour attraper ses orteils. Elle se penche au point d'enrouler ses bras autour de ses genoux, de s'étreindre, d'adopter la position fœtale, inspire, son cœur à l'envers battant régulièrement, expire. Elle touche l'épaisse bande à sa cheville, l'acier gansé de cuir, qui lui est désormais aussi familier que son propre pied. Elle relâche ses jambes, et soulève la chaîne à pleines mains. Elle se redresse, s'incline jusqu'à ce que la chaîne se tende complètement, et elle se met à marcher dans le sens des aiguilles d'une montre, comme une mule faisant tourner la roue d'un moulin.*

*Le socle en acier, de la taille d'un bristol environ, s'ajuste imperceptiblement sous les quatre têtes d'écrou, révélant quelques traînées de bois brut sur le sol tandis qu'elle décrit un arc de cercle avant de faire demi-tour. Le mouvement du socle lui semble de bon augure, mais elle se concentre surtout sur l'anneau auquel elle est attachée, le demi-maillon d'acier soudé au socle, sa courbe granuleuse et rougeâtre qu'elle s'efforce de rouiller avec un savant mélange d'eau, de sueur, de jus d'orange, d'urine, et de Coca. (Les particules de rouille sont plus fortes que l'acier, ma chérie, lui avait dit un jour son père, cherchant à la réconforter alors que la chaîne de la balançoire l'avait laissée tomber sur les fesses ; l'usure est inévitable.) À chacun de ses passages, la chaîne frotte contre l'arrondi de l'anneau. Encore et encore, transmettant dans ses mains des vibrations lancinantes. Le frottement s'intensifie, devient de plus en plus bruyant, et elle s'immobilise tous les six passages, pour guetter : son sifflement. Le bruit de ses pas.*

*La pièce de lumière est sur la dernière latte de parquet, devant la patte de lion, et elle lâche la chaîne pour aujourd'hui. S'agenouille, tournée vers l'est, et touche l'anneau avec le dos de ses doigts engourdis. C'est chaud. Elle mouille le bout d'un doigt et essuie les fines particules, comme des grains de sel éparpillés. Lèche son doigt pour goûter le singulier picotement de la rouille qu'elle adore à présent, et qui ressemble tant à celui du sang. Bien joué. Et dehors, dans les bois, elle entend le sifflement, elle se redresse, s'essuie les genoux. Bon travail, ma fille. Le sifflement se rapproche. Elle regagne son lit de camp, s'allonge, s'empare d'un magazine, l'ouvre, et fixe la photographie d'une momie égyptienne. La page tremble, ses doigts tremblent à force d'avoir œuvré, l'écho vibrant de la chaîne résonnant encore dans ses mains telles de folles palpitations cardiaques. Bien joué. Bon travail, ma fille.*

## 29

Reed Lester fit tourner son verre sur lui-même, faisant s'entrechoquer encore et encore les glaçons. Son visage avait pris une teinte rouge, comme les gens assis près des fenêtres, là où brillaient les enseignes de bière. La serveuse lui apporta un autre verre, et demanda au garçon s'il désirait autre chose. Un verre d'eau, répondit-il, et elle se dirigea vers le groupe de jeunes gens dans le coin de la salle, qui depuis un moment commandaient des shots d'alcool, qu'ils avalaient cul sec selon une quelconque règle du jeu, avant de reposer violemment les verres sur la table, au milieu des acclamations. Les clients alentour avaient payé leur addition et étaient partis. L'un des garçons en maillot de football avait passé son bras autour d'une des filles. Un autre se pencha à l'oreille de la seconde pour lui dire quelque chose, et celle-ci le repoussa en s'écriant : « Arrête de me souffler ton haleine de chacal, bordel ! »

Dehors, par la fenêtre, le grésil se transformait en neige.

« Tu sais à quoi je pense, chef ?

— Non.

— Je me dis que tu devrais venir avec moi chez mon oncle Mickey. Il nous embaucherait tous les deux direct. » Il claqua les doigts en silence. S'enfonça sur la banquette, et observa le garçon, les yeux vitreux. Ses paupières s'affaissèrent, et ne se rouvrirent qu'en réaction au vacarme de la table de jeunes gens. Une chaise traîna sur le sol, un trousseau de clés tomba et fut ramassé. « Arrête, assieds-toi, Courtney, s'exclama l'un des garçons. Allez.

— Abby, décréta la fille debout. Je ne rigole pas. » La dénommée Abby marmonna quelque chose et l'autre répéta : « Je ne rigole pas. Je prends la voiture. Tu seras coincée ici. »

Reed Lester les regarda, impassible.

« Elle sera pas coincée, s'immisça l'un des garçons.

— Abby, fit la fille. Abby. »

Courtney traversa la salle, seule, l'air farouche, vacillant sur ses talons. Elle poussa la porte et sortit. Au bout de quelques secondes, deux phares s'allumèrent, dans la lumière desquels le rideau de neige s'épaissit. Les faisceaux lumineux balayèrent le parking et furent bientôt remplacés par les yeux rouges des feux arrière, qui oscillèrent sur les nids-de-poule, avant de décrire un arc de cercle pour rejoindre la route et s'évanouir.

« C'est bête, marmonna Lester. Bête, bête.

— Je crois qu'il est temps de reprendre la route », suggéra le garçon, et Lester lui adressa un geste de la main extravagant. « Allons-y. Mais donne-moi une minute. J'ai la tête qui roule comme une balle de plomb dans une tasse à café. Il me faut de l'eau. Un verre, et je serai d'attaque. » Sa tête se renversa en arrière à nouveau, et ses yeux se fermèrent. Le garçon chercha la serveuse du regard. Elle se tenait derrière le comptoir, concentrée sur un écran d'ordinateur. Il observa Lester pendant un moment, puis se leva, et se dirigea vers les toilettes.

« Laisse-le, Dudley », articula-t-il au mur fissuré au-dessus de l'urinoir. Au gros phallus incurvé soigneusement dessiné là. « Rapporte-lui son putain de sac, et tire-toi. »

Dehors dans le couloir, un groupe passait. Quelqu'un de taille imposante heurta brutalement la porte des toilettes. Un homme lâcha un cri de joie, la porte à l'arrière du restaurant grinça en s'ouvrant, et se referma avec le même bruit après le passage de la petite troupe. Il les entendit rire au loin, sur le parking. Un moteur démarra, des portières de voitures claquèrent et le vrombissement s'amenuisa peu à peu.

Il se lava les mains, s'essuya avec une serviette en papier, regagna le couloir, se dirigea vers la porte métallique, sortit et chercha l'homme qui lui avait passé du feu plus tôt dans la soirée, mais il n'était pas là. Il n'y avait personne. Il alluma une cigarette, s'appuya contre le mur. La neige continuait de tomber, une couche blanche de trois bons centimètres recouvrait désormais le sol, la Chevy, la Ford noire à double cabine, tout sauf les graviers recouvrant les places de parking que voitures et camionnettes avaient récemment libérées, mais les rectangles ainsi dessinés se remplissaient vite. Ses yeux s'arrêtèrent sur le plus dégagé. Puis, il se tourna vers l'angle du bâtiment derrière lequel il s'était garé. Il regarda derechef le rectangle. Les traces de pneu qui en partaient ne venaient pas vers lui, mais viraient dans la direction opposée, disparaissant dans un étroit passage entre le Paradise Lounge et le bâtiment voisin en parpaing. Le garçon s'adossa aux briques, fuma et observa. Là où les traces de pneu s'éclipsaient, un nuage de condensation se matérialisa bientôt. Quelqu'un respirait.

Il jeta un coup d'œil à sa Chevy sous son manteau de neige, songea à son sac d'outils dans la cabine, et au marteau à l'intérieur. Il se souvint de son poids, du son qu'il faisait lorsqu'il s'abattait sur quelque chose, et il tira longuement sur sa cigarette. Il se tourna de nouveau vers l'angle du bâtiment, puis écrasa sa cigarette avant de retourner à l'intérieur.

Il fit quelques pas dans la salle, avant de faire demi-tour et de repartir vers les toilettes. Il pénétra dans la cabine, là où se trouvait l'objet. Dans le coin le plus nauséabond, une vieille ventouse. Caoutchouc noir plein de dépôts desséchés et manche en bois crasseux.

D'où l'importance d'avoir un bâton, se dit-il.

Il coinça la ventouse sur le sol avec sa botte, dévissa le manche, le brandit dans la lumière, et le contempla. Dans le miroir au-dessus du lavabo, il aperçut le bâton lui-même, et lui le tenant à bout de bras, le visage blême sous l'éclairage du plafonnier, avec des puits d'ombre à la place des yeux.

*Qu'est-ce que tu fabriques, Dudley ?*

## 30

*Elle connaît l'univers du sac de couchage. Le revêtement satiné à l'intérieur, qui passe du froid au chaud, le trou de la tête qui devient gros comme le poing d'un enfant lorsqu'on tire sur le cordon, le poumon humide qui vous enveloppe, comme s'il faisait partie de vous-même. Plaisirs depuis longtemps disparus.*

*Ma grande, fait sa voix, à travers le trou. À nouveau : Ma grande, et elle se retourne pour l'empêcher de mettre la main sur le duvet – sur son épaule, sur sa hanche. D'abord ses doigts, puis ses bras, et enfin sa tête surgissent dans le matin froid. Elle cligne des yeux. Du bacon frit dans une poêle. L'air enfumé est âcre. Il lui tourne le dos. Il est rentré tard, se souvient-elle, et est allé directement se coucher, en essayant de ne pas la réveiller.*

*Elle ouvre la fermeture Éclair au niveau de ses pieds, là où la chaîne pénètre à l'intérieur, balance les jambes sur le côté du lit de camp, et enfonce ses pieds nus dans les chaussons. Elle porte un pyjama de flanelle, mais le matin une fille a besoin de se lever sans être observée, et il baisse le regard tandis qu'à genoux à ses pieds, il déverrouille son fer.*

*Tu sais quel jour on est? Il lui tend une assiette en plastique. Une mini-brique de jus de fruit. Il a cessé de lui proposer du café, il a compris qu'elle n'aimait pas cela. Elle est assise sur son lit de camp. Il tire son fauteuil de camping. Du nouveau bois de chauffage est soigneusement empilé en pyramide près du poêle. La hache et la scie sont dehors quelque part. Le revolver est posé sur sa cuisse.*

*Elle prend la fourchette en plastique et observe les jaunes d'œuf. Mange, Courtland, et elle enfourne une bouchée. Lundi, fait-elle.*

*Non…*

*Jeudi. Dimanche.*

*Non, pas le jour de la semaine, ma grande. Plus que ça. Pense plus grand que ça.*

*Elle mâche l'œuf tout en cassant avec ses doigts un morceau de bacon grillé qu'elle glisse dans sa bouche. Elle continue de mastiquer et hausse les épaules.*

*C'est quoi le jour le plus important de l'année? demande-t-il. Le jour que tout le monde attend.*

*Elle le regarde. Puis se tourne vers le petit sapin au pied de son lit. Les colliers de baies rouges et de pop-corn qu'elle a disposés autour pendant que Johnny Mathis chantait dans le haut-parleur. Piquant ses doigts aux aiguilles, s'efforçant de garder son esprit dans le présent, avec elle, dans cet endroit, et non dans quelque souvenir du passé aux senteurs de bougies parfumées.*

*Une grande boîte rouge est posée sous le sapin. Ah, murmure-t-elle.*

*Eh, eh, eh, fait-il.*

*Après avoir mangé, il remet Johnny Mathis et retourne dans son fauteuil avec son café, observant par le carreau la neige tomber. Il aime quand c'est comme ça le matin de Noël, dit-il : calme et silencieux. Lorsqu'il était petit, son vieux ne se levait jamais avant midi, et encore il était saoul. Ouvre tes putains de cadeaux, il gueulait. Nom de Dieu. C'est Noël. Pourquoi personne m'a dit qu'on était riches ?*

*Il tourne son fauteuil, ouvre la porte en acier du poêle et remue son bâton à l'intérieur. Les bûches incandescentes s'effondrent. Le feu, c'est du sérieux. Sérieux au plus haut point. Si elle s'y prend mal en son absence, si elle ne fait pas attention… Est-ce qu'elle connaît une façon plus affreuse de mourir que le feu ?*

*Euh… Mourir brûlée attachée comme une chienne ?*

*Il lance un morceau de bois et remue avec son bâton. Une fois à Noël, dit-il, tout ce que je voulais c'était un couteau suisse. Le gros avec cent fonctions. Un vrai couteau de survie. J'avais rien demandé d'autre. Papa travaillait pour le service des forêts et il n'était pas souvent à la maison, mais quand il y était il s'assurait que ses garçons n'étaient pas devenus des poules mouillées en son absence. Si on pleurait quand il nous fouettait, il continuait jusqu'à ce qu'on arrête. Je voulais un couteau parce que je croyais que c'était la dernière chose qu'une poule mouillée demanderait.*

*Il fixe le feu. La nouvelle bûche siffle et gémit.*

*Vous l'avez eu ? demande-t-elle.*

*Il leva les yeux. Quoi ?*

*Le couteau.*

*Non. Il a fait : Je sais que tu voulais ce couteau, mais tu crois qu'un père peut donner un couteau à un garçon qui pisse encore au lit ? Qu'est-ce que ça enverrait comme message ? Il m'avait confondu avec Bobby, bien sûr, mon petit frère, mais je ne pouvais pas lui dire. Je ne pouvais pas lui rappeler que c'était lui, pas Bobby, qui perdait connaissance et se pissait dessus dans le canapé.*

*Sa main glisse sur sa cuisse, là où il garde dans un étui le grand couteau de chasse, mais elle ne trouve rien et revient dans sa position initiale. Il ferme la porte et pivote vers la jeune fille. Le couteau, dans son étui, attend dans le casier fermé à clé près de son lit. Ou sous son oreiller.*

*Il sirote son café. Elle regarde la chaîne étalée par terre. Elle en est libérée et pourtant ses mains s'en languissent.*

*Deux ans plus tard, poursuit-il, Bobby venait juste de se pendre avec un câble électrique, et lui – papa – il était dans l'Oregon quand un chargement de troncs d'arbres est tombé d'une plate-forme et l'a écrasé. Il lève son café sans boire. Ils étaient trente hommes à aller et venir toute la journée et il a fallu que ce soit mon vieux qui passe là quand ces troncs ont décidé de se faire la malle. Certains peuvent y voir la main de Dieu.*

*Elle attend. Puis dit : C'est ce que vous croyez ?*

*Moi ? Il rit. Quand on a vu son petit frère se balancer à une canalisation rouillée dans une cave, on sait à peu près tout ce qu'on a besoin de savoir sur Dieu.*

*Une larme coule sur sa joue émaciée. Contre toute attente. C'est parce que c'est Noël. C'est à cause de sa famille. De sa voix à lui. À cause de Johnny Mathis qui chante entre ces murs, ces lits, qui d'un seul coup d'œil trahissent toutes les choses incroyables et crues auxquelles ils ont assisté.*

*Elle essuie la larme et il dit : Hé, je suis désolé. Je sais pas à quoi je pense. Qui a envie d'entendre des trucs pareils ? C'est Noël, bordel ! La tasse de café se lève et il renverse la tête en arrière pour la finir – une seule contraction brutale de la gorge sous la peau – et lorsqu'il la regarde à nouveau, ses yeux brillent d'un désir de rédemption.*

*J'ai quelque chose pour te remonter le moral.*

*Il s'empare de la boîte rouge et la pose sur ses genoux. Étonnamment légère pour la taille. Son cœur sombre à l'idée de la robe à l'intérieur, avant de se rappeler qu'il ne ferait pas une chose pareille, qu'il est trop prudent.*

*Je n'ai rien pour vous, souffle-t-elle.*

*Il balaie sa phrase d'un geste de la main.*

*Je n'ai pas pu sortir, ajoute-t-elle.*

*Il désigne avec impatience le paquet.*

*Elle enlève le papier et considère l'image sur la boîte. L'espace d'un instant quelque chose s'ouvre dans sa poitrine, de l'ordre de l'excitation, du bonheur, avant qu'elle ne comprenne la cruauté du contenu.*

*Elle soulève le couvercle, écarte le papier de soie et son cœur s'accélère.*

*C'est une blague ou quoi ?*

*Une blague qui coûte une blinde oui, rétorque-t-il, saisissant une des raquettes. J'ai pensé que tu aimerais peut-être sortir un peu. T'as déjà marché avec ça ?*

## 31

Il franchit à nouveau la porte métallique, se retrouva dans le froid et la neige, longea sans se presser le mur, en direction de l'angle du bâtiment où il avait vu le nuage de souffle blanc. Il en distingua un autre au même endroit. Il se mit à marmonner, marcha d'un pas plus lourd et tâta sa braguette en arrivant au coin. En voyant le maillot blanc, là, dans l'ombre, il recula maladroitement d'un pas et lâcha : « Oh, pardon.

— Dégage, ducon, répliqua le garçon au maillot.

— Désolé, chef. Je venais juste pisser.

— Va ailleurs. T'as qu'à te pisser dessus. Va te faire foutre. » C'était le grand, Valentin. Son maillot luisait d'un éclat blanc dans le passage non éclairé. Le chiffre 10 en grenat sur le fond clair.

Sean jeta un coup d'œil par-dessus l'épaule de Valentin et ce dernier s'avança pour lui bloquer la vue.

« C'est quoi que tu comprends pas dans *va te faire foutre* ? » Son souffle acide et chargé d'alcool glissa sur le visage du garçon qui fit marche arrière avant de s'immobiliser, et de regarder son interlocuteur. Celui-ci avança encore et le garçon recula derechef. Lorsqu'ils eurent atteint ainsi l'angle du bâtiment, Sean s'arrêta. Il laissa le manche en bois glisser de sa manche, et l'empoigna par l'extrémité où se trouvait le pas de vis, maintenant fermement les rainures. Dans la lumière blafarde, il distingua des flocons noirs dans les yeux bleus vitreux de Valentin, il décrivit un arc de cercle avec le manche, et frappa le grand gaillard à l'oreille. Valentin plaqua sa main sur sa tête, tomba à genoux, puis s'appuya de l'autre main par terre, le visage déformé de convulsions silencieuses.

Le garçon le contourna, gagna le passage, et marcha droit sur l'autre maillot qu'il distinguait dans l'obscurité, blanc comme un signal, comme un drapeau. Il lut le nom Whitford sur la surface claire. Le dénommé Whitford était planté à l'arrière de la camionnette, le jean et le caleçon baissés sur les genoux, ses fesses blanches serrées et à l'œuvre. Les deux autres garçons de la tablée se tenaient contre le plateau de la camionnette, mains par-dessus le rebord tels des ouvriers agricoles concentrés sur un quelconque acte d'élevage animal. Lorsqu'ils levèrent les yeux, Sean comprit à leur regard qu'il n'était pas lui-même – n'était pas le garçon qu'il connaissait mais une silhouette masculine opaque, se dessinant dans le contre-jour et le rideau de neige derrière lui, sans âge, sans visage, avançant avec assurance vers eux.

Un des deux lascars s'exclama « Merde ! » et Whitford leva le nez, regarda par-dessus son épaule et sans interrompre sa besogne lança : « T'es qui toi, bordel ? » Il ne vit pas mais il entendit le manche siffler dans l'air, avant de le sentir s'abattre juste sous son maillot, en travers de ses fesses, comme pour les fendre mais horizontalement. Il hurla, se détourna pour éviter le coup suivant qu'il reçut finalement en pleine face. Il leva les mains et s'éloigna en titubant jusqu'à ce que son pantalon baissé le fasse trébucher et s'étaler de tout son long dans la neige. « Enfoiré, éructa-t-il en rampant plus loin. Enfoiré. »

Le garçon leva à nouveau son arme et les deux autres, toujours penchés au-dessus du plateau de la camionnette, lâchèrent prise et s'enfuirent dans le passage. La fille à plat ventre glissa alors sur le hayon baissé, et Sean posa la main dans le bas de son dos pour la retenir. Des cheveux noirs lui couvraient le visage, telle une toile sombre, et une odeur de vomi lui envahit les narines. Il remarqua l'endroit sur le plateau où la neige avait fondu, formant à présent une flaque.

Il lâcha le manche et attrapa la fille par les aisselles. Il cherchait la meilleure façon de procéder lorsqu'il entendit des pas lourds se rapprocher. Le coup allait partir, il le savait, mais il l'atteignit avec une telle violence qu'il en tomba à plat ventre sur le corps de la fille. Un bras lui enserra le cou, le souleva, et il lâcha la fille pour tenter de se dégager de la prise. La fille se remit à glisser, et dans sa chute son menton heurta le bord du hayon baissé, sa tête partit à la renverse et son corps lourd et flasque se retourna telle une poupée de chiffon, la tête atterrissant en dernier et heurtant avec un bruit sourd le sol couvert de neige.

Le garçon sentit ses pieds quitter le sol. Le visage de Valentin était collé au sien et sa mâchoire glissa contre sa joue lorsqu'il lui chuchota doucement : « Je t'ai eu ducon, je t'ai eu. » Le garçon se débattit, donna des coups de pied en arrière, frappa à l'aveuglette en direction de la tête de Valentin, mais le bras ne fit que l'étrangler un peu plus et bientôt Sean eut du mal à respirer. Il entendit son agresseur lui souffler à l'oreille : « Arrête tout de suite, ça sert à rien.

— Tourne-le par là, Clayton. »

Valentin pivota avec sa prise et le garçon se retrouva face à Whitford, debout devant lui, tête baissée, s'activant patiemment sur sa braguette, sa boucle de ceinture. Lorsqu'il eut fini, il ajusta sa casquette à l'envers et scruta le garçon. Il toucha du bout des doigts sa propre joue, tâtonna doucement, examina ses doigts. Il se tourna vers la fille couchée par terre, puis regarda à nouveau le garçon.

« Laisse-le un peu respirer, Clayton. On dirait qu'il va tomber dans les pommes et c'est pas ça qu'on veut. »

Whitford s'approcha de la fille et explora le sol dans la pénombre. Il flanqua un coup de pied dans la petite culotte sombre bouchonnée et s'exclama : « C'est pas ça. Ah, te voilà. » Il se pencha et tira sur le manche en bois, coincé sous une jambe de la fille. Il l'examina comme s'il s'agissait d'une arme rare.

« Est-ce que c'est ce que je crois ? Putain. » Il posa le manche sur la hanche de la fille et souleva sa jupe. Il jeta encore un coup d'œil au garçon, suspendu telle une peau d'animal dans les bras de Valentin.

« Tu aurais pu passer après nous, vieux. T'avais pas besoin d'être aussi violent. Mets-le contre le hayon, là, Clayton. »

Le garçon se démena mais Valentin était trop grand, trop fort, et lorsque Sean fut plaqué contre le hayon, Whitford s'approcha de lui et entreprit de défaire sa ceinture. Le garçon s'empara des poignets de Whitford mais le bâton s'abattit sur ses doigts et Valentin serra encore son bras jusqu'à ce que Sean lève à nouveau les mains pour se défendre de ce nœud coulant humain.

« Laisse tomber, conseilla Whitford. Et t'inquiète pas, je suis pas pédé. Tout ce que je vais faire, c'est ça. T'entends, là ? T'arrives à respirer ? Bon. Tout ce que je vais faire, c'est te fourrer ton petit copain dans le cul, aussi loin qu'il pourra aller, OK ? Ça te va, vieux ? »

Le garçon balança un coup de pied en arrière et Valentin pesa de tout son poids dans le dos de Sean. Ce dernier bascula en avant, le ventre collé au hayon, le visage presque dans la flaque de vomi. Il se contorsionna lorsqu'il sentit son jean et son caleçon glisser jusqu'à mi-cuisses. L'air était froid, les flocons de neige lui picotaient la peau comme des insectes s'agglutinant. Il y eut un long moment malsain sans que rien ne se produise, puis le bâton émit son sifflement caractéristique et s'abattit violemment sur lui. Il sursauta mais ne lâcha pas un son.

« Voilà, décréta Whitford. Maintenant on sait tous les deux ce que ça fait. Pour la suite, bah… faudra que tu me racontes. Tiens-le bien, Clayton. »

Le garçon se raidit, comme s'il pouvait fermer et faire disparaître cette partie de lui-même par sa simple volonté. Quelque chose le toucha sur la hanche, et il tressaillit. C'était les doigts de l'autre garçon. « Détends-toi. » Les doigts se positionnèrent doucement, un par un, le pouce en dernier, cherchant un appui pour faire levier. Sur le parking, un moteur démarra – tournant difficilement au début puis pétaradant presque avec satisfaction, grâce à l'insistance d'un pied qui appuyait sans discontinuer sur la pédale d'accélérateur ; les doigts sur la chair du garçon restèrent immobiles, les bras qui le maintenaient se rigidifièrent comme ceux d'une statue. Les vrombissements du moteur lui rappelèrent la Ford noire et l'homme qui la conduisait. SMITH & WESSON. Fais gaffe à toi. Une lumière jaune envahit le passage, et balaya le mur en parpaing, mais l'instant suivant, elle disparut derrière le bâtiment tandis que le conducteur prenait un virage. Voiture, lumière et bruit s'évanouirent dans la nuit.

Les doigts se replacèrent sur sa hanche, et Whitford lui chuchota que tout serait fini avant qu'il ait le temps de s'en rendre compte, et durant le long instant ridicule qui s'ensuivit, un autre bruit se produisit, inattendu, un bruit qui figea tout : chaque mouvement, chaque respiration, et même chaque battement de cœur. Seule la neige continua de tomber comme avant, imperturbable. Il s'agissait d'un claquement métallique qu'ils reconnurent tous : quelqu'un venait d'armer un flingue.

« Lâche le bâton, numéro 12 », lança l'homme armé.

Le manche tomba par terre avec un bruit sourd.

« Recule. Et toi, numéro 10. Le grand. Laisse-le et mets-toi à côté de l'autre tarlouze, là. »

Libéré de l'emprise de Valentin, le garçon aspira l'air froid dans sa gorge nouée, et se dégagea du hayon.

Il remonta son jean, ferma sa braguette et sa ceinture, fit volte-face.

« Je te l'avais pas dit, chef, que c'était des enculés ? »

# 32

*Il a des affaires pour elle : des après-skis, un blouson, des gants, des lunettes de soleil, rangés dans le casier. Le tout dans le style d'un jeune homme mal dans sa peau. Des choses que son frère aimerait. Elle sait pourtant, lorsqu'elle enfile le blouson, les bottes, que jamais un garçon ne les a portés, mais une fille, oui, une fille qui lui ressemblait, une fille qui était là avant elle, dont elle ne peut ni voir ni sentir la moindre trace, mais dont elle perçoit néanmoins la présence telle une ombre oubliée. L'ombre dans les vêtements, dans la forme des bottes, du blouson, du bonnet et des gants est profonde, réconfortante, et écœurante.*

*Lorsqu'il ouvre la porte et s'écarte, elle pense qu'elle est prête, mais ce n'est pas le cas. Le monde blanc explose dans ses yeux, son incroyable éclat gelé. Elle met les lunettes et voit la nature telle que la fille avant elle l'avait vue : les sapins se dressant fièrement vers le ciel livide, leurs branches ployant sous la neige. L'air est imprégné de leur odeur si intensément pâle, pure et froide. C'est comme si elle n'avait jamais respiré auparavant, jamais senti. Elle est tellement émerveillée qu'elle en oublie presque de regarder derrière elle. Puis elle se reprend, et se tourne. Ce n'est pas un chalet, mais une cabane. Et encore. Un abri en bois à moitié enterré dans la neige. De la fumée s'échappe de la cheminée, telle une nuée d'oiseaux blancs. Une bande rouge arrête son regard et il lui faut un moment pour comprendre de quoi il s'agit. Le patin d'une luge. Une longue luge d'enfant en bois entreposée le long de la paroi. Voilà comment il rapporte les bûches du bois, les provisions de son espèce de jeep. Et d'autres chargements.*

*Ça va te faire bizarre quand tu marcheras dans la poudreuse, dit-il, accroupi à ses pieds dans son mode primate, lui ajustant les attaches. C'est comme réapprendre à marcher. Mais la seule façon d'apprendre, c'est de le faire. Souviens-toi de garder les jambes écartées, et essaie de ne pas t'emmêler dans les fixations, tu risques de rester coincée sous le…*

*Elle s'élance devant lui, descendant la petite clairière en pente, et lorsqu'elle tombe, le bras qu'elle tend en avant pour amortir sa chute s'enfonce et s'enfonce, comme dans le brouillard. Elle s'immobilise apaisée dans sa propre empreinte, la joue contre la neige. Elle se tourne légèrement, s'efforce de se redresser avec l'autre bras, et rencontre le même vide profond. Elle se rend compte qu'il lui faut ramener sous elle les raquettes, afin de pouvoir se relever, mais les efforts que cela représente – les contorsions, les geignements, les mouvements indécents de son dos – constituent un spectacle qu'il ne verra pas, en tout cas pas ici.*

*Il s'approche d'elle dans la neige et l'aide à se relever. Tu as marché sur une raquette. Écarte les jambes, je t'ai dit.*

*Elle dégage la neige sur ses cuisses, ses hanches, et s'élance à nouveau. Cette fois, elle atteint les arbres.*

*Mieux, lance-t-il, mieux. Mais allons par là. Et il se détourne de la pente et l'entraîne plus haut. Plus haut dans la montagne, dans un bois d'épicéas et de sapins, d'une immobilité absolue. Son souffle est rauque, et ses quadriceps palpitent. Il s'arrête pour vérifier qu'elle va bien, et elle poursuit à grands pas son chemin.*

*N'en fais pas trop, suggère-t-il. L'altitude pourrait te rendre malade, et elle réplique Ça va, sans même s'arrêter.*

*Ils avancent lentement dans la côte, à l'encontre de la pesanteur de son corps, qui ne désire que descendre. Elle cherche quelque chose de différent dans les arbres, la promesse sous la neige d'un chemin dessiné par le lit d'un torrent, ou une route. Elle lève constamment les yeux pour voir s'il y a des câbles électriques, tend l'oreille, à l'affût du moindre son : circulation, tronçonneuse, hélicoptère. Elle se souvient des petites bornes bleues au bord de la route ce jour-là en juillet, et regarde en contrebas, s'efforçant de distinguer leurs petites têtes à la surface de la neige.*

*Comment ça va ? dit-il dans son dos, et elle sursaute au son de sa voix. Elle fait deux pas de plus, et s'effondre.*

*Tu commences à fatiguer, ajoute-t-il en surgissant au-dessus d'elle. Faisant écran aux arbres et aux flocons de neige. Quand on fatigue on devient fainéant et on ne peut pas être fainéant avec des raquettes.*

*On est où ? demande-t-elle.*

*Comment ça ?*

*On est où ? Est-ce qu'on est loin d'où vous... d'où j'étais avec mon frère ? Elle ne faisait plus aucune allusion à Sean, plus depuis les premiers jours.*

*Il la fixe de toute sa hauteur. Ses yeux derrière les verres jaunes n'expriment rien.*

*Pourquoi ?*

*Pourquoi quoi ?*

*Pourquoi tu veux le savoir ?*

*Parce que j'ai envie.*

*Pourquoi ?*

*Parce que. Vous ne feriez pas la même chose à ma place ?*

*Non. Quelle différence ça fait ?*

*Ça me donnerait l'impression d'être moins perdue.*

*Ou plus. Tu es où tu es, pas où tu n'es pas. C'est tout.*

*Elle le dévisage. Mais je ne sais pas où je suis.*

*Si, tu le sais. Tu es avec moi, ici.*

*Il l'observe, puis détourne le regard. Tu veux rentrer ? C'est ça ? Tu veux passer Noël à l'intérieur ? On passe pas du bon temps ici ? Tu ne trouves pas ça beau ?*

*La pente devient de plus en plus raide, la forêt de plus en plus épaisse. Ils sont contraints de marcher en lacets entre les arbres, ce qui rend l'ascension plus facile mais plus longue. Et là où la pente s'adoucit, il y a moins d'arbres en travers de leur chemin, comme si cela allait de soi, et pour finir ils atteignent une vaste étendue neigeuse où les arbres sont plus rares et pas plus grands qu'elle. À moins qu'il ne s'agisse que des cimes émergeant d'un profond lac de neige.*

*Devant elle, les arbres disparaissent, ainsi que la montagne – brusquement, entièrement ; on dirait le bout du monde. Rien au-delà sinon le ciel gris et les flocons qui en déferlent comme si c'était là qu'ils naissaient, qu'ils étaient fabriqués. Elle s'approche du bord, et il crie : Stop. Elle s'immobilise et fait volte-face.*

*Il se tient entre deux petits sapins ; ce qui lui donne une stature imposante. On ne va pas plus loin, ajoute-t-il.*

*Pourquoi pas ?*

*Je te montrerai. Reviens.*

*Elle rebrousse chemin. Il mord dans le bout de son gant pour l'ôter, glisse la main sous son blouson, et un claquement métallique retentit. Il tient un revolver.*

*L'arme d'un coup devient le centre noir et implacable du monde blanc qui les entoure. La seule chose à regarder ou à laquelle prêter attention. Dans un vertige, elle voit son corps, abandonné dans le lac de neige, qui gèle et fond au rythme des saisons. Ou plutôt qui gît comme il est tombé, dans son état ultime, durant des siècles. L'histoire de sa mort préservée avec son corps. Elle va lui demander : S'il vous plaît, s'il vous plaît, ne me déshabillez pas, laissez-moi les bottes, le blouson, les gants, s'il vous plaît, faites au moins cela pour moi.*

*Il brandit son arme et tire dans le vide gris. La détonation est étonnamment faible, pareille à un pétard estival, mais pourtant elle résonne, se répercute dans des confins invisibles avant de revenir vers eux. L'instant suivant, elle se dit qu'il doit y avoir quelque chose qu'il voit mais pas elle, et elle scrute l'immensité, les yeux éblouis, à la recherche d'un homme, d'un randonneur, d'un policier, titubant sous les flocons dans leur direction, les mains sur le ventre, le visage convulsé de douleur et de stupéfaction.*

*Au lieu de quoi, une déflagration plus grande encore retentit, comme un coup de feu plus intense cette fois, et devant eux une déchirure bleue surgit dans la neige telle une veine colorée par injection. La veine s'agrandit, devient d'un profond bleu de glace avant de blanchir à nouveau, tandis qu'un pan entier du sommet se détache et glisse dans le gris du ciel, entraînant avec lui dans sa chute ses yeux, son cœur, son estomac. Cela prend longtemps mais le bruit donne l'impression que l'événement se limite à l'endroit où il a commencé. Puis tout s'arrête, ou semble s'arrêter, et il n'y a plus rien à entendre sinon le lointain écho du tonnerre dans des précipices invisibles.*

*Ils restent immobiles dans le silence qui s'ensuit. Puis il éjecte la cartouche qui tombe en sifflant dans la neige. Il s'empare d'une autre munition et la glisse dans le barillet avant de remettre en place ce dernier d'un claquement sec. Pour finir, il range son arme dans son étui sous son blouson, fixe le bouton-pression, et remet son gant.*

*Une balle à la fois. Elle n'y avait jamais pensé mais soudain elle se rend compte : si un jour elle parvient à lui prendre son revolver, elle ne pourra tirer qu'un coup, et il y a des chances qu'elle le rate ou qu'elle le blesse à peine, en tout cas pas suffisamment pour s'en sortir.*

*Il n'y a plus de danger maintenant, déclare-t-il, et ils se remettent tous deux en marche, s'éloignant peu à peu l'un de l'autre au fur et à mesure qu'ils s'approchent du bord, comme si c'était une chose entendue entre eux. Elle se penche, regarde la neige dégringoler, sent l'attraction du vide, de la chute dans l'inconnu, l'infime intervalle entre le faire et ne pas le faire – entre faire mentalement un pas, et le faire physiquement, l'instant irréel où les dés sont jetés et où il est impossible de revenir en arrière, il n'y a plus que votre cœur qui roule et le bourdonnement du monde qui se brouille autour de vous.*

*Attention, poursuit-il, et il s'approche pour l'atteindre. Elle recule prestement. Le vent pourrait t'emporter comme une feuille, dit-il.*

*Ils contemplent l'espace.*

*Quand il fait beau, on voit aussi distinctement qu'un faucon, remarque-t-il. On voit comme Dieu voit.*

*Il se tourne vers elle. Pour voir l'effet de ses paroles.*

*Elle essuie son nez qui coule.*

*On y va ? fait-elle, et il fait un pas vers elle mais elle s'écarte et s'éloigne du bord.*

*Qu'est-ce que tu fais ? s'étonne-t-il.*

*Rien. J'ai peur du vide.*

*N'aie pas peur, réplique-t-il. Comme il l'a dit une autre fois, il y a longtemps.*

*Elle fait un autre pas et s'arrête. Il vient à sa hauteur, puis aligne avec précision ses raquettes sur les siennes et pose ses mains sur ses bras : je ne veux pas que tu aies peur, Caitlin.*

*Je n'ai pas peur. Plus maintenant.*

*Bien.*

*Il la fixe. Secoue la tête.*

*Quoi ? fait-elle.*

*Rien. Il lui serre les bras. Tu es tellement belle, là dehors, dans la lumière. Dans le monde. Tu t'en rends compte ?*

*Elle lui prend les poignets, sourit, et il s'approche un peu plus près, ses doigts se crispant et se détendant. Se crispant, se détendant. Il s'approche mais pas jusqu'à la toucher.*

*Au bout d'un moment, les yeux scrutant les verres jaunes de ses lunettes, elle fait le reste du chemin jusqu'à ses lèvres.*

## 33

Libéré de l'étreinte de Valentin, le garçon passa sa main sur sa gorge et regarda le revolver au bout du bras tendu de Reed Lester. Les minces reflets de lumière sur le barillet chromé.

« Je n'allais pas vraiment le faire, fit le dénommé Whitford.

— Ta gueule, rétorqua Lester.

— Je voulais juste lui faire croire.

— Dis encore un truc, enculé, et tu vas voir. (Lester jeta un coup d'œil au garçon.) Qu'est-ce que tu fous ? »

Sean était agenouillé et s'efforçait de glisser ses bras sous les épaules et les genoux de la fille. Il la hissa contre lui et sa jambe se mit à trembler tandis qu'il se relevait, mais il tint le coup. La tête de la fille s'inclina : son menton saignait. Il la fit un peu basculer pour que son visage revienne s'appuyer contre sa poitrine. « Elle est blessée, croassa-t-il d'une voix rauque.

— Je crois qu'il serait judicieux de débarrasser le plancher, chef, et plus vite que ça.

— On l'emmène. »

Lester ouvrit la bouche mais ce qui en sortit, d'une voix qui ne s'accordait guère avec le contexte, furent les mots *Oh, mon Dieu*, et il se tourna vers ce que le garçon avait déjà remarqué. Les deux autres l'imitèrent. La serveuse rousse se tenait à l'entrée du passage dans la lumière. « Qu'est-ce que vous fabriquez avec cette fille ?

— Hôpital, se contenta de répondre le garçon.

— Qu'est-ce que tu lui as fait ?

— Il lui a rien fait, bordel, intervint Lester. Retourne à l'intérieur. » Le garçon continua d'avancer avec la fille en boitillant. Il arriva à hauteur de la serveuse et répéta : « Hôpital. »

Elle entrouvrit les lèvres et secoua la tête.

« Où est le putain d'hôpital ? »

Elle se détourna. Se passa une main dans les cheveux et se ressaisit. Elle brandit sa cigarette en direction du sud. « Tu files tout droit par là, pendant six kilomètres. Tu vas passer sous la voie rapide et tu verras le panneau. Les Sœurs de la miséricorde. Mais je vais appeler une ambulance plutôt. Amène-la à l'intérieur. »

Il s'éloigna vers le parking et au bout d'un moment la serveuse tourna les talons et repartit vers la porte.

Lorsque Lester rejoignit la Chevy, son sac à dos était par terre dans la neige, et le garçon repliait les jambes de la fille qu'il avait déposée côté passager. Lester ramassa son sac, le lança sur le plateau de la camionnette où il atterrit près des affaires de Sean. Il rejoignit ensuite le côté conducteur et s'engouffra à l'intérieur pour aider le garçon à installer la fille au milieu de la banquette. « Je prends le volant, chef. »

Le garçon appuya le crâne de la fille contre l'appui-tête, tira sur sa jupe, et ferma la portière. Il contourna la camionnette, se planta à côté de Lester, et le regarda droit dans les yeux.

« Tu as raison. C'est toi qui conduis », admit celui-ci et il descendit de voiture, alla ouvrir au pas de course la portière côté passager, se tassa près de la fille, avant de refermer derrière lui. Le garçon tourna la clé de contact et actionna la commande des essuie-glaces. Ils ne bougèrent pas d'un pouce.

« T'as un grattoir, chef? »

Le garçon porta une main à sa gorge. « Sous ton siège. »

Lester trouva le grattoir, bondit à l'extérieur et s'activa sur le pare-brise. La portière était restée ouverte. La porte rouge du Paradise Lounge s'ouvrit et la serveuse et le grand barman blond apparurent dans l'encadrement. Ils les observèrent, puis le barman s'avança dans leur direction. Lester le regarda et s'exclama : « Tout va bien, chef », et le barman s'immobilisa brusquement comme s'il avait atteint le bout d'une laisse.

« La police arrive, lança-t-il. Je crois que vous feriez mieux de laisser la fille ici.

— Moi aussi, répliqua Lester. Mais c'est pas moi qui décide. » Il plongea la main dans la poche de sa veste et le barman recula d'un pas. Lester jeta par en dessous un trousseau de clés et le barman le rattrapa, puis l'examina.

« C'est quoi ?

— Des clés.

— Bah, je vois bien.

— Elles ouvrent la camionnette là-bas, dans le passage. »

Il remonta dans la Chevy, le garçon enclencha la marche avant et ils quittèrent le parking. Sean s'engagea sur la route et accéléra dans la neige.

Reed Lester le regarda, puis jeta un coup d'œil à la fille. Son menton fendu et sanguinolent, le filet sombre et humide qui descendait le long de son cou, la petite flaque de sang au creux de sa gorge, et le filet sombre qui poursuivait son chemin, glissait le long du plexus et plongeait dans son pull pour disparaître. Tandis que l'air dans la cabine se réchauffait, l'odeur de la fille se repandait. Alcool et vomi.

« Je dirai jamais rien, fit-il.

— À propos de quoi ?

— Sur ce qu'ils te faisaient dans le passage. »

Le garçon fixa la route. Il pensa à prendre une cigarette mais sa gorge enflammée le fit changer d'idée.

« Où est le revolver ? demanda-t-il.

— Je l'ai rangé. Pourquoi ? »

Sean se tourna vers son interlocuteur et les yeux de celui-ci quittèrent ce qu'ils lorgnaient depuis un moment : les cuisses nues de la fille, l'ourlet remonté de sa jupe. Les deux jeunes hommes se dévisagèrent mutuellement quelques instants. Les essuie-glaces gémissaient leur plainte. Puis le garçon se concentra à nouveau sur la route.

« Il est chargé ? s'enquit-il.

— Quoi ?

— Le revolver, il est chargé ?

— Ça ne sert pas à grand-chose sinon, chef.

— Tu l'as depuis le début.

— On ne sait jamais ce qu'on rencontre sur la route.

— Ouais, un chien, par exemple.

— Pardon ? »

Le garçon ne quitta pas l'asphalte des yeux. « Tu es resté là et tu m'as regardé. L'achever à coups de marteau. »

Lester scruta longuement le profil du conducteur.

« Bah, et si j'avais sorti un flingue comme ça, à ce moment-là ? Qu'est-ce que tu aurais pensé ? »

Le garçon se concentrait sur les flocons qui tombaient.

« Putain, reprit Lester. Tu pourrais être content que j'aie sorti mon flingue au moment où je l'ai fait. »

Des sirènes leur parvinrent de quelque part. Lester regarda par les vitres de part et d'autre jusqu'à ce que le bruit s'évanouisse. Ses yeux tombèrent encore sur les cuisses de la fille. Sa peau pâle qui vibrait doucement au rythme du moteur. L'ourlet noir de la jupe.

« Qu'est-ce que tu fais ? dit Sean.

— Rien.

— N'y pense même pas.

— Je ne pensais à rien, putain, chef. La vache. Tu crois que je ferais un truc pareil ? »

Le garçon glissa une cigarette entre ses lèvres, l'alluma, et tira une bouffée qu'il conserva dans sa bouche, résistant à l'envie de l'inhaler.

« En même temps, ajouta Lester, on pourrait se demander ce que tu foutais dans ce passage, pour commencer, chef. Qu'est-ce que tu cherchais, pour te retrouver dans ce merdier ? »

Avant que le garçon ait le temps de répondre, des lueurs rouge et bleu surgirent soudain de nulle part, les sirènes se remirent à hurler, et des véhicules de police se multiplièrent autour d'eux. Sean se rangea prudemment sur le bas-côté, juste avant la bretelle d'autoroute.

Les projecteurs des voitures de patrouille illuminèrent la cabine, et lorsque le plafonnier s'alluma automatiquement cela ne fit aucune différence. Sean ne comprit donc pas immédiatement qu'une portière s'était ouverte ; c'est en se tournant vers Reed Lester pour lui demander de ne rien dire, de ne rien faire, qu'il s'aperçut de sa disparition. La portière oscillait encore sur ses gonds. Des hommes crièrent dehors. Des moteurs vrombirent, des pneus crissèrent, et certains gyrophares s'éloignèrent sur la route.

Autour de lui, des policiers étaient accroupis derrière leurs voitures, leurs armes pointées dans sa direction, hurlant à son attention. Il regarda de nouveau la portière passager et vit le grattoir là où Lester l'avait laissé sur le plancher. À côté, il y avait autre chose, à moitié dissimulé sous le siège, reflétant les lueurs bleu et rouge dans l'éclat des projecteurs. Il fixa l'objet un bon moment. Puis, il se tourna vers la route, leva les mains et écarta les doigts, comme pour indiquer le chiffre dix. Devant lui, au-delà des véhicules de police et du rideau de flocons de neige, à moins de cent mètres de l'endroit où il se trouvait, était suspendu un panneau bleu sur lequel brillait en lettres argentées : SŒURS DE LA MISÉRICORDE.

## 34

*Attends, souffle-t-il, et elle s'arrête, attend qu'il arrive à sa hauteur. Aucun bruit alentour sinon celui de ses raquettes fouettant doucement la neige.*

*Il dégage le sac de ses épaules, s'empare de deux bouteilles d'eau en plastique, et ils les débouchent pour boire. Le liquide plein de caillots de glace gargouille dans leur gorge. Elle revisse son bouchon, ouvre la fermeture Éclair de son blouson, glisse la bouteille dans la poche près de sa poitrine, et referme la fermeture Éclair.*

*Il la regarde faire. Puis la dévisage.*

*C'est trop froid pour boire vraiment, explique-t-elle.*

*Il soulève à nouveau sa bouteille avant de la ranger dans le sac. Elle dit : Qu'est-ce qu'il y a d'autre là-dedans ?*

*Des barres de céréales. Et deux Snickers. Tu as faim ?*

*Va pour un Snickers. Quoi d'autre ?*

*Rien. Rien d'autre à manger.*

*Des mouchoirs ?*

*Quoi ?*

*Vous avez apporté des mouchoirs ?*

*Genre des Kleenex ?*

*Oui n'importe. Elle fixe ses verres jaunes jusqu'à ce qu'il comprenne.*

*J'ai un petit paquet de Kleenex, c'est tout.*

*Je peux l'emprunter ?*

*Bien sûr. Il plonge la main dans une de ses poches, puis dans l'autre, et finit par trouver le paquet.*

*Elle le glisse dans la poche de son blouson avec le Snickers, puis fait demi-tour et repart d'où elle vient, marchant sur ses propres traces, dans la pente.*

*Où tu vas ? lance-t-il au bout d'un moment.*

*Elle ne se retourne pas. Elle tend le bras vers un épicéa solitaire, large et épais, ployant sous la neige comme si cette floraison immaculée était sa seule raison d'être. Elle fait un faux pas, chancèle sur ses raquettes, se redresse.*

*Attention, fait-il, et elle brandit le pouce en l'air par-dessus son épaule.*

*Une fois derrière l'épicéa, elle regarde à travers les branches, et son cœur se fige : il se dessine dans l'immensité blanche exactement comme elle l'a laissé, beaucoup plus près que ce qu'elle aurait cru. Comme si la distance qu'elle a parcourue pour atteindre l'arbre était imaginaire. Ou comme s'il s'était déplacé en même temps qu'elle mais sans bruit, sans laisser de traces ni faire d'effort.*

*Elle bredouille et finit par s'exclamer : Vous êtes en train de me regarder. Je vous vois.*

*Je ne vois rien, répond-il, et elle sait que c'est vrai.*

*Elle se penche pour resserrer les attaches sur ses après-skis. Je vous vois en train de me regarder, répète-t-elle. Il ne bouge pas. Reste là. Ça me bloque, ajoute-t-elle, et pour finir, avec un air de parent exaspéré, il lui tourne le dos.*

*Elle recule d'un pas dans la pente enneigée. Elle pense n'avoir fait aucun bruit mais elle n'en est pas certaine à cause de son pouls qui résonne dans ses oreilles. Elle marque une pause. L'instant se suspend. Sa respiration s'arrête, son cœur s'arrête, comme dans les starting-blocks –* Respire, *Courtland –, et elle recule encore d'un pas, puis d'un autre, s'appliquant à garder l'arbre entre elle et le singe, et lorsqu'elle en a fait vingt, elle pivote et s'élance dans la pente à grandes foulées légères et silencieuses.*

## 35

Tout ce qui se déroula ensuite durant cette longue nuit et le matin suivant releva du rêve éveillé interminable et pervers, se plaisant à lui faire miroiter une fin proche, un sommeil imminent, avant de le rappeler à la réalité, avec encore plus de bruit, plus de pas, et une autre pièce vide, ou la même, avec le ou les mêmes hommes de l'autre côté d'une table métallique, ou des hommes différents mais toujours avec les mêmes questions, la même lumière violente, et le seul répit dans tout cela, l'unique et brève échappatoire, fut un véritable moment onirique qui surgit durant une pause dans le processus, un raté de la part de ses geôliers qui le laissèrent seul assez longtemps pour qu'il puisse dormir, et dans son sommeil il gravit une pente à travers bois dans l'obscurité, trouvant son chemin grâce à l'animal qu'il suivait, un chien ou un loup d'une blancheur telle que des ombres surgissaient dans son sillage, sur les arbres et les pierres. Puis le tonnerre résonna dans la forêt et il se réveilla en sursaut, face aux barreaux d'acier, au béton, et à l'homme éclairé en contre-jour qui lui ordonnait de se lever, et il fut emmené menotté une fois de plus dans le couloir menant à la pièce vide.

L'homme à la table ne portait pas de veston, seulement une chemise blanche à manches longues, aux poignets et au col boutonnés, avec une cravate impeccable soigneusement nouée. Les bretelles en cuir de l'étui de son arme produisaient un effet sculptant sur sa chemise, suggérant un torse sain et musclé. Ses cheveux noirs et courts étaient coiffés sur le côté, et sa mâchoire couverte d'une barbe naissante. Il avait une alliance en or au doigt.

Cet homme, enfin, regarda le garçon. Scrutant ses yeux comme s'il allait pouvoir y déceler ce qu'aucun des hommes précédents n'avait même songé à chercher. S'il y trouva quelque chose, il ne dit rien, et s'attarda sur la veste en jean du garçon, presque boutonnée jusqu'au cou. On lui avait pris son tee-shirt maculé de taches de sang.

Il examina à nouveau les yeux du garçon et dit : « Sean, je suis l'inspecteur Luske. Du département chargé des crimes sexuels de la police d'Omaha. Tu veux de l'eau ?

— Oui. »

L'inspecteur remplit un gobelet en carton à une fontaine à eau située dans un coin de la pièce, le posa devant le garçon, et reprit sa place.

« Sean. Comme tu le sais, puisque tu dis avoir vu ce qui s'est passé, la fille qui était avec toi hier dans cette camionnette a été violée. Par au moins un agresseur. Peut-être même trois. Bon, elle était en état d'ébriété et elle a perdu assez vite connaissance, mais je lui ai parlé et elle croit pouvoir identifier les garçons qui étaient assis avec elle dans le Paradise Lounge. Mais ce ne sont pas forcément ceux qui l'ont violée. Tu comprends ?

— Oui.

— Vraiment ?

— Oui.

— Ce que je voudrais faire, Sean, c'est demander à un autre agent de venir ici pour qu'il te prélève un échantillon. Tu serais d'accord ?

— Un échantillon de quoi ?

— Un échantillon d'ADN. À l'intérieur de la joue. Dans la bouche. Ça prend deux secondes. Tu serais d'accord ?

— Je n'y vois pas d'inconvénient.

— Ça ne suffit pas. Je ne peux pas faire prélever un échantillon sans ton accord officiel si je n'ai pas de mandat. Mais ça serait mieux pour toi, si tu donnais ton accord.

— Vous voulez dire verbalement ?

— Oui.

— OK. Je donne mon accord. »

Luske s'appuya sur le dossier de sa chaise et la porte s'ouvrit. Une femme grande et mince entra. Elle portait une blouse blanche et des gants en latex. Un badge argenté se balançait à son cou au bout d'un cordon. Elle demanda au garçon d'ouvrir la bouche et gratta l'intérieur de sa joue avec un bâtonnet en plastique. Il respira l'odeur du latex et se souvint du médecin à l'hôpital, le Chinois avec sa petite lampe torche, et la femme glissa avec précaution le bâtonnet dans une éprouvette en plastique qu'elle ferma avant de s'éclipser.

« Ça va prendre combien de temps ? interrogea le garçon.

— Ça va prendre combien de temps quoi ?

— Le test.

— Ça n'aura pas d'incidence sur l'enquête, Sean. Le test, c'est pour le bureau du procureur, pour leur dossier, s'ils décident de porter l'affaire devant le tribunal. »

Le garçon s'assit, les mains posées devant lui.

L'inspecteur saisit son crayon et se mit à faire tambouriner le bout de gomme sur la table. Le garçon l'observa.

« J'imagine que je ne peux pas fumer », dit-il, et Luske secoua la tête avant de répondre : « C'est un bâtiment non fumeur. » Il plongea la main dans la poche de son veston suspendu au dossier de sa chaise. Et tendit au garçon par-dessus la table le paquet qu'on lui avait confisqué. Celui-ci prit une cigarette et l'inspecteur la lui alluma avec son briquet. Il le regarda inhaler de la fumée et la souffler vers le plafond.

« Sean, fit Luske. Pourquoi es-tu allé dans ce passage ?

— Je l'ai senti comme ça, répondit le garçon, à nouveau.

— Tu as senti quoi ? Un besoin sexuel ?

— Non, je l'ai senti, c'est tout. J'ai entendu que quelqu'un partait quand j'étais aux toilettes mais quand je suis sorti fumer, j'ai vu que les traces de pneu bifurquaient dans le passage. Et j'ai pensé que quelque chose ne tournait pas rond. Je me suis dit que j'avais une petite idée de ce que c'était.

— Pourquoi n'es-tu pas retourné à l'intérieur pour appeler la police ? Ou pour parler à un des employés du restaurant ?

— C'était juste une intuition. J'étais pas sûr avant d'aller vraiment voir.

— D'accord. Donc tu es rentré dans le Paradise Lounge et tu as pris ce… C'était quoi déjà ? Le manche d'une ventouse ? Tu n'es pas allé à ta camionnette prendre ton marteau.

— Non, il m'aurait vu.

— Qui ?

— Celui qui faisait le guet à l'angle. Le grand avec Valentin écrit sur le maillot.

— D'accord. Donc tu as marché jusqu'à l'angle du bâtiment, et avec ce garçon vous avez eu une altercation et tu l'as frappé avec le manche de la ventouse.

— Après, j'ai vu ce qui se tramait dans le passage, oui. » Sean raconta à nouveau comment il avait frappé le deuxième garçon, et essayé d'empêcher la fille de glisser du plateau de la voiture, puis comment le premier gars lui avait fait une clé de bras et comment le deuxième l'avait frappé avec le manche.

« Où t'a-t-il frappé ?

— Dans le passage.

— Non, à quel endroit du corps ?

— Sur le cul. Comme ce que je lui avais fait.

— Sur tes fesses nues.

— Oui.

— Pourquoi tes fesses étaient-elles dénudées ? »

Le garçon observa la cendre de sa cigarette. Il s'apprêta à la faire tomber dans sa paume mais l'inspecteur lui dit de s'en débarrasser par terre. Il s'exécuta.

« Pourquoi avais-tu les fesses dénudées, Sean ?

— Parce qu'il avait baissé mon jean. Le petit. Pendant que le grand me tenait.

— Que s'est-il passé ensuite, après qu'il t'a frappé ?

— Rien. C'est à ce moment que Reed Lester s'est pointé.

— Il ne t'est rien arrivé de plus sexuellement ?

— Non.

— D'accord. » L'inspecteur se gratta l'aile du nez. « Pourquoi Reed Lester s'est retrouvé là ?

— Je ne sais pas. Faudra lui demander.

— Tu n'as pas une idée ?

— Je crois qu'il s'est dit que je m'étais tiré sans lui.

— Avec son sac à dos dans ta camionnette ? »

Le garçon haussa les épaules.

« Comment tu l'as rencontré, Reed Lester ?

— Au bord de la route. Il marchait et il m'a aidé à changer un pneu crevé. Donc je lui ai proposé de faire un bout de chemin avec moi.

— Tu ne l'avais jamais vu avant cette fois-là ?

— Non.

— Tu n'as jamais passé du temps avec lui à Lincoln ?

— Non.

— Tu ne savais pas qu'il était poursuivi pour agression sexuelle à Lincoln ?

— Comment j'aurais pu le savoir ?

— Il aurait pu te le dire. Deux types dans un bar, à boire des coups et à discuter… »

Le garçon fit non de la tête. « Il m'a parlé d'une bagarre dans un bar avec un écrivain, à propos d'une Cubaine.

— Une bagarre dans un bar avec un écrivain à propos d'une Cubaine ? (L'inspecteur le fixa.) Il a attaqué une femme de quarante-cinq ans, sur un parking. Une de ses professeurs. Il n'a jamais été question d'une Cubaine. »

Le garçon tira sur sa cigarette, exhala la fumée, et attendit.

« Tu ne savais pas non plus, j'imagine, qu'il avait un revolver ? demanda Luske.

— Pas jusqu'à ce qu'il le sorte dans le passage.

— Donc sans même vous concerter, dans le Paradise Lounge, vous avez décidé d'aller là-bas tous les deux, lui avec son revolver, toi avec ton manche, et de finir ce que ces gars avaient commencé, c'est ça ?

— Non. Ce n'est pas ce qui s'est passé, je vous l'ai dit. »

Le détective le dévisagea, puis lut le papier devant lui et souligna quelque chose au crayon.

« D'accord. Donc, vous tenez ces deux types en joue et la fille est allongée là, inconsciente. Pourquoi n'as-tu pas appelé la police à ce moment-là ?

— Je ne sais pas. J'ai pensé qu'ils mettraient trop de temps pour arriver. Elle saignait et je voulais l'emmener à l'hôpital.

— Reed Lester, avec son arme, n'a pas influencé ta décision ?

— Non. Ce n'est pas de lui, ni de son revolver, que je me préoccupais.

— Comment se fait-il que le revolver ait fini avec toi, dans ta camionnette, et pas avec lui ?

— Il l'a laissé là quand il s'est enfui.

— Sympa, le copain, hein ?

— On n'était pas copains. Je venais juste de le rencontrer.

— Parle-moi du marteau.

— C'est un Estwing, un gros. Il appartient à mon père.

— Pourquoi s'est-il retrouvé plein de sang ?

— Parce que j'ai dû achever un chien au bord de la route.

— Tu as dû achever un chien au bord de la route.

— Oui, inspecteur.

— Pourquoi ?

— Parce qu'il était blessé. Il n'y avait plus rien à faire. Quelqu'un lui avait roulé dessus.

— Donc tu l'as frappé à coups de marteau et tu l'as tué.

— Oui, inspecteur.

— Et Reed Lester était présent ?

— Oui, inspecteur.

— Pourquoi n'a-t-il pas utilisé son revolver ? Ou pourquoi ne te l'a-t-il pas prêté ?

— C'est ce que je lui ai demandé après.

— Qu'est-ce qu'il t'a répondu ?

— Qu'il ne voulait pas m'effrayer. C'est ce qu'il a dit. »

L'inspecteur se leva, remplit à nouveau le gobelet du garçon, et s'en servit un.

« Sean. Qu'est-ce que la culotte de cette fille faisait dans la poche de ta veste ?

— J'imagine que je l'avais rangée là.

— Pourquoi ?

— Je ne sais pas. Je ne me souviens pas l'avoir fait. J'ai dû la voir traîner dans la neige et pensé que c'était à elle.

J'ai pensé qu'elle voudrait sûrement la récupérer. Je ne sais pas.

— Je fais ce métier depuis dix ans, Sean, et je ne peux même pas te dire combien de fois j'ai trouvé la culotte, ou les sous-vêtements de la victime, sur l'agresseur lui-même ou là où il habite. C'est quelque chose qu'il ne peut s'empêcher de faire, apparemment. Il lui faut ce trophée. Ce souvenir. »

Le garçon tira une bouffée, exhala, et attendit.

L'inspecteur l'observa.

« Bon, tu as un pneu crevé. Tu prends en stop un jeune homme recherché par la police. Tu dois tuer un chien à coups de marteau. Et tu te fais arrêter avec une fille violée dans ta voiture et un revolver qui n'est pas enregistré à ton nom. C'est ce que j'appellerais une sale journée, Sean. »

Le garçon acquiesça. « J'ai vu pire.

— Je sais. Je suis au courant pour ta sœur. Je sais comment tu t'es amoché le genou.

— Ah ouais, vous êtes au courant pour ma sœur ?

— Je sais ce qui vous est arrivé dans les montagnes, oui.

— Vous en savez plus que moi alors. Vous en savez plus que l'État du Colorado tout entier et plus que le FBI. »

Ils se dévisagèrent. L'inspecteur tapota le bout de gomme à l'extrémité de son crayon sur la première page de son dossier et le bruit parut lui rappeler ce qu'il avait devant lui. Il baissa les yeux, tourna la page, puis la remit en place. En fin de compte, il dit : « OK, voilà ce qu'on sait, Sean. Voilà ce que notre enquête a pu vérifier avec certitude jusque-là. On sait que la nuit de l'agression, tu t'es fait arrêter au volant d'un véhicule qui ne t'appartient pas. On sait qu'un témoin oculaire confirme que tu étais présent sur les lieux de l'agression. On sait que la victime se trouvait dans ta camionnette au moment de ton arrestation, ce qui relève peut-être de l'enlèvement. On sait qu'il y avait un revolver dans la cabine de la camionnette, ce qui relève peut-être de l'enlèvement sous la menace d'une arme à feu. On sait que sur le plateau de la camionnette il y avait un sac à dos appartenant à un homme recherché pour agression sexuelle dans un autre comté. On sait qu'il y avait un marteau couvert de sang dans un sac à outils qui t'appartient. On sait que la victime perdait du sang et que tu avais des tâches de sang frais sur le tee-shirt. On sait que la fille ne portait pas de culotte et on a trouvé une culotte féminine dans la poche de ta veste. Et enfin, on sait qu'il n'y a personne, y compris la fille, pour confirmer ta version des faits, à savoir que tu ne l'as pas violée mais que tu essayais au contraire de l'aider. »

Luske entrelaça les mains sur le dossier. Le garçon croisa son regard et ne baissa pas les yeux.

« Sean.

— Oui.

— Tu as dix-huit ans, c'est bien ça ?

— Oui.

— Et tu connais tes droits ?

— Je crois.

— Tu sais que le bureau du procureur va te désigner un avocat commis d'office si tu n'en demandes pas un toi-même ?

— Oui.

— Pourquoi tu n'en as pas demandé un ?

— Parce que je n'ai rien fait de mal. »

Le visage de l'inspecteur s'assombrit. « C'est le procureur qui en décidera, pas toi. Tu comprends ? Le procureur va se contrefoutre de ton sort. Quand ils décideront de te poursuivre en justice, toute l'innocence du monde ne te sera d'aucune aide. Tu ne seras plus qu'un tas de viande pour le système judiciaire et le système judiciaire, Sean, va te confisquer ton existence. »

Le garçon fuma et le détective le regarda.

« Et ta famille ? fit Luske.

— Quoi ma famille ?

— Tu ne veux pas leur parler ?

— Non.

— Pourquoi ?

— C'est important ?

— Pas pour moi », répliqua l'inspecteur.

Sean fut ramené en cellule. Il s'assit sur la banquette dure et fixa le vide tandis qu'un homme dans la cellule voisine, qui n'était pas là auparavant, ronflait et marmonnait dans son sommeil. Sean s'allongea sur la banquette, regarda le plafond en béton gris lézardé. Ce faisant, il distingua à la périphérie de son champ de vision d'autres hommes arpentant sans répit sa cellule, il sentit leur odeur, les entendit ; et pourtant, lorsqu'il tourna la tête, il n'y avait rien que du béton, des barreaux, et le ronronnement de la lumière jaune projetant d'autres barreaux sur le sol.

## 36

*Les flocons tourbillonnent autour d'elle, épais et blancs comme dans une boule à neige, poussière blanche, aveuglante, promettant un atterrissage en douceur qui pour elle n'est synonyme que de chute terrifiante et de lutte suffocante pour en sortir, se relever, le singe dans son sillage, la poursuivant d'un pas assuré.*

*Les empreintes en forme d'ange et les bonhommes de neige de l'enfance étaient du temps perdu. Les journées sur le lac avec Dudley, des occasions inutiles – à marcher tous les deux sur la surface gelée avec de très vieilles raquettes, des trucs en bois mal conçus, avec un cadre en osier et des lanières en cuir fatiguées.*

*Mais celles-ci ! On dirait des chaussures de course ; elles bougent en même temps qu'elle, l'arrière claquant au rythme de ses talons. Elles ne bringuebalent pas, ne se décalent pas ; elles sont assez étroites pour que l'écart entre les jambes ne soit pas inconfortable, mais suffisant pour que son mouvement reste fluide sur la neige, comme le singe l'avait promis.*

*Elle l'a regardé, l'a écouté respirer, et elle sait qu'avec une bonne avance elle peut le distancer. Durer plus longtemps que lui. Sans courir à proprement parler, mais en avançant à grands pas prudents, suffisamment vite pour garder son avance et même en gagner. Mais cette neige, c'est aussi la sienne, et il ne veut pas non plus faire d'erreur, il ne veut pas prendre le risque de tomber, d'avoir à dépenser de l'énergie et du temps pour se relever. Il compte sur sa panique à elle, son inexpérience, et sur la faiblesse de son corps, resté tout ce temps à ne rien faire dans la cabane, pour provoquer sa chute. C'est sur cela qu'il comptait en décidant d'acheter des raquettes et de la faire sortir. En l'autorisant à aller derrière l'épicéa sans lui.*

*Maintenant, il va voir s'il avait raison.*

*Son souffle se condense devant elle et en traversant les nuages de vapeur elle entend : Ne tombe pas, ne tombe pas, et chaque pas accompli est réjoui, félicité, et la jambe qui vient d'atterrir défie celle qui s'élance de faire encore mieux, de hausser encore le niveau, et elle ne se retourne pas, elle écoute seulement, comme elle écoute sur la piste, et durant un bon moment il n'y a rien d'autre que : Ne tombe pas, ne tombe pas, dans le bruit de sa respiration et le rythme plus tranquille des raquettes s'enfonçant dans la poudreuse, et elle sait que même s'il la voit de loin, même s'il arrive à l'apercevoir dans la boule à neige, la distance est trop grande, il y a trop d'arbres entre eux.*

*Pour quoi ?*

*Pour la viser avec son revolver.*

*La transpiration perle sur sa poitrine, dans son dos, et mouille sa chemise sous son blouson. Lorsque la température tombera, lorsqu'elle s'arrêtera pour se reposer comme elle sait qu'elle devra le faire, elle aura froid. Elle a des allumettes dans la poche, avec la lampe frontale – mais non, ce qu'il faut c'est de l'obscurité, de la distance, de l'endurance, et ne pas tomber, ne pas tomber…*

*Elle tente d'ouvrir la fermeture Éclair de son blouson, d'attraper la tirette malgré les gants. Jette un coup d'œil pour la localiser. C'est là, dans cet instant de distraction, que les raquettes s'entrechoquent avec un claquement sec. Son pied droit reste en retrait et elle plonge dans la pente tête la première. Mais même si elle tend les mains vers la neige pour amortir sa chute, ses jambes réagissent pour limiter les dégâts, elles prennent appui sur les couteaux de sorte qu'elle fait littéralement un bond, et ramène les raquettes en avant comme si elle sautait à saute-mouton, séparant à temps les cadres avant d'atterrir avec un bruit sourd. Toutefois, ce faisant, elle se penche trop en arrière et culbute encore, à la renverse cette fois, tout le poids du corps sur la partie postérieure des raquettes, les bras faisant des moulinets, elle glisse momentanément dans la pente comme sur des skis avant que les raquettes ne sombrent, et elle ralentit, son corps bascule en avant et elle fait tant bien que mal un pas, la douleur irradiant ses cuisses, pour se stabiliser à nouveau sur ses pieds ; et tu n'es pas tombée, tu n'es pas tombée.*

*Elle reste debout dans la neige, inspire le froid à pleins poumons, le cœur battant la chamade. Par réflexe, elle lève le bras, mais sa montre n'est plus à son poignet. Elle gît au fond d'une crevasse quelque part, avec son portable.*

*Elle ouvre son blouson et enlève son bonnet. Derrière elle, sur la pente, rien que des arbres, de la neige qui tombe, ses traces. Des traces énormes et parallèles, continues, immanquables. Les renards, et peut-être d'autres animaux quand ils sont traqués, savent revenir sur leurs propres pas. Mais elle ne comprend pas comment l'instinct de faire marche arrière peut prévaloir sur celui d'avancer, d'avancer toujours, pour maintenir autant de distance que possible entre soi et la chose qui veut vous rattraper.*

*Eau. Tu as besoin de boire, Courtland. Elle avale une brève gorgée et range la bouteille. Jette encore un coup d'œil dans la pente et soulève son pied gauche malgré la résistance sourde de ses muscles, malgré la force de la pesanteur, puis le droit, et elle avance à nouveau, elle continue de descendre.*

# 37

Il se réveilla. Non loin de lui, quelqu'un toussait bruyamment. Il s'assit sur son séant dans la lumière bourdonnante. Il posa ses doigts sur sa poitrine pour se gratter et fut surpris de sentir des boutons sur son tee-shirt. Il baissa le regard et s'aperçut qu'il portait sa veste en jean.

Il se leva, se traîna jusqu'au lavabo, se pencha en avant pour s'asperger le visage d'eau froide, s'en passa dans les cheveux, et en but une gorgée, puis une autre, dans le creux de la main, même si le liquide avait le goût de vieilles pièces de monnaie. Lorsqu'il se redressa, l'homme dans la cellule voisine l'observait. Allongé sur sa couchette, tête appuyée contre le mur en béton, bras et pieds croisés. Il portait des chaussettes blanches. C'était un homme mince à la peau sombre, avec des cheveux argentés, courts et secs. Il fixa le garçon et marmonna d'une voix rauque : « Je peux faire quelque chose pour toi ?

— Quoi ?

— Quoi ? » répéta l'homme.

Le garçon soutint son regard. Il avait les yeux vitreux et injectés de sang.

« Je t'ai demandé, reprit l'homme, si je pouvais faire quelque chose pour toi.

— Je ne crois pas.

— Alors pourquoi tu me reluques comme ça ?

— Je ne vous reluque pas.

— Tu parles, enfoiré. »

Le garçon s'avança vers les barreaux de la porte de sa cellule, comme si celle-ci allait s'ouvrir et le libérer. On voit ça au cinéma ou à la télévision, mais rien ne vous donne véritablement l'idée de ce que signifie être enfermé, être détenu contre sa volonté, contre toute logique, et contre la vérité, ne serait-ce qu'une heure de votre existence.

L'homme d'à côté se leva, s'approcha des barreaux de séparation, et resta là, debout, les poignets appuyés sur la barre transversale, les mains pendant dans la cellule du garçon, à l'observer.

« Hé », lança-t-il.

Le garçon se tourna et l'homme fit une espèce de sourire, découvrant de larges dents blanches. « Je te charriais, c'est tout.

— Ah, fit Sean.

— Je prenais la température, vieux. »

Le garçon hocha la tête et détourna le regard.

« Hé », répéta l'homme.

Le garçon se tourna derechef.

« Je m'appelle Jonas. » Il tendit la main pour le saluer. Resta dans cette position.

Le garçon s'avança et prit sa paume dans la sienne. Froide, maigre, et rêche comme celle d'une vieille femme. Il dit son nom et rebroussa chemin.

« Pourquoi ils t'ont enfermé, Sean ?

— Pour rien.

— Pour rien ? » L'homme l'examina, avant de poursuivre : « De quoi ils te croient responsable, Sean ? » Le garçon répondit sans même se retourner : « Ils croient que j'ai violé une fille. »

L'homme émit un sifflement grave et sinistre. « Blanche ? »

Le garçon leva les yeux.

« De la chatte blanche ou noire ? » L'homme éclata de rire et dit : « Qu'est-ce que je raconte ? La chatte n'a qu'une seule couleur, pas vrai, Sean ? » Il rit de plus belle jusqu'à ce que quelque chose lui racle la gorge. Il se détourna et cracha en direction du tabouret dans sa cellule.

« Hé, Sean. Sean, fit-il. Je vois bien que t'es pas un violeur, bordel. Je te chambre, c'est tout. »

Le garçon scruta le couloir.

« T'as parlé à ton avocat, vieux ? Ou ton avocate ? La moitié du temps, c'est une dame maintenant.

— Non.

— Comment ça ? T'as pas parlé à un avocat ?
— Non.
— Pourquoi ?
— J'ai rien à dire.
— Comment ça ?
— J'ai rien à dire, c'est tout.
— Parce que tu n'as rien fait. »
Le garçon garda le silence.
L'homme observa le profil de son interlocuteur et ajouta : « T'as quel âge, Sean ?
— Dix-huit ans.
— C'est pas vrai. »
Le garçon ne répondit rien. Les lampes bourdonnaient.
« Dix-huit ans. Putain, j'ai une fille plus vieille que toi. » Sa tête s'affaissa. Puis, il la redressa et dit : « Fiston, est-ce que tu sais au moins dans quel merdier tu es ?
— J'ai une petite idée.
— Tu dois être loin du compte, parce que sinon tu serais pas là à jacter avec moi, tu serais en train de parler à ton putain d'avocat. »
L'homme fit volte-face comme s'il en avait fini avec le garçon. Il s'avança vers sa couchette et resta là, les yeux baissés, à la regarder. Puis, il revint vers les barreaux, glissant à nouveau les mains dans la cellule de Sean.
« Et tes parents, ils sont où ? demanda-t-il. Ils savent que tu es ici ? Ils savent dans quel merdier tu t'es mis ?
— Non.
— Tu les as pas appelés ?
— Non.
— Mais pourquoi ?
— C'est pas leur problème.
— C'est pas leur problème ?
— Non, monsieur.
— Tu es leur fils, non ?
— Quoi ?

— Est-ce que tu es leur fils ?

— Oui.

— Leur fils biologique ? C'est eux qui t'ont fait il y a un peu plus de dix-huit ans ? C'est eux qui t'ont fait et personne d'autre ?

— Oui.

— Alors, abruti, tu es précisément leur problème. Et tu le seras toujours, et je vais te dire autre chose, Sean. Le juge et les jurés décideront peut-être de te remettre en liberté mais pour quoi ? Pour quoi ? Tu vois ce que je veux dire ? »

Le garçon fixa les yeux injectés de sang de l'homme.

« Bon sang, mais regarde-toi. Tu es jeune, et tu es déjà sur un chemin qui ne va que dans un sens. » Il brassa l'air avec ses mains et inspira, narines dilatées, comme pour humer l'arôme d'un plat exquis.

« Mmmm, fit-il. Je peux le sentir. Je peux le sentir sur toi comme la merde au cul d'un chien. »

Luske attendait au même endroit, assis sur sa chaise, les mains sur le dossier. Il portait à présent sa veste, s'était rasé, et la pièce sentait la mousse à raser et le café. Lorsque le garçon fut installé, Luske poussa l'une des deux grandes tasses à café noir sur la table. L'arôme était riche, délicieux. Un parfum de normalité, de monde libre. Luske fouilla dans la poche de sa veste, tendit le bras vers Sean, et déposa devant le garçon un tas de sachets et de petits pots de crème.

« Je ne savais pas comment tu l'aimais, donc j'ai pris un peu de tout.

— D'habitude je le bois avec une cigarette.

— Je t'ai dit que c'était non fumeur ici », répondit l'inspecteur, avant de faire glisser vers le garçon son paquet de cigarettes et son briquet.

Sean le remercia et s'en alluma une.

Luske l'observa.

« Sais-tu quel jour on est, Sean ? »

Celui-ci réfléchit et dit : « Dimanche ?

— Non. C'est ton jour de chance.

— Ah bon ?

— Carrément. On a interrogé le propriétaire de la Ford, le garçon qui s'appelle Valentin, et il a craqué, il s'est brisé en mille morceaux comme une poupée de porcelaine. Je n'ai jamais vu un type pleurer autant. Il a pleuré quand tu l'as frappé avec le manche en bois ?

— Non, inspecteur. Il n'a pas dit un mot.

— Eh bien, maintenant, il a plein de choses à raconter.

— J'imagine qu'il n'est pas allé jusqu'à dire que je n'avais pas participé à ce qu'ils ont fait à cette fille.

— Non. Il a frotté sa grande oreille rouge et il a affirmé que tu avais voulu prendre une part du gâteau, gratis. » L'inspecteur leva son café, but une gorgée, le reposa.

— Il ment, rétorqua Sean.

— Peut-être, mais qui peut nous le dire ?

— Moi. »

Luske sembla attendre que le garçon poursuive. Devant son silence, il fit : « Mais il nous a donné des noms. Et ce matin, j'ai présenté à la fille une série de photos et elle les a reconnus, les quatre. Et elle va témoigner. »

Le garçon tira sur sa cigarette et exhala la fumée.

« Ma photo était dans le lot, non ? »

Luske acquiesça. « Elle ne s'est même pas arrêtée dessus.

— Ça ne compte pas tellement puisqu'elle s'est évanouie, n'est-ce pas ?

— Non. Mais il y a d'autres choses qui comptent.

— Comme quoi ?

— Le témoignage de la serveuse. Le fait que tu te sois fait arrêter sur la route de l'hôpital. Et le chien aussi, qu'on a retrouvé là où tu as dit l'avoir laissé. Même s'il n'y avait pas de bâche bleue.

— Le vent l'a peut-être emportée.

— Ou quelqu'un l'a prise. »

Le garçon fit tomber sa cendre par terre tout en observant son geste. « Et le revolver ?

— Il a été vendu par un dealer aux abords de Lincoln. Reed Lester en a fait l'acquisition cinq jours avant que tu le prennes en stop.

— Et lui ?

— Lester ? Toujours en cavale. »

Le garçon examina le bout de sa cigarette. Comme s'il déchiffrait un message dans le mince filet de fumée.

« Et maintenant, qu'est-ce qui se passe ?

— Je suis obligé de te relâcher, Sean. Ton père t'attend à l'accueil. »

Quelque chose de lourd, telle une hache, s'enfonça dans le cœur du garçon. Il dévisagea l'inspecteur.

« On l'a appelé à propos de sa voiture, Sean.

— Il est au courant de quoi ?

— Je l'ignore. Je sais seulement qu'il est ici. »

Le garçon resta silencieux. Il fixa sa tasse de café.

« Je suis obligé de te relâcher, Sean, mais ce n'est pas de gaîté de cœur.

— Ah bon ?

— Non.

— Pourquoi ?

— Parce qu'il y a quelque chose chez toi que je ne sens pas, malgré ce que tu as fait pour cette fille. À cause de ça peut-être, justement. À cause de la façon dont tu t'y es pris. Le fait que tu n'aies pas appelé la police, que tu n'aies pas cherché de l'aide auprès de quiconque, mais que tu sois retourné là-bas et que tu aies frappé ces deux types avec le manche en bois d'une ventouse. Le fait que tu te sois retrouvé avec Reed Lester dans ta camionnette, pour une raison ou une autre. Il y a un truc dans les yeux de ceux qui sont capables de certaines choses, et je le vois dans les tiens. »

Le garçon ne détourna pas le regard.

« Je n'aurais jamais fait ce qu'ils ont fait, protesta-t-il.

— Je n'ai pas dit que tu l'aurais fait. Mais plein d'autres choses qu'un homme peut faire qui finissent tout aussi mal. Ce n'est peut-être pas un truc qu'il cherche, il n'a peut-être pas conscience de le vouloir, mais il ne fera pas non plus ce qu'il faut pour l'éviter et ça lui tombera dessus. Ça lui tombera dessus, Sean, tôt ou tard. »

## 38

*Un certain nombre d'heures plus tard, un certain nombre de mètres plus loin, elle se rend compte que son allure a changé, elle ne fait plus le même genre d'effort pour avancer, elle ne fait pas les mêmes bruits.*

*Elle s'immobilise et observe la vallée dans laquelle elle vient de pénétrer. Un petit amphithéâtre de montagnes. L'angle des arbres confirme ce que son corps lui indiquait : elle ne descend plus mais traverse une étendue neigeuse uniformément plate. Sans cette sensation de descendre, la peur lui enserre le cœur. Tout ce qu'elle sait, tout ce sur quoi elle compte, c'est descendre. Sans cette certitude, sans rien dans le ciel pour se repérer, sans horizon vers lequel se diriger, il n'est pas impossible qu'elle marche encore et encore pour finir par se retrouver tout à coup dans la nuit froide sur ses propres traces.*

*De toutes parts, les pentes s'élèvent vers le gris. Ce qui se trouve devant, de l'autre côté de la vallée, est dissimulé derrière le rideau de neige et le crépuscule, et il n'y a aucun moyen de savoir ce qui s'y trouve sinon d'aller là-bas. Ça avait l'air très loin et j'avais envie de m'arrêter, murmure la fille dans sa tête, celle qui prend la parole devant l'assemblée attentive, j'avais envie de faire un trou dans la neige comme un animal et de m'enterrer, de l'écouter passer au-dessus de moi dans la nuit. De dormir. D'attendre le printemps. Mais je ne l'ai pas fait. Je savais que si je m'arrêtais, je mourrais. J'ai demandé à mes jambes de continuer à avancer et elles m'ont obéi, je ne sais pas comment.*

*Elle continue jusqu'au milieu de la vallée dans la lumière tombante et là, le paysage se redessine, la vallée se fait plus étroite, les ailes de la montagne se rapprochent de façon régulière l'une de l'autre, jusqu'à se rejoindre sûrement, mais de là où elle se trouve, elle ne voit rien. Elle remarque la poudreuse qui se soulève et file entre ses pieds, puis elle se rend compte que le vent souffle dans son dos. Il se renforce et devient plus cinglant au fur et à mesure qu'elle s'avance vers ce qu'elle croit être le point de convergence des deux pans de montagne – l'inévitable point de rencontre qui va anéantir tout chemin praticable et fera place à une paroi rocheuse abrupte, une impasse. Ce sera presque un soulagement.*

*Le vent joue une mélodie froide dans les branches des arbres, dans les aiguilles : le son de la solitude absolue. Elle avance et les montagnes se rapprochent, et elle se trouve à nouveau sous les arbres, leurs bras chargés se frottant contre elle au passage, la neige tournoyant au-dessus du sol et souillant les verres de ses lunettes, éruption de cristaux déformants. Elle enlève les lunettes, les range, poursuit son chemin dans le monde dissimulé sous les branches, le vent la poussant d'un côté et de l'autre, puis, pour finir, en avant, juste en avant, comme le courant d'une rivière. Il la pousse en avant à travers deux branches basses qui se croisent telles des épées, et les mains levées pour se protéger le visage elle a failli ne pas voir, a failli tomber, dans le vide soudain à ses pieds.*

*Vers le bas.*

*Elle contemple la pente abrupte, dénuée d'arbres, qui correspond au lit d'un torrent, elle en est certaine, un lit à sec comme celui qu'ils avaient suivi ce jour-là, en juillet. Mais pas le même ; elle sait qu'elle en est très loin. Mais grâce à celui-ci, elle va s'en rapprocher. Ou du moins se rapprocher d'une artère le rejoignant, rejoignant la vie, rejoignant sa famille. Le vent hurle derrière elle, la neige hystérique fuse, et dans la bourrasque elle entend le vrombissement d'un moteur. Un gros moteur qui peine comme celui d'un camion en première, hissant son chargement en haut de la montagne. Un homme est assis au chaud dans la cabine, de la musique country résonne dans les haut-parleurs, ses phares solitaires transpercent le mauvais temps. L'image est si prégnante dans son esprit qu'elle ne peut imaginer au fond de ce lit à sec rien d'autre qu'une bande de bitume couverte de neige.*

*La pente est plus raide qu'elle ne l'aurait cru et son instinct lui commande de se pencher en arrière, mais lorsqu'elle le fait, la partie postérieure de ses raquettes glisse comme des skis. Elle bascule le poids du corps sur les couteaux à l'avant mais sent qu'elle va plonger tête la première. Pour finir, elle se tourne perpendiculairement à la pente et poursuit à petits pas chassés, prudents, tel un enfant venant d'apprendre à marcher qui descend les escaliers.*

*Cela lui prend cinq minutes, cela lui prend cinq heures. Tout ce qu'elle sait lorsqu'elle atteint enfin le lit à sec du torrent, c'est qu'elle y est et qu'il n'y a pas de route. Ici, le torrent, lorsqu'il coule, se répand dans la montagne où il forme un lac ou s'éparpille en une ribambelle de ruisseaux, tous trop petits pour creuser un chemin visible à travers les arbres. Pas de route. Pas de camion. Et pas de vent ici. Pas de son sinon celui de sa respiration sifflante, dans lequel elle perçoit une note de désespoir et elle dit : Arrête, putain.*

*C'est alors que quelque chose lui répond – un cri perçant dans les bois. Très haut, dans la côte. L'appel lointain d'un grand oiseau, annonçant sa puissance à la montagne, et ce son la déchire et saisit son cœur entre ses serres.*

*Elle se tourne pour regarder en amont du lit. Il n'y a rien que la rigole inclinée et les protubérances coniques correspondant aux rives du torrent. Puis, surgissant des hauteurs, apparaît une tache noire dévalant dans la neige. Aussi noire que la nuit, qui glisse. Une immense chauve-souris des bois. Un ange noir sur des skis.*

*Elle fait deux grands pas de côté et au troisième son pied reste collé au sol et elle tombe lourdement, le visage dans la neige. Elle se débat mais son pied ne bouge pas, il est pris dans quelque chose, accroché à un hameçon tel un poisson. Elle s'efforce de lever son autre pied et de le ramener vers elle mais elle ne parvient pas à le dégager à cause du poids de la neige, du poids de son propre corps. Pire : elle envoie des signaux à sa jambe et rien ne se passe, ses muscles ne réagissent pas. Elle se démène dans la neige pour tenter de se retourner. Même si elle ne peut pas le voir, elle sait qu'il y a un arbre tout près – elle a senti les aiguilles lui érafler le visage en tombant, et l'odeur de résine lui est restée dans les narines. Si elle parvient à saisir une branche assez basse elle pourra tirer pour se redresser. Elle repousse la neige, se contorsionne, et réussit à se tourner pour le voir, au bord du talus escarpé, finir de descendre. Bras et jambes écartés dans la position d'un rapace sur le point de s'emparer de sa proie, dévalant sur l'arrière de ses raquettes. Lorsqu'il atteint le terrain plat au fond, ses couteaux se plantent soudain et il bascule en avant dans les airs pour atterrir sur ses deux pieds dans une explosion de poudreuse, à cinquante centimètres d'elle. Dans l'obscurité au-dessus de sa tête, ses dents reluisent.*

*Il s'accroupit et pose une main sur son pied. Elle tremble de toute sa chair. Elle scrute la cime des arbres, la neige qui tombe, avec une attention bizarre. Les flocons qui dégringolent lentement, distinctement – la clarté et l'éclat de chacun. Ils tombent au hasard, sans y prêter attention, et tomberont coûte que coûte. Son esprit le sait, et n'arrive pas à y croire, et cela la rend malade.*

*Tu es coincée dans quelque chose sous la neige, dit-il, le souffle court. Je t'avais prévenue pourtant, non ? Il libère son pied et le repousse avec une certaine rudesse. Il la regarde. Cette chose curieuse dans la neige.*

*Tu sais quoi ? Je n'arrive pas à croire que tu n'aies jamais fait de raquettes avant. Personne ne peut marcher aussi bien la première fois. Putain. J'ai failli laisser tomber. J'ai dégueulé mes œufs et mon bacon il y a trois heures.*

*Noël, se rappela-t-elle. Dans deux mois, elle aura vingt ans.*

*Il se débarrasse de son sac et sort sa bouteille d'eau. Regarde ça… c'est carrément congelé. Il faut pas longtemps. Il ramasse une poignée de neige et l'enfourne dans sa bouche. Mastique. Et avale. Ses yeux balaient l'obscurité des bois.*

*T'as réussi ton coup, hein ? On est au milieu de nulle part maintenant. On n'a pas de tente. On est trop loin, il fait trop noir, et ça gèle trop pour rentrer ce soir. Il n'y a plus qu'à s'enterrer dans la neige et à essayer de se tenir chaud pour éviter de mourir de froid.*

*Il la fixe et son regard à elle se perd au-delà de lui. Les figures noires et blanches des arbres. Les flocons fantomatiques et inconséquents. Tu sais comment on fait ? demande-t-il, et elle fait non de la tête.*

*Moi oui. Donne-moi la main, je vais t'aider à te relever. Je veux voir tout ce que tu as dans les poches.*

*Non, rétorque-t-elle.*

*Comment ça non ?*

*Non.*

*Tu ne me dis pas non, ma grande. Il l'attrape par le blouson, l'assied, de guingois, et la maintient dans cette position. Au bout d'un instant, il la lâche, et elle retombe sur le côté. Il se lève, puis se penche, saisit à deux mains son blouson, soulève son corps amorphe, la tourne sur le dos, et elle replonge dans la neige. Il se redresse au-dessus d'elle, deux nuages furieux jaillissant de ses poumons.*

*Ça serait sympa de coopérer un peu, déclare-t-il, puis d'une petite voix dans la nuit il ajoute : S'il te plaît. Je veux juste rentrer.*

*Qu'est-ce que vous venez de dire ?*

*S'il te plaît, répète-t-il.*

*Il lève les yeux vers les cieux noirs, inspire profondément, et gémit. Il n'y a pas d'autre mot. Le son déchire la nuit et les cœurs des petites créatures qui l'entendent, quelles qu'elles soient, s'arrêtent.*

*Il l'enjambe et tombe à genoux, atterrissant de tout son poids sur ses hanches, et elle s'enfonce un peu plus profondément dans la neige. Il mord le bout d'un de ses gants et tire dessus, puis se débarrasse de l'autre avant d'ouvrir la fermeture Éclair du blouson de la jeune fille, exposant sa poitrine au froid.*

*Ma grande, dit-il, tu n'as pas compris que tu es chez toi ici ?*

*Ses mains fouillent son blouson. Il trouve la bouteille d'eau et la glisse dans sa propre poche. Puis, il soulève la chemise en flanelle et repousse le soutien-gorge de sport défraîchi, dénudant ses seins. De la vapeur s'élève de sa peau blafarde, et s'éloigne, telle une part bannie d'elle-même. Il parle mais elle ne l'écoute pas, elle est profondément enfoncée dans la neige, et dans la neige il y a l'assemblée de filles, il y a Allison Chow à sa gauche et Colby Wilson à sa droite, et elles sont assises sur les gradins en bois à écouter la fille qui est venue leur parler, leur raconter cette histoire, et elles écoutent, les yeux écarquillés et le cœur battant. Mais même si elles savent que ce que cette fille est en train de dire peut leur arriver à elles aussi, ce n'est pas le cas, pas encore. C'est elle qui a vécu ce cauchemar, cette fille qui se tient devant elles. Elle. Et c'est pour cette raison qu'elles l'aiment, aussi intensément qu'elles s'aiment les unes les autres.*

# TROISIÈME PARTIE

# 39

Lorsque Sean apparut soudain dans le fond du commissariat, surgissant sans escorte d'une porte métallique, les cheveux gras et hirsutes et une barbe blonde naissante – à cette distance son regard bleu semblait vieilli d'un coup –, Grant sentit son cœur bondir dans sa poitrine et il se passa la main sur la joue dans l'espoir de dissimuler toute réaction sur son visage. Il enfonça ensuite les mains dans ses poches, pour s'empêcher de tendre les bras vers son fils pour l'enlacer.

Sean s'approcha et ils restèrent là, debout, à se regarder.

« Tu n'avais pas besoin de venir.

— Tu crois que j'aurais pu ne pas venir ? »

Sean s'assit sur le banc spartiate et fouilla dans le sac en plastique qu'il portait à la main. Au bout d'un moment, Grant s'installa à ses côtés et l'observa enfiler ses lacets dans ses bottes, et sa ceinture dans les passants de son jean.

On les emmena à la fourrière à l'arrière d'une voiture de patrouille. Sean reconnut la route qu'ils avaient empruntée la nuit précédente pour se rendre au commissariat. Ils passèrent devant le Paradise Lounge, toujours laid, massif et sans intérêt dans le froid matin gris. La neige n'avait cessé de tomber que depuis quelques heures, mais déjà une couche de poussière sale semblait tout recouvrir. Le policier les déposa à un bon kilomètre de là, leur souhaita une bonne journée et repartit, sa radio grésillant.

Ils récupérèrent la clé et traversèrent le parking en direction de la Chevy bleue. Contrairement au garçon, Grant ne l'avait plus vue depuis au moins un an.

« J'ai fait une vidange tous les cinq mille kilomètres, dit Sean. Et j'ai permuté les pneus. »

Grant ôta un autocollant orange vif du pare-brise, puis s'approcha du plateau arrière et passa la main sur le pneu crevé. Il sentit sous son pouce le clou argenté et resta un moment à le toucher, comme s'il pressentait que, sans lui, rien de tout cela ne se serait produit.

Dans son dos, le garçon fixait le pneu mais ne songeait qu'à dormir, dormir.

Ils roulèrent jusqu'à un motel non loin de la voie rapide et Grant leur prit une chambre avec deux grands lits. Il suggéra à Sean de prendre une douche, mais le garçon s'assit sur le lit le plus proche, enleva ses bottes, s'effondra sur l'oreiller et s'endormit aussitôt. Grant tira les rideaux, prit la couette de l'autre lit, l'étala sur son fils. Puis, il s'assit sur le matelas dénudé, examinant la forme bombée allongée devant lui dans la faible lumière. Sean avait dix-huit ans à présent. L'âge de sa sœur à l'époque.

Quelques instants plus tard, Grant écrivit un mot qu'il plaça près du garçon avant de le reprendre, puis sortit sur l'étroit balcon en béton. Il semblait très loin des montagnes, de la ferme, des gens qu'il connaissait là-bas : Emmet et ses fils, Maria et sa fille. Encore plus du Wisconsin, d'Angela, et de la maison où ils avaient élevé leurs enfants ; sa vie d'autrefois.

Il inspira l'air froid, avec ses relents de gazole, et alluma une cigarette. Il se tourna vers l'ouest, face au vent, jusqu'à ce que sa vue se brouille, puis regarda vers l'est, en direction de l'horizon industriel de la ville qui se dessinait sous le ciel bas et plombé. Les semi-remorques filaient sur l'autoroute, succession ininterrompue de moteurs vrombissant.

Lorsqu'il regagna la chambre, le soleil était bas à l'ouest et la pièce presque entièrement plongée dans la pénombre. La couette avait été repoussée, et en voyant le lit vide il eut un instant d'affolement incrédule, avant de se rendre compte que la porte de la salle de bains était fermée, avant d'apercevoir le rai de lumière sous le battant et d'entendre la ventilation fatiguée ronronner de l'autre côté.

Il posa le sac de courses, ouvrit les rideaux, observa l'autoroute dans le crépuscule gris jusqu'à ce que son fils sorte de la salle de bains après avoir éteint l'aération. Il portait un tee-shirt bleu et le même jean défraîchi. Une odeur de savon et de mousse à raser se répandit dans la pièce.

« J'ai cru que tu ne te réveillerais pas avant demain », fit Grant.

Le garçon le regarda mais ne distingua que son ombre noire dans le contre-jour de la fenêtre. Il ramassa son sac et le posa sur le lit. « Je n'aime pas les chambres de motel », dit-il, rangeant ses affaires dans son sac.

« J'ai remarqué en voyant l'intérieur de la camionnette. Tu as dormi là-dedans depuis tout ce temps ?

— Non. J'ai dormi dehors parfois. Et je me suis fait aussi héberger par des gens, de temps à autre.

— J'aurais pu t'envoyer de l'argent si tu me l'avais demandé. Ou une carte de crédit. »

Le garçon tira sur la fermeture Éclair de son sac, puis se redressa et passa ses doigts dans ses cheveux encore mouillés.

« J'ai acheté du jus d'orange, poursuivit Grant. Du Coca. Et deux sandwichs. »

Le garçon enfila sa veste. « On peut y aller ? »

La Chevy était encore chaude et Grant glissa la clé dans le contact mais sans démarrer le moteur. Ils allumèrent chacun une cigarette et restèrent un moment tous deux sans rien dire, les vitres ouvertes. Puis le garçon suggéra, sans même jeter un coup d'œil à son père : « Tu veux que je conduise ?

— Non. Je vais le faire. »

Le garçon se débarrassa de sa cendre. « Tu es parti un bon moment. »

Grant se tourna vers son fils mais celui-ci ne le regarda pas.

« J'ai cherché un endroit pour changer la roue de secours, déclara-t-il. Mais c'est dimanche. Tout est fermé. » Il empoigna la clé avant de la relâcher à nouveau.

« Sean.

— Quoi ?

— Parle-moi. Il faut qu'on parle.

— De quoi ?

— Sean. »

Le garçon inhala une bouffée, puis souffla résolument par la fenêtre. « Qu'est-ce que je suis censé dire ?

— Je ne sais pas.

— Je ne sais pas non plus. »

Ils se tournèrent tous deux vers l'ouest, où le soleil couchant surgit soudain entre les nuages et l'horizon, tel l'œil rond et flamboyant d'un oiseau de proie.

« J'ai cherché à l'aider, c'est tout.

— Je sais, Sean.

— Comment ?

— Comment quoi ?

— Comment tu le sais ?

— Parce que je le sais. Parce que tu es mon fils.

— Ce n'est pas la même chose.

— Pour moi si. »

Le garçon ne bougea pas d'un pouce. Grant écrasa sa cigarette dans le cendrier. Au bout d'un moment, Sean l'imita.

« Et maintenant quoi ? lança-t-il.

— Comment ça ? fit son père.

— Tu retournes à l'aéroport ou pas ?

— Je ne sais pas. Où tu vas, toi ? »

Sean demeura silencieux.

« Où est-ce que tu allais ? reprit Grant. Tu rentrais à la maison ?

— Quelle maison ?

— Dans le Wisconsin. »

Le garçon ne répondit pas.

Grant poursuivit : « Elle est sortie de l'hôpital. Tu le savais ? Elle est retournée chez Grace.

— Je sais. Je lui ai parlé.

— Quand ?

— Juste après qu'elle est sortie.

— Ce n'était pas une prison, Sean. Elle y était volontairement.

— Je sais.

— Elle va beaucoup mieux. Elle parle de reprendre l'enseignement. »

Le garçon opina du chef. « Tant mieux. »

Grant passa la main sur le tableau de bord, puis se frotta le bout des doigts avec le pouce pour en ôter la poussière rouge. « Est-ce que tu as envie d'y aller maintenant ? Je pourrais te prendre un billet d'avion. Ou... » Il s'interrompit.

« Ou quoi ?

— Ou on pourrait y aller ensemble en voiture. Si tu veux. »

Le garçon lui jeta un coup d'œil, puis se tourna à nouveau vers le soleil. Disque d'un orange terne posé au bord du monde comme s'il ne pouvait aller plus loin. Il semblait impossible que toute la moitié ouest du pays s'étende devant et non au-delà. Les montagnes, les déserts. La surface plate de l'océan. Chacun attendant son propre coucher de soleil.

Sans quitter le spectacle des yeux, il dit : « On ne peut pas faire ça.

— On ne peut pas faire quoi ?

— On ne peut pas la laisser là-bas. »

Grant ne répondit rien. Dans sa poitrine battaient deux cœurs, deux poings serrés résonnant à l'unisson. L'un pour sa fille, l'autre pour son fils qui se trouvait à côté de lui. D'autant plus fort qu'ils étaient présentement confrontés l'un à l'autre.

Il enclencha la marche avant et sortit du parking. Il s'engagea sur la bretelle d'accès, accéléra et se fondit dans la circulation en direction de l'ouest, entre voitures, camionnettes et camions qui filaient vers le couchant comme s'ils voulaient s'emparer de l'horizon, comme s'ils allaient l'avaler et le laisser derrière eux, forçant ainsi le soleil à reculer dans le ciel, encore et encore, l'empêchant indéfiniment de disparaître, obligeant le jour à ne jamais s'achever.

## 40

Ils traversèrent l'interminable Midwest, d'un bout à l'autre, précisément comme ils l'avaient fait il y a si longtemps, en juillet, lorsqu'ils étaient encore tous les quatre, et que tout, même le Nebraska, valait la peine d'être vu. Ils l'avaient à nouveau parcouru plus tard, tous les deux, mais chacun dans une camionnette. Désormais, ils étaient ensemble dans une seule voiture, et ils roulaient de nuit. Il n'y avait rien à voir sinon l'asphalte de la route, le terre-plein central, et le manteau neigeux blafard et désert dans la lumière des phares, qui les suivait partout telle une île mouvante de laquelle ils ne pouvaient s'échapper. Juste après North Platte, Grant s'arrêta pour faire le plein et aller aux toilettes, et lorsqu'il revint, Sean dormait toujours, avachi contre la portière, la tête posée sur son sac de couchage roulé.

Plus tard, comme le jour s'annonçait, le garçon se redressa, plissa les yeux dans la lumière naissante et demanda où ils se trouvaient. Grant lui répondit qu'ils venaient de pénétrer dans le Colorado, est-ce qu'il voulait s'arrêter pour manger ? Sean acquiesça et ils prirent la sortie suivante. Mais lorsque la serveuse s'approcha du comptoir dans le restaurant à l'éclairage cru, il posa la carte et ne commanda que du café.

« C'est tout ? fit la jeune femme.

— Oui, s'il vous plaît.

— Et une petite assiette de ragoût de bœuf, ça vous dit pas ? Les gens viennent de partout pour notre ragoût de bœuf. J'ai un vieux couple, ils viennent directement de Sterling pour ça. Même si j'imagine que je le ferais aussi si j'habitais à Sterling. Et que j'étais vieille », ajouta-t-elle, espiègle.

Grant lui expliqua que, pour leur part, ils arrivaient d'Omaha, et la serveuse s'écria en regardant par terre « *Omaha* ! » comme si elle venait de faire une découverte épouvantable sur le sol. « Mais qu'est-ce que vous fabriquiez à Omaha ? »

Le garçon se tourna vers le carreau dans lequel se reflétait la salle de restaurant : lui et son père assis là.

Grant tendit la carte à la serveuse en lui répondant qu'ils n'avaient fait qu'y passer pour venir vers le ragoût de bœuf.

Lorsqu'elle eut fait volte-face, il dit : « Je croyais que tu avais faim.

— J'ai jamais dit que j'avais faim.

— Je t'ai demandé si tu voulais manger, et tu m'as répondu que oui.

— Tu m'as demandé si je voulais qu'on s'arrête pour manger. Je me suis dit que tu avais faim, donc je t'ai répondu OK.

— Quand est-ce que tu as mangé, la dernière fois ?

— Je ne sais pas. Pourquoi ?

— Comment ça, pourquoi ?

— Quelle différence ça fait ? »

Grant examina son fils, son visage émacié, et l'espace d'un instant il eut l'impression qu'il aurait pu être n'importe quel jeune homme dans ce restaurant, juste en train de faire une pause sur la route, comme lui.

La serveuse revint, remplit leurs tasses de café, s'éloigna à nouveau.

« Quand j'étais gros, tout le monde cherchait à me faire mourir de faim. Maintenant ils veulent à tout prix me faire manger, alors que j'en ai même pas envie.

— Tu n'as jamais été gros, protesta Grant, et le garçon leva les yeux vers lui. Tu avais juste besoin de grandir de quelques centimètres. »

Ils regagnèrent l'autoroute, et le garçon conduisit tandis que Grant dormait. La nuit était claire, il y avait peu de circulation, et il suivit du regard la lune pleine aux trois quarts qui le dépassait sur la gauche, froide et imperturbable. Peu après, la même lune afficha une rangée de dents lumineuses, et alors qu'il observait sans comprendre, il se rendit compte qu'il était en train de regarder les premières crêtes enneigées, pourtant encore à quelques heures de route, qui se dessinaient au loin dans la plaine.

Grant leva la tête pour observer les montagnes se dressant dans la nuit. Ils sortirent tous deux une cigarette, attendirent que l'allume-cigare chauffe. Ils entrouvrirent leur glace, fumèrent tandis que la nuit froide s'infiltrait dans la cabine en sifflant tel un esprit possédé. Le garçon songea à sa cellule, à l'odeur froide et nauséabonde de l'endroit, et il vit l'homme de la cellule voisine se projeter sur le pare-brise : ses yeux injectés de sang, ses mains suspendues dans le vide. *Je vois bien que tu n'es pas un violeur, bordel.*

Il exhala de la fumée et se débarrassa de la cendre dans l'entrebâillement de la glace.

« Tu crois qu'on se sentira normaux à nouveau, un jour ? fit-il.

— Je ne sais pas. Ça veut dire quoi, normaux ?

— Je ne sais pas, répondit le garçon, observant la route et les montagnes. Pas comme ça. »

Quelques kilomètres plus loin, Grant jeta sa cigarette, remonta sa glace, et le garçon l'imita. Le sifflement cessa, la cabine se réchauffa. « N'oublie pas la sortie pour l'aéroport », remarqua Grant, et le garçon répondit qu'il n'oublierait pas. Trois kilomètres plus tard, ils prirent la sortie en question et trouvèrent la Chevy verte dans la mer de véhicules. Ils repartirent ensuite en tandem, chacun dans une camionnette, en direction des lumières de la ville.

# 41

Le garçon se débarrassa de ses bottes et s'effondra sur le petit lit, le visage vers le plafond. Il vit s'élever dans l'espace au-dessus de sa tête une multitude de corps presque invisibles. Nébuleuses denses se fondant en spirales harmonieuses, comme les poussières interstellaires se transforment en étoiles, en planètes et en lunes. Lui-même flottant en apesanteur, et traversant des systèmes de lumière, de couleurs et de masse qu'il était le seul à avoir jamais vus, et le seul aussi à pouvoir nommer. Mais l'instant d'après, ou ce qui sembla être l'instant d'après, un son retentit, et les mondes extraterrestres s'évanouirent, comme sous l'effet de la peur. Il ouvrit les yeux, tendit l'oreille. Au bout de quelques secondes, le son s'éleva à nouveau, une sorte de plainte. Une note unique et mal assurée, tel un souffle. Elle se reproduisit à intervalles réguliers, et il pensa qu'il devait s'agir de son père dans la chambre de l'autre côté du couloir en train de perfectionner un nouveau ronflement. Puis il se rendit compte que le son ne provenait pas du couloir, mais de sa propre chambre, et il se redressa pour mieux entendre. Puis, il se pencha et regarda sous le lit, mais ne trouva que de la poussière sur le vieux plancher. Le son résonna encore, plus fort et plus près. Au bout d'une minute, il enfila ses bottes, gagna sur la pointe des pieds le couloir et sortit sur la véranda dans l'aube glacée.

Il resta là, à écouter, son souffle se condensant devant lui. Puis il descendit les quelques marches, et s'agenouilla sur son genou valide, pour regarder sous la véranda. Rien à signaler, sinon la terre compacte et une espèce de creux peu profond, plus ou moins délimité par les restes d'une couverture autrefois rouge. Il se mit à quatre pattes dans la neige, rampa sous la véranda pour examiner l'endroit de plus près, et une fois là-dessous, alors qu'il attendait que sa vision s'ajuste, des bruits de pas résonnèrent sur le plancher au-dessus de lui, la porte à moustiquaire grinça sur ses gonds, et quelqu'un descendit lourdement les quelques marches.

« C'est une canalisation qui a pété ? » Son père se tenait penché en avant dans la lumière derrière lui, les mains sur les genoux, le visage tourné dans sa direction.

« Non. La chienne est là-dessous.

— Elle est là-dessous ?

— Je la vois.

— Qu'est-ce qu'elle fait ?

— Elle me regarde.

— Pourquoi elle ne sort pas ?

— Je ne sais pas. » Il appela la vieille chienne par son nom, en lui disant de sortir de là. L'animal émit à nouveau sa plainte, et le garçon dit : « Je crois qu'elle est blessée. »

Grant avança vers lui à plat ventre. « C'est peut-être ses hanches. » Il tendit la main et appela la bête à son tour. Elle rampa de quelques centimètres avec ses pattes avant, avant de s'immobiliser et de geindre à nouveau. Grant la regarda. Il examina l'espace, le sol, et dit, sans la quitter des yeux : « Tu crois que tu peux ramper jusque là-bas ? »

Ils sortirent la chienne de dessous la maison et l'installèrent avec précaution dans la cabine de la Chevy bleue. Ce faisant, le garçon se souvint de la fille en sang dans la camionnette et, exténué comme il l'était, il pensa qu'il avait dû rêver.

Ils grimpèrent à bord, de part et d'autre de l'animal. Grant gagna la route, tourna vers l'ouest, s'éloignant de la ville. À deux kilomètres de là il se gara devant une ferme à un étage dont la façade blanche prenait une teinte rosée dans l'aube et, au bout d'un moment, une femme imposante, aux cheveux blancs, apparut sur la véranda, et cria à travers la moustiquaire : « C'est toi, Grant Courtland ? » Et celui-ci répondit : « Malheureusement oui, Evelyn.

— Tu as récupéré ta camionnette, je vois.

— Oui, madame.

— C'est qui là, avec toi ?

— Je l'ai eu en bonus avec la voiture.
— Tu rigoles ? Comment ça va, Sean ?
— Bien, madame Struthers. Et vous ? »

Elle inclina la tête en arrière, et l'examina du haut de la véranda, du haut de sa propre stature. « Madame Struthers, c'est comme ça que mes étudiants m'appellent. T'as été mon étudiant, toi ?

— Non, madame.

— C'est bien ce que je me disais. Dans ce cas, appelle-moi Evelyn. » Elle ouvrit la porte en grand, et leur fit signe de venir. « Venez. Il fait un froid de canard, je vais vous faire des cafés. »

Lorsque le vieil homme descendit, Grant s'excusa. « Je suis désolé, Dale, je sais que tu es à la retraite, mais je ne savais pas où aller, sinon.

— Oh, laisse tomber, intervint Evelyn, surgissant derrière son mari avec la cafetière. On sait vivre entre voisins, quand même. »

Struthers observa sa nuque, puis se tourna à nouveau vers Grant et le garçon, et brandit le pouce en l'air, comme pour dire qu'il n'y avait rien d'autre à ajouter, ou pas de meilleur moyen de le formuler. Elle fit volte-face et lui mit une tasse de café dans la main. Ainsi équipé, il déclara : « OK. Voyons voir ce qui vous amène. »

Grant déplaça la camionnette, et la gara devant une petite cabane rouge. Il transporta avec le garçon la chienne à l'intérieur, et l'installa sur une table en acier inoxydable. Sean souffla dans ses mains, et le vieux vétérinaire dit : « Je suis désolé qu'il fasse froid. Je ne chauffe pratiquement plus rien, sinon la maison, et encore, à cause du prix du gaz… »

Malgré le froid, l'air sentait le chenil, l'ammoniaque, et la résine.

Le vieil homme posa sa tasse, plongea la main dans la poche de sa blouse blanche, tendit quelque chose sous le nez de la chienne, et d'un coup de langue l'offrande disparut. Il posa les mains sur l'animal, palpant doucement la fourrure, observant ses yeux, grimaçant, marquant une pause, reprenant son mouvement, et attendant que ses doigts et le regard de la bête lui indiquent quelque chose. Il glissa une main sous la chienne et elle jappa en se tournant brusquement comme pour mordre son poignet, mais se contenta de le lécher avec ardeur. Il plongea à nouveau la main dans sa poche, et elle avala la friandise. Elle se lécha les babines sans quitter sa main des yeux.

« Loin sous la maison, tu dis.

— Aussi loin que possible, répondit Grant. J'ai dû envoyer le maigre pour la sortir de là. »

Ils regardèrent tous trois l'animal, qui observait le vétérinaire.

Celui-ci avala une gorgée de café, reposa sa tasse, puis : « Elle a au moins deux côtes fêlées. Dont une est sur le point de casser. Je dirais qu'elle s'est pris un coup de sabot. Mais je n'ai jamais vu un chien se prendre un coup de sabot par en dessous, comme ça. Je ne vois pas quel genre de cheval pourrait faire ça. »

Grant soutint le regard du vieil homme. Puis ils se retournèrent tous deux vers la chienne, comme si elle pouvait mettre un terme aux spéculations, en apportant son témoignage. Grant demeura silencieux et son fils l'observa, comprenant ce faisant que quelque chose avait été discuté entre les deux hommes, et même s'il avait été là, présent, il n'en avait pas saisi la teneur, comme s'il avait somnolé debout, ou eu une absence.

« Est-ce que tu peux faire quelque chose ? demanda Grant.

— Comment ça ?

— Pour les côtes.

— Il n'y a pas grand-chose à faire pour les côtes fêlées, sinon les bander, et elle est vieille.

— Oui, fit Grant. C'est-à-dire ?

— C'est-à-dire qu'elle va mettre longtemps à cicatriser, si jamais ça cicatrise, et elle va avoir mal. »

Grant hocha la tête. « Il y a quelque chose pour ça ? Pour la douleur ?

— Bien sûr, bien sûr, répondit le vétérinaire. Mais… »

Grant, le garçon et la chienne attendirent. Struthers frotta d'une main sa joue rasée de près. « Je ne suis pas sûr qu'elle devrait retourner là-bas, Grant, poursuivit-il.

— Non, admit Grant.

— Je veux dire, ça ne me regarde pas...

— Non, je crois que tu as raison.

— Mais je ne peux pas la garder ici.

— Je ne te l'aurais pas demandé, Dale.

— J'ai plus le matériel pour ça, maintenant. Et Evie ne peut pas avoir d'animal dans la maison, à cause de ses allergies. Elle n'a jamais pu, pendant toutes ces années. Le Seigneur a dit pas d'enfants et ensuite pas d'animaux de compagnie. Tout ce que tu vas avoir, femme, c'est ce vieux bougre qui rentrera tous les soirs en sentant le cheval, le chien, et tout le reste.

— J'ai l'impression qu'elle a eu plein de gosses, Dale, répliqua Grant. Des centaines. »

Struthers ne sembla pas entendre cette dernière phrase ; pourtant, il regarda Grant par en dessous, haussant ses sourcils grisonnants, et dit : « Mille trois cent douze. »

Grant le dévisagea.

« Elle a gardé chaque carnet de notes depuis la première fois qu'elle a enseigné, l'année de notre mariage. Elle les sort de temps à autre. Elle les regarde un par un, comme des albums photo. »

« Qu'est-ce qu'on fait maintenant ? demanda le garçon.

— On va voir une copine. »

Ils se trouvaient à nouveau dans la camionnette et se dirigeaient vers la ville. La chienne bandée était couchée entre eux. Elle clignait des yeux, l'air endormi tandis que l'antidouleur se frayait un chemin dans son sang. Le soleil s'élevait au-dessus des sapins, illuminant de paillettes scintillantes les branches enneigées. Après un virage, Grant arrêta la Chevy derrière un car scolaire. Petits visages rosis dans le pare-brise arrière, encore trop éteints à cette heure pour pouvoir ne serait-ce que tirer la langue.

Le garçon glissa une cigarette entre ses lèvres et enfonça l'allume-cigare.

« Tu peux m'en donner une ? fit Grant, je suis à sec. »

Ils utilisèrent l'allume-cigare à tour de rôle.

« Tu vas me dire ce qui se passe ? demanda le garçon.

— Comment ça ?

— Tu vois très bien ce que je veux dire. »

Grant secoua la tête. « Je ne peux pas te dire ce que j'ignore.

— Bah, qu'est-ce que tu crois ?

— Qu'est-ce que je crois ? » Grant fit tomber sa cendre. Une adolescente accompagnée d'un garçon plus jeune sortit d'une petite maison à bardeaux, et ils se dirigèrent vers le car. Les portes s'ouvrirent, et le petit garçon tapa des pieds dans la neige, comme un besoin impérieux de dernière minute, jusqu'à ce que la fille le pousse à avancer. Il grimpa alors à l'intérieur, et elle le suivit. La porte se referma bruyamment, le panneau de stop se rabattit, et le car s'ébranla. La Chevy embraya dans son sillage.

Grant reprit : « Je me demande si c'est pas Billy qui lui a fait ça.

— Billy ?

— Le fils d'Emmet. C'est sa voiture, garée devant la maison. L'El Camino. »

Le garçon regarda la chienne. Puis l'arrière du car.

« Pourquoi il ferait un truc pareil ? »

Grant tira sur sa cigarette. « Je ne dis pas qu'il l'a fait. »

Ils gardèrent le silence. Les petits visages à l'arrière du car les observaient. Le garçon tira une dernière bouffée de sa cigarette et l'écrasa dans le cendrier.

« Si, c'est ce que tu dis. »

Ils suivirent le car à travers la ville, et durant deux kilomètres au-delà. Puis Grant tourna sur un étroit chemin scintillant de neige à travers bois, sans la moindre trace de pneu visible, et ils arrivèrent devant une petite maison de plain-pied, d'un bleu pervenche, avec des volets plus foncés, et une porte carmin. Grant gara la Chevy sur ce qui devait être la pelouse, afin de ne pas bloquer le passage des deux breaks Subaru stationnés devant la maison, et lorsqu'il ouvrit la porte, la chienne oublia sa blessure et tenta de se lever. Il posa sa main sur sa tête, et dit : « Vous restez là, tous les deux. »

Il ferma la portière. La chienne se mit à respirer bruyamment avec anxiété, incapable de voir ce qui se passait, et le garçon lui parla. « Il va vers la maison. Il frappe à la porte. Il y a quelqu'un à la fenêtre. La porte s'ouvre. C'est une femme. Elle a les cheveux bruns et bouclés. C'est la femme du restaurant, la serveuse, j'ai oublié son nom. Elle regarde par là et fait un signe… Je fais un signe aussi. Il rentre à l'intérieur et la porte se referme. Elle s'appelle Maria. Maria Valente. »

La porte rouge s'ouvrit à nouveau, et Grant regagna la Chevy. Il prit une partie de la chienne dans ses bras, et le garçon lui donna un coup de main pour le reste. Lorsqu'ils furent hors de la camionnette, Grant ordonna de poser l'animal par terre tout en la maintenant debout. La chienne regarda autour d'elle, déroutée, jusqu'à ce qu'il lui dise de faire ce qu'elle avait à faire. Sur ce, et sans avoir l'air d'y penser à deux fois, elle baissa son arrière-train et lâcha un long jet bruissant dans la neige.

Ils la portèrent ensuite dans la maison, la déposèrent sur un lit de couvertures que Maria avait préparé sur le carrelage de l'entrée, et celle-ci s'accroupit pour lui caresser la tête. Puis elle se redressa, et tous trois regardèrent la chienne. Ils étaient ainsi, dans cette position, quand la fille surgit de nulle part, en chaussettes, un grand sac à dos dans une main et un téléphone portable dans l'autre. Jetant à peine un coup d'œil aux deux hommes, elle posa le sac, s'accroupit devant l'animal blessé et le caressa.

« Qu'est-ce qui lui est arrivé ? »

La chienne renifla le genou de la jeune fille. Le lécha.

« On n'est pas sûrs, répondit Grant. Elle a dû recevoir un coup de pied.

— Comment ? » Elle leva les yeux, regardant tour à tour Grant et le garçon. Elle sembla sur le point de dire autre chose, mais s'abstint. Elle se retourna vers la chienne et lui caressa les oreilles.

« Pauvre Lola, pauvre Lo », fit-elle.

Le garçon observa son père, puis à nouveau la fille. « Tu connais cette chienne ? »

Elle le dévisagea en fronçant les sourcils, comme s'il y avait quelque chose qui ne tournait pas rond chez lui. « Bien sûr que je la connais.

— Elle va là-bas parfois le samedi, expliqua Maria, pour aider avec les chevaux. »

Personne ne dit mot sauf la fille, qui continua de réconforter la chienne en lui parlant et en la cajolant.

Grant annonça qu'il reviendrait plus tard nourrir la chienne et la sortir, et Maria lui tendit la clé, qu'il glissa dans sa poche. Il ajouta qu'il trouverait quelqu'un qui pourrait garder l'animal plus longtemps, mais elle lui répondit de ne pas s'inquiéter, qu'ils verraient comment les choses se dérouleraient, et la jeune fille conclut : « On va s'occuper d'elle. »

Maria partit dans la cuisine chercher un bol d'eau, la fille se redressa. Tirant sur sa jupe, elle pivota et posa son regard sombre sur le garçon. « Je m'appelle Carmen.

— Je sais. » Il prononça son nom, et la fille répliqua : « Je sais. Je ne croyais pas que tu connaissais le mien, c'est tout.

— Tu étais dans mon cours d'histoire, précisa-t-il.

— Brièvement, rétorqua-t-elle. L'histoire n'a pas fait long feu. »

À leurs pieds, la chienne bâilla profondément, dévoilant ses vieux crocs.

La fille consulta son téléphone, puis se tourna pour ouvrir une porte de placard, en sortit une veste en laine rouge et l'enfila. Elle glissa ses pieds dans une paire de bottes en daim fourré, et se pencha encore une fois pour toucher les oreilles de la chienne. Elle souleva son sac, et s'exclama : « Maman, je m'en vais.

— OK, *tesoro*, répondit Maria. Fais attention sur la neige. Je t'aime.

— Moi aussi. »

Elle sourit à Grant et au garçon, contourna la chienne, ouvrit la porte rouge, et, l'espace d'un instant, dans l'éclat du soleil matinal, elle s'illumina avant de disparaître.

Lorsqu'il se réveilla à nouveau, la pièce était inondée de soleil, il faisait chaud. Il resta allongé à observer la grosse auréole jaune juste au-dessus de sa tête. Des écailles de plâtre lisse délimitaient une fuite qui avait depuis longtemps changé de cap, ou à laquelle on avait mis un terme. Il tendit l'oreille, à l'affût du chien ou du fantôme de l'animal qui aurait retrouvé sa tanière sous le plancher de la maison. Mais le son qu'il perçut venait cette fois distinctement de l'autre côté de sa porte. De l'autre côté de la porte se trouvant en face de la sienne dans le couloir, en vérité.

Il se leva, sortit de sa chambre, attendit, puis ouvrit la porte d'en face avec précaution.

La pièce, exposée à l'ouest, n'était ensoleillée que dans l'après-midi, et son père était allongé sur le lit dans la pénombre fraîche, le visage tourné dans sa direction. La couverture était remontée sur son ventre, mais son épaule et son bras, blancs et dénudés, étaient à l'air libre : il serrait contre lui son oreiller tel un enfant une peluche. Tel un homme sa femme. Lorsqu'il ouvrit la bouche, il parut s'adresser au garçon, d'une voix claire et distincte, comme s'il lui demandait l'heure. Mais son œil visible était fermé. Son visage, impassible.

« Quoi ? fit Sean.

— Où est-elle ? articula l'homme endormi.

— Qui donc ? » Il fit un pas en avant, et le plancher froid craqua. Il s'immobilisa.

« Où est-elle ? » répéta le père, et le garçon l'observa plus attentivement. Sa paupière tremblait, et dessous l'œil allait et venait, sans répit.

Il remonta la couverture sur l'épaule dénudée.

« Elle va bien, dit Sean. Elle est en sécurité. »

Il alla enfiler son jean et son tee-shirt, sortit sur la véranda pieds nus, s'avança là où il n'y avait pas de neige, alluma une cigarette, et tira une bouffée avant de s'appuyer contre un poteau pour exhaler. Presque au même moment, de l'autre côté de la cour, un nuage blanc surgit en écho de la véranda de la maison en bois. Sean porta à nouveau sa cigarette à ses lèvres et plissa les yeux. Le vieil homme avait l'habitude de s'asseoir le matin dans son fauteuil à bascule, les mains entrecroisées autour d'une tasse fumante. Mais le vieil homme n'avait pas de cheveux bruns glissés derrière les oreilles, il ne quittait pas la maison pieds nus et en tee-shirt, même lorsqu'il faisait chaud, et il ne fumait pas.

Les deux fumeurs se toisèrent à distance. Tirèrent chacun une bouffée, soufflèrent, et tandis que la fumée se volatilisait dans le froid, le jeune homme sur la véranda d'en face leva sa cigarette avec emphase – tel un prince ou un pape –, avant de baisser à nouveau le bras.

Le garçon brandit la sienne en réponse.

# 42

*Le printemps arrive même ici. Ou peut-être un faux printemps.*

*La neige fondue dégouline du toit de la cabane et tinte faiblement en atterrissant dans les petits puits qui se creusent en contrebas, fragiles trous aérant la terre. Son creux après son creux. Le toit en bardeaux inondé de soleil s'étire et craque comme une créature au réveil. Lorsqu'elle met son nez sur le trou dans le bois au-dessus de la fenêtre, elle sent la résine chaude des sapins dehors, et se languit du printemps après les longs hivers du Wisconsin. La piste se libérant de la neige, tel un anneau brûlant et millénaire. Elle écoute le bruit de l'eau qui coule, de la neige fondue se frayant un chemin en minces filets qui se rejoignent, grossissent et accélèrent, en route vers les vallées lointaines, vers les grandes rivières se jetant dans la mer. Mais quelle mer?*

*Il s'absente plus longtemps. Des journées entières, parfois. Les denrées s'amenuisent. Le bois aussi. Elle économise son eau. Dans le petit miroir se dessine la forme de son crâne. Il est vide.*

*Elle continue son labeur, son corps diminué tirant sur la chaîne en demi-cercle, dans un sens puis dans l'autre, écoutant ce que les maillons lui révèlent. À la surface du socle en acier, au niveau des deux épaisses soudures de l'anneau, elle distingue une fine poussière terne qui se métamorphose à chaque passage, au fur et à mesure que des grains d'acier ou de rouille s'accumulent. Les plus gros tombent au moment où la chaîne et l'anneau se frottent en grinçant, cédant soudain légèrement du leste, et elle vacille, et son cœur aussi dans cet instant momentané de délivrance, et elle a le sentiment, comme jadis sur la balançoire, que la chaîne s'est rompue et qu'elle est sur le point de s'élancer libre dans l'espace. Encore et encore, cette fausse joie.*

*Après un soubresaut plus intense que les autres, elle sautille pour maintenir son équilibre, et regarde, consternée, la chaîne encore tendue, intacte. Quelque chose se brise alors en elle et elle se met à tirer violemment sur son entrave. Et c'est son propre vacarme, elle le comprendra plus tard, le flot d'injures qu'elle lance, qui lui fera rater le bruit des pas sur la neige durcie à l'extérieur.*

*La première chose qu'elle entend, c'est sa voix.*

*Y a quelqu'un? crie-t-il, et elle se fige.*

*Elle lâche la chaîne. Son cœur bat la chamade.*

*La voix répète : Y a quelqu'un?*

*Ce n'est pas lui. C'est un autre homme. Proche, mais pas tant que ça. À bonne distance de la porte. Sur ses gardes, comme il se doit en montagne. Ou parce qu'il a peur de ce qu'il a entendu, de sa révolte furieuse.*

*Sa gorge se noue, sa mâchoire s'ouvre, et une voix qu'elle ne connaît pas articule : Y a quelqu'un ?*

*Bonjour, répond l'homme. J'ai vu de la fumée. J'ai pensé qu'il y avait un feu.*

*Elle fait un pas en avant vers la porte ; une douleur soudaine irradie dans sa jambe droite, qui s'immobilise en plein élan. Elle se retourne, interdite, et regarde la chaîne étalée par terre. L'anneau doublé de cuir à sa cheville, le gros cadenas avec le mot* Master *gravé dessus. Son propre pied nu, sale, étranger à elle.*

*Elle pivote vers la porte. Vous êtes la police ?*

*Il ne répond pas. Puis : Qui êtes-vous ? Et elle comprend que c'est juste un homme. Pas la police. Il n'a pas d'arme. Pas de chien. Pas de talkie-walkie. Il n'y a pas d'hélicoptère en route. Ni son père ni sa mère ni son frère.*

*Qui êtes-vous ? répète-t-il. Est-ce que ça va ?*

*Elle pose une main sur sa gorge et sent les mots résonner dans ses doigts au moment où elle les prononce, au moment où elle articule son nom pour la première fois depuis si longtemps. Sa famille la cherche, dit-elle. La police aussi. Un homme la maintient prisonnière ici, aidez-moi s'il vous plaît.*

*La neige craque, l'homme approche.*

*D'accord, dit-il, d'accord. Ça va aller. Vous avez dit Caitlin ? Il est tout proche à présent. De l'autre côté de la porte. Elle entend le cadenas remuer. Entend l'homme l'empoigner. Caitlin ? fait-il.*

*Oui ?*

*Où est-il ?*

*Je ne sais pas. Il est parti.*

*Depuis combien de temps ?*

*Elle secoue la tête. Deux jours ? Elle ravale les battements incessants de son cœur. S'il vous plaît, aidez-moi. Elle l'entend respirer bruyamment dans l'air raréfié. Il y a une hache quelque part, ajoute-t-elle. Vous la voyez ?*

*Il recule d'un pas. Non.*

*Elle est là, dehors, dit-elle. Elle la voit si clairement dans sa tête. Je l'entends couper du bois tout le temps.*

*L'homme recule encore de quelques pas, puis revient.*

*Y a pas un autre moyen de rentrer ? Une fenêtre ? suggère-t-il, et elle répond : De l'autre côté, mais elle est barricadée. Les pas de l'homme s'éloignent de la porte tandis qu'il contourne la cabane.*

*Elle traîne la chaîne par terre, enjambe son lit et colle un œil sur le petit trou lumineux dans la planche qui bouche la fenêtre.*

*Incroyable, il est déjà là – précisément là. Son ombre dans le halo blanc. Centré telle une silhouette qui pose devant un objectif qui n'a pas encore fait la mise au point. Il se tient là devant elle, et pourtant elle entend à travers le mur le bruit de ses pas sur sa gauche. Il est immobile, et contourne la cabane en même temps. Elle cligne de l'œil, éblouie par la lumière, et la silhouette dans le trou se précise, sa véritable forme se révèle, et elle sent sa poitrine transpercée comme si une lame lui fendait le cœur en deux telle une pomme.*

*Les bruits de pas tournent au coin de la cabane et s'intensifient, se rapprochent, puis s'arrêtent en dehors de son champ de vision, en dehors de ce qu'elle peut voir du monde, et elle entend l'homme s'exclamer. Putain ! Il émet un son qui ressemble à un rire. Tu sors d'où, mec ?*

*Du même endroit que toi, j'imagine. Le singe sourit, son visage se tourne vers le trou, et elle s'effondre, anéantie, sur son lit de camp.*

*J'ai vu de la fumée, ajoute le singe. J'ai cru qu'il y avait un feu.*

*Moi aussi, fait l'homme. Mais il y a quelqu'un là-dedans. Il fait deux pas en avant, et s'immobilise. Il y a une fille à l'intérieur.*

*Avachie contre le mur, les genoux contre la poitrine, elle les entend parler comme s'ils se trouvaient dans un tunnel, leurs voix glissant le long de parois en pierre, vers l'ouverture.*

*Je sais, j'ai entendu, abonde le singe. Elle a même dit qu'un homme la maintenait prisonnière.*

*Ces mots roulent et meurent dans le tunnel.*

*C'est pas toi, le type, au moins ? s'exclame le singe.*

*Arrête, non, réplique l'homme. Et rien d'autre.*

*Ils restent silencieux, le monde aussi, jusqu'à ce qu'un craquement résonne dans les poutres du toit, se répercutant dans le mur contre lequel son épaule est appuyée, et secouant son corps telle une décharge.*

*C'est plutôt marrant qu'on arrive tous les deux en même temps, remarque le singe, et l'homme fait : J'ai vu de la fumée.*

*Tu l'as déjà dit. Le singe renifle. Tu n'as pas l'air d'un ranger.*

*Je ne le suis pas.*

*Ah bon ?*

*Non.*

*Qu'est-ce que tu fais, alors ?*

*Qu'est-ce que je fais ? Bah, je fais une rando, c'est tout.*

*Une rando. Le singe réajuste son blouson. T'es vachement loin du sentier, non ?*

*Comme j'ai dit, j'ai vu de la fumée.*

*Le singe bascule d'un pied sur l'autre. Ah ouais, t'as vu de la fumée ?*

*Je l'ai sentie d'abord.*

*Ah.*

*Ils se taisent. De l'eau coule du toit, et tinte dans les puits.*

*Et toi ? demande le randonneur.*

*Quoi, moi ?*

*Qu'est-ce que tu fais par ici ?*

*Je suis volontaire chez les rangers.*

*Volontaire chez les rangers. Ça veut dire quoi ?*

*Ça veut dire que j'ai une cabane un peu plus bas, et j'ai pas envie qu'elle prenne feu.*

*Le randonneur ne répond rien. Puis il suggère : On ferait peut-être mieux d'essayer de sortir cette fille d'ici, non ? Elle est peut-être blessée. Hé, vous êtes blessée, là-dedans ? lance-t-il.*

*Cours, bon sang, cours, murmure-t-elle. Va-t'en. Descends dans la vallée.*

*Ça avait l'air d'aller il y a une minute, ajoute le randonneur. Un cadenas verrouille la porte, mais elle a dit qu'il y avait une hache quelque part par là.*

*J'ai entendu. C'est ça, là-bas?*

*Où?*

*Derrière toi. Sous cet arbre. Là où il y a le bois.*

*Le randonneur pivote sur lui-même dans la neige, reste immobile, puis repart rapidement vers l'endroit d'où il venait. OK, crie-t-il. C'est une hache. J'ai trouvé la hache, répète-t-il un peu plus fort, à l'intention de la fille. Il y a un autre homme ici, il est volontaire chez les rangers. On va faire sauter le cadenas sur la porte, Caitlin.*

*Il se remet en marche, et elle suit le bruit de ses pas, ainsi que ceux du singe, tandis que tous deux contournent la cabane. Bientôt le randonneur arrive devant la porte.*

*Arrêtez, souffle-t-elle. Arrêtez, arrêtez...*

*Pas comme ça, conseille le singe. Utilise le méplat.*

*Le quoi?*

*Le côté plat de la cognée.*

*Pourquoi?*

*Parce que sinon, tu vas bousiller la lame.*

*Et alors, ça t'embête si je bousille la lame?*

*Le silence s'installe. Puis le randonneur s'exclame : Attends, et à travers la porte elle entend un son qui lui est familier, comme un bruit de pétard festif. À peine assez fort pour surprendre un oiseau, et pourtant assez soudain et sec pour perforer la montagne, et en faire tomber tout un pan. La porte frémit immédiatement sur ses gonds, comme si l'homme providentiel avait décidé de se jeter contre le battant, mais sans grande conviction, avant de s'effondrer lentement, défait, dans la neige.*

*Oui, répond enfin le singe.*

*Elle l'entend éjecter la cartouche. Et refermer le barillet. Quelque chose frotte à l'extérieur de la porte, en bas, près du sol, comme un vieux chien grattant pour rentrer. Il y a une seconde détonation, et le grattement cesse.*

*Elle est sur son lit comme avant, immobile, en boule, les jambes ramassées contre elle, lorsqu'elle l'entend revenir. Ses pas, la luge qui progresse plus facilement dans la neige. Elle se souvient de la corniche enneigée, du vide en contrebas, mais il n'est pas parti assez longtemps pour cela, il a caché le corps ailleurs, non loin d'ici. Comme il déverrouille le cadenas, les poutres craquent au-dessus d'elle, et ses jambes tressaillent, s'agitent comme lorsqu'elle court en rêve, et elle imagine une scène dans laquelle la dernière chose qu'elle voit et sent avant de mourir, c'est le visage froid et bleui du seul autre être humain qui depuis tout ce temps a su où elle se trouvait, qui a entendu sa voix. Un inconnu avec lequel elle restera couchée désormais des années, des siècles, sans rien d'autre à faire que de s'étreindre l'un l'autre jusqu'à ce qu'on les retrouve, tas de guenilles et chair momifiée, inséparables, histoires inséparables, squelettes enchevêtrés à jamais. Apparemment plus amoureux qu'aucun autre couple du monde des vivants.*

## 43

Ils se levaient en même temps, buvaient un café et mangeaient des céréales froides, et travaillaient tous les matins à différentes tâches, ensemble et séparément, puis ils s'asseyaient avec Emmet pour déjeuner, le garçon mâchant tranquillement tandis qu'Emmet racontait ses histoires comme avant, sans jamais lui demander où il avait été, ni ce qu'il avait fait tout ce temps, et le fils d'Emmet, Billy, passait de temps à autre, tel un personnage de théâtre, lâchant au passage un commentaire désobligeant, sans jamais s'arrêter, toujours en route vers des perspectives et des compagnons plus prometteurs.

Chez la serveuse, ils observaient la chienne depuis le perron, se tenant tous deux dans la chaleur et les odeurs émanant de l'intérieur de la petite maison, pendant que l'animal marchait prudemment dans la neige, à la recherche d'un endroit lui convenant, et ils repartaient en fermant la porte à clé. Plus tard, ils poussaient la porte du café, ce qui faisait tinter la sonnette, et Maria leur souriait.

Le samedi, Sean se leva à l'aube, se doucha et se rasa, prépara du café et partit sur la véranda avec une tasse pleine. Le silence était froid, il n'y avait aucun mouvement dans les arbres sur les crêtes et aucune trace de nuage dans le ciel. C'était la deuxième semaine de mars, et aucun changement n'était visible, aucun signe de la fin de l'hiver. De l'autre côté du chemin se trouvait l'El Camino, noire et étincelante.

Les juments hennirent et renâclèrent à son approche et il s'approcha de la grange en faisant rouler une pomme dans sa main.

Il était en train de sortir Belle de son box lorsque le vieil homme arriva à la porte avec une tasse de café. Il ôta sa casquette rouge comme s'il pénétrait dans une église.

« Tu as déjà pensé à monter ? » fit-il. À quoi le garçon répondit par l'affirmative. Il attacha la jument au poteau et repartit chercher l'autre tandis qu'Emmet versait de l'avoine dans les seaux en acier fixés de part et d'autre du poteau. Une fois les deux juments attachées et nourries, le garçon regagna les box et se mit à entasser la paille sale avec une fourche.

Emmet resta à caresser l'encolure de la jument près de lui. Sans quitter l'animal des yeux, il déclara : « Tu m'as l'air bien pressé de faire le boulot. »

Le garçon leva la fourche et dit : « Pas plus pressé que d'habitude. »

Emmet caressa derechef l'encolure de la jument. « Il se pourrait bien que tu aies de la compagnie, fais gaffe.

— Il se pourrait ?

— Ouais. » Emmet avala une gorgée de café. « Depuis ton départ, il y a une fille qui vient le samedi pour aider avec les chevaux.

— C'est ce que j'ai entendu dire.

— Mais elle vient pas tous les samedis. Parfois, elle a autre chose à faire. En fait, je suis surpris qu'elle soit pas venue ces derniers temps. » Il toussa, se détourna et cracha par terre. Du bout du pied, il recouvrit l'endroit d'un petit tas de poussière. « Bref, elle vient quand elle le sent. Mais elle m'appelle d'habitude pour me dire qu'elle vient pas. »

Le garçon chargea la dernière fourche de paille dans la brouette, sortit dans la lumière du soleil, revint et saisit une étrille. Il commença à panser la jument baptisée Nellie.

« Elle a pas téléphoné aujourd'hui, reprit Emmet. La fille. C'est pour ça que j'ai dit qu'il se pourrait que tu aies de la compagnie. »

C'était bien ce qu'il croyait avoir compris, répondit le garçon.

« Et tu crois pas que tu pourrais attendre pour les panser ? Quand elles en auront besoin ? »

Le garçon expliqua qu'il n'avait rien de mieux à faire et poursuivit sa besogne.

Emmet resta à l'observer. Puis, il fit : « Elle te fait mal cette jambe ?

— Quelle jambe ?

— Quelle jambe », répéta Emmet. Il avala un peu de café et gratta sa cicatrice dans le cou. « Est-ce que je t'ai déjà dit que mon grand-père traînait la patte comme toi ?

— Non. Comment il s'était fait ça ?

— C'est exactement ce que je lui ai demandé, une fois. J'ai dit : "Papi, pourquoi tu boites comme ça?" Il m'a lancé un regard à faire tourner les horloges à l'envers, et il a répondu : "Mon petit gars, je vais te raconter cette histoire une fois et une seule, parce que je sais que tu ne le fais pas exprès, mais il faut que tu saches qu'un gamin comme toi ne doit jamais poser ce genre de question à un adulte." Ensuite, il m'a expliqué qu'il avait eu trois frères, tous à peine plus vieux les uns que les autres. Lui c'était le plus jeune. Quand la Grande Guerre est arrivée, l'aîné, qui s'appelait John Junior, est parti au front. Il avait dix-huit ans et ça ne faisait pas deux semaines qu'il était là-bas qu'il a sauté sur un obus. Un mois plus tard, le deuxième frère, James, est parti en pleine nuit. Il est même pas arrivé sur le continent, il s'est fait torpiller par un sous-marin allemand en mer du Nord. Ensuite il a fallu deux semaines pour que le troisième frère, Thomas, se retrouve là-bas. Après quoi, il a disparu. On ne l'a plus revu et on n'a plus jamais entendu parler de lui. »

Emmet s'interrompit pour boire une gorgée de café. Il poursuivit :

« "Ensuite, a fait papi, j'étais dans mon lit une nuit, j'avais quinze ans, j'avais le lit pour moi tout seul pour la première fois de ma vie, et je venais de m'endormir quand je me suis réveillé en criant. J'avais l'impression qu'on venait de me tremper le pied dans de l'acier en fusion. J'étais allongé à me contorsionner et à pleurer et quand j'ai finalement pu, malgré la douleur, regarder ce qui se passait, qui tu crois que j'ai vu ? J'ai vu mon père au-dessus de moi qui tenait la hachette que ma mère utilisait pour couper du petit bois. Je me suis penché pour voir s'il m'avait tranché le pied, mais non, il me l'avait juste cogné avec le côté plat. Il m'avait disloqué tous les os là-dedans. Alors j'ai fait : Pourquoi t'as fait ça, papa ? Et tu sais ce qu'il m'a répondu ? Parce que ta mère me l'a demandé". »

Emmet leva sa tasse de café pour la porter à sa bouche mais s'interrompit. Le garçon avait cessé de brosser la jument, laissant en suspens l'étrille au niveau de l'épaule de la bête.

« Tu ne me crois pas ? »

Le garçon reprit sa besogne. « Vous me racontez peut-être des histoires.

— Oui, mais des histoires vraies. Des années plus tard, à l'enterrement de mon grand-père, j'ai embrassé ma grand-mère sur la joue et je lui ai chuchoté : "Mamie, je suis sûr qu'il sera content de retrouver ses frères, tu crois pas ?" Elle a cligné des yeux et elle a fait : "Ses frères ? De quoi tu parles ?" J'ai répondu :

“Ses trois frères qui sont morts à la guerre. C’est pour ça qu’il boitait, parce que sa mère avait dit à son père de lui bousiller le pied avec une hachette.” Bah. Ma grand-mère m’a dévisagé et elle a éclaté de rire. Elle a éclaté de rire, à l’enterrement de son mari. “Mon petit gars, elle a dit, ton grand-père a jamais eu de frères. Il boitait parce qu’à treize ans il a flanqué un coup pied à une mule et il s’est cassé le pied.” »

Emmet souleva son café et avala bruyamment une gorgée. Après quoi il grimaça, heureux.

Le garçon brossa le dos de la jument lentement, mécaniquement. « Ça me rappelle un chien que j’ai trouvé une fois au bord de la route, fit-il.

— Un chien mort ? demanda le vieil homme.

— Non, encore vivant. Un gros berger allemand. Celui qui l’avait écrasé avait continué son chemin. Il lui manquait la mâchoire inférieure. »

Emmet ne dit mot. Il observa le garçon.

« Il a levé la tête, et il m’a regardé droit dans les yeux, ce chien. Il pouvait pas mordre, même s’il le voulait, mais je crois pas qu’il le voulait. Quelqu’un lui avait foncé dedans et l’avait laissé comme ça, mais il a accepté qu’un inconnu s’approche de lui et le touche.

— Il savait que tu ne lui voulais pas de mal.

— Je l’ai tué avec un marteau. »

Emmet regarda le garçon. Celui-ci continua de panser l’animal.

« Tu lui as rendu service, c’est tout. Tu as fait ce que n’importe quel homme digne de ce nom aurait fait. »

Le garçon continua sa besogne.

Emmet passa ses doigts dans la crinière sombre de l’animal. Sans un mot. Puis il dit : « J’ai acheté ces deux juments pour deux raisons. La première, pour qu’Alice et moi on puisse les monter de temps en temps, et la deuxième c’était pour occuper mon fils Billy. Mais quand celle-là, Belle, l’a éjecté et lui a bousillé le bras, il n’a plus voulu en entendre parler. Ni de l’une ni de l'autre. Elles étaient déjà douces comme des agneaux quand je les ai achetées, et quand je lui ai demandé ce qu'il lui avait fait pour qu'elle le mette par terre, il m'a regardé et il m'a répondu : "Rien. C'est juste un sale canasson complètement taré." »

Le vieil homme toussa, but une gorgée.

« Alice et moi, on a fait avec ce garçon comme avec son frère avant lui. On a fait même plus pour lui, à dire la vérité. Mais ça n'a été que déception après déception au fil des ans. Cette pauvre femme. On croit que le cœur s'endurcit, mais pour une mère, c'est jamais comme ça que ça marche. Il ne fait que se briser et se briser et se briser, encore et encore. »

Le garçon jeta un coup d'œil à Emmet et se remit à brosser la jument. « C'est pas le cas pour un père ?

— Si, pour un père aussi. Mais un père en a moins conscience. Un père continue d'être actif physiquement. Un père ne s'arrête pas. Et puis un jour, sa femme, avec laquelle il est marié depuis quarante-cinq ans, disparaît, et là il se rend compte. Là il se rend compte. Il se réveille un matin, et il a un trop-plein d'amour. Trop d'amour, c'est tout. Et qu'est-ce qu'il est censé faire avec ça ? Où est-ce qu'il est censé aller ? »

Le garçon laissa en suspens l'étrille au-dessus de la croupe de la jument. Le vieil homme fixa sa tasse de café, puis leva les yeux brusquement, comme surpris de s'apercevoir qu'il n'était pas seul avec les chevaux. « Tu es parti longtemps », dit-il d'une voix égale. Et le garçon se remit à brosser.

« J'aurais pas dû le faire comme je l'ai fait, déclara Sean. Ça, je le sais.

— Des fois, quelque chose nous dit qu'on doit partir, et on part. De ce point de vue-là, un jeune n'est pas tellement différent d'un vieux. »

Le garçon finit par les cuisses de la jument, et passa à l'autre bête. Emmet resta à côté de lui. Les juments soufflaient et léchaient les seaux vides.

« Bon, fit Emmet, je vais arrêter de t'assommer.

— Vous m'assommez pas.

— Bah », fit-il. Il s'ébranla, comme pour partir, avant de s'immobiliser, et le garçon se tourna. Le break Subaru bleu-vert surgit à l'angle de la maison, contourna le grand épicéa et s'arrêta devant la porte de la grange. Les deux hommes observèrent la jeune fille sortir de la voiture et marcher sur la neige avec ses bottes et son chapeau de cow-boy. Elle se hissa sur la pointe des pieds pour embrasser Emmet sur la joue, et les juments délaissèrent leurs seaux pour humer l'air. Elles renâclèrent.

Sous le bord en paille de son chapeau, ses yeux sombres luisaient.

« Elles pensent que j'ai des carottes », dit Carmen, et Emmet répliqua : « Elles savent que tu en as. » Là-dessus, la jeune fille répondit : « Je sais. Mais c'est pour plus tard. » Elle s'avança entre les deux juments et leur tendit à chacune une main. Les bêtes glissèrent leur museau sur ses paumes ouvertes, en reniflant et en soufflant, et l'espace d'un instant, avec une tête sur chaque main, elle sembla peser le pour et le contre, tel un symbole de la justice équine, pour décider de leur sort.

## 44

De là où il se trouvait, devant la fenêtre exposée à l'ouest, Grant vit les chevaux avancer côte à côte dans les blés d'hiver, une nuée d'étourneaux s'envolant devant eux, et deux sillons parallèles se dessinant dans leur sillage. La fille se tenait bien droite sur sa selle, avec aisance, sa queue-de-cheval se balançant au rythme de celle de sa monture, tandis que les genoux, les bras et les épaules de son fils semblaient incapables d'épouser l'allure de l'animal. Il les regarda pour voir s'ils allaient se retourner, mais ils n'en firent rien. Ils sortirent du champ et leurs silhouettes devinrent de plus en plus floues et indistinctes dans la lumière et la distance, pour finir par s'évanouir complètement à la lisière des arbres, garçon et fille disparaissant à sa vue. Il se détourna du carreau et parcourut du regard avec une certaine confusion la pièce vide, qui lui sembla étrangère.

Lorsqu'ils arrivèrent à la lisière des arbres, elle passa devant, et ils cheminèrent en file indienne, la monture du garçon suivant passivement celle qui les précédait, de sorte qu'il n'avait que peu de choses à faire, sinon contempler la dentelle de lumière que traversaient fille et jument. L'air sentait l'onguent, il n'y avait aucun bruit sinon celui des chevaux : le craquement des cuirs, le claquement des sabots, le cliquetis des mors et le souffle des naseaux.

Il avait les rênes lâches, il suivait comme il avait suivi un jour une autre fille, toujours plus haut, et dans un moment d'absence, il la vit à nouveau. Progressant sur le bitume, pâle et mince et légère, au rythme de l'éclat rose des semelles de ses chaussures – jusqu'à ce que le chemin redevienne plat, et il recula sur sa selle ; ils s'arrêtèrent.

Devant eux s'étendait une vaste clairière de trembles, blancs et dénudés ; les pinèdes s'élevaient au-delà et dans le lointain, au-dessus des plus hautes cimes, se dressaient les pics enneigés des Rocheuses, d'une hauteur fantastique, flamboyant à la lumière de leur propre immensité. Il resta à cheval, les mains gantées posées sur le pommeau de la selle. Le cow-boy au repos, songea-t-il. Celui de la pub Marlboro en personne. Il était en train de chercher ses cigarettes lorsque l'autre jument se remit en marche, et sa monture l'imita ; côte à côte elles pénétrèrent dans la clairière, enfonçant leurs sabots dans la neige que des créatures plus petites et plus légères avaient récemment arpentée.

Les chevaux se séparèrent comme les arbres l'exigeaient, et ils n'avaient fait que quelques mètres lorsque, se tournant brusquement vers Carmen, la jument du garçon refusa d'avancer plus loin, secouant la tête en hennissant. Il donna un coup de rênes pour contourner l'obstacle et regarda de quoi il s'agissait, en passant : une traînée de sang mêlée à des empreintes, et un tas déchiqueté de peau et d'os qui ne ressemblait plus à aucun animal.

Il vit la cabane à travers les derniers trembles : une forme géométrique solide et artificielle, inattendue et improbable. Pendant une seconde, il crut la connaître – il crut la connaître en entier, même ce qui se trouvait à l'intérieur. Mais ce n'était pas cet endroit, ce n'était pas cet endroit, il le comprit pendant qu'ils finissaient de traverser la petite clairière où les arbres avaient depuis longtemps été abattus pour construire la cabane elle-même, et où rien n'avait poussé à la place.

Les chevaux s'immobilisèrent à environ une vingtaine de mètres de la cabane.

« C'est à Emmet ? demanda-t-il.

— Non. On n'est pas sur ses terres. »

L'encadrement de la porte semblait correspondre à une plus petite race d'homme. Il n'y avait plus de battant, et la pénombre régnait à l'intérieur. La toiture ressemblait à une carcasse en pin tordu au sommet de laquelle s'accrochait une cheminée en pierre.

« Les chevaux n'aiment pas s'approcher trop près, déclara Carmen.

— Pourquoi ?

— Je ne sais pas. »

Sans mettre pied à terre, ils observèrent la cabane.

« Qu'est-ce qu'il y a à l'intérieur ?

— Je ne sais pas. Je ne suis jamais allée voir. »

Ils laissèrent les chevaux et marchèrent en direction de la cabane. Le genou du garçon s'était raidi en selle, et chaque pas était comme un piège se refermant sur les os. Carmen remarqua qu'il avait le visage figé sous l'effet de la douleur. Ils continuèrent d'avancer. Elle franchit le seuil et le garçon, se penchant, la suivit. Une fenêtre avait été pratiquée dans le mur du fond, et au moment où ils pénétrèrent dans la pièce, un animal au corps noir et allongé déguerpit.

Ils regardèrent autour d'eux, comme s'ils visitaient pour louer l'endroit. Il n'y avait qu'une seule pièce, et ils ne trouvèrent aucune trace d'occupant précédent, pas même des cannettes de bière vides laissées par des chasseurs de passage, ou des adolescents en quête d'intimité. Sur le sol en pierre de l'âtre, il n'y avait que de la suie et le même manteau de poussière grise qui recouvrait le sol en terre, celui-ci dur comme la pierre et pourtant légèrement évasé en son centre, à croire qu'un être humain y avait travaillé sans relâche. Ils se placèrent tous deux sans s'en rendre compte dans le creux et restèrent dos à dos, leur respiration se condensant devant eux, épaisse et blanche.

« Quelqu'un a vécu ici autrefois, déclara-t-elle.

— Peut-être, fit-il. Si ça se trouve, c'était juste pour la chasse. »

Elle frissonna et croisa les bras. « Je crois que quelqu'un a vécu ici. » Elle regarda autour d'elle et huma l'air. Puis elle se tourna vers Sean, et dans la faible lumière il lui sembla plus vieux et plus aguerri que le garçon de l'école dont elle se rappelait, et son cœur chavira curieusement. Elle tourna les talons et sortit.

Il resta là, seul, s'efforçant d'imaginer un homme construisant la cabane. Maniant la hache pour dégager le terrain, arbre après arbre. Ôtant les écorces, imbriquant les bûches les unes dans les autres, renforçant les angles et creusant les ouvertures. De longues nuits à se balancer dans son fauteuil devant les flammes, en fumant une pipe tandis que le vent sifflait dehors. Rêvait-il de compagnie ? Rêvait-il de femmes ?

Dehors, Carmen avait trouvé une souche, l'avait dégagée de son chapeau de neige en forme de champignon, et s'était assise, jambes étendues devant elle. Il sortit de la cabane, et elle dégagea une seconde souche, sur laquelle il s'installa. Les juments levèrent la tête pour les observer.

« J'avais jamais touché un cheval avant ceux-là, fit-il.

— T'aurais pu tomber sur pire, répondit-elle. Emmet m'a raconté que quand il a acheté ces juments, le propriétaire préférait lui en vendre une avec un autre cheval. Il était sûr que c'était pas bon d'avoir deux sœurs ensemble. Il disait qu'elles n'apprendraient jamais à être indépendantes, qu'il n'arriverait pas à les travailler, ou un truc comme ça. Mais quand Emmet a vu comment ces deux-là se comportaient, comment elles restaient proches l'une de l'autre, il a dit qu'il n'avait pas besoin d'en voir plus. Il a dit que si elles restaient toujours collées ensemble, il n'aurait pas à s'inquiéter d'en voir une se barrer avec sa femme sur le dos, quand ils les monteraient. »

Elle s'interrompit, s'aperçut que le garçon l'observait.

« Quoi ?

— Rien », répondit-il. Il sortit ses cigarettes et en alluma une.

Elle ne le quitta pas des yeux, et il dit, la cigarette en l'air : « Ça te gêne ? »

Elle secoua la tête. « J'aime pas fumer, mais j'aime l'odeur. » Ses narines se dilatèrent presque imperceptiblement, et elle se tourna vers les chevaux. « Mon père fumait, c'est peut-être pour ça. Je ne l'ai plus revu depuis mes sept ans, ajouta-t-elle.

— Il est où ?

— Je ne sais pas.

— T'as pas envie de le revoir ?

— Pourquoi je voudrais revoir un homme qui ne veut pas me voir ? »

Il se débarrassa de sa cendre. Il lui avoua qu'il n'avait pas vu sa mère depuis plus d'un an, mais qu'il savait exactement où elle se trouvait.

« Pourquoi tu ne l'as pas vue ? »

Il haussa les épaules, décroisa les chevilles pour les recroiser dans l'autre sens, et le mouvement relança la douleur dans son genou : des décharges indignées traversant le cœur de l'articulation, où les os s'appuyaient les uns contre les autres.

Carmen se leva et se dirigea vers les juments. « Tu sais ce que j'ai vu, une fois ?

— Quoi ?

— J'ai vu la chienne, Lola, se mettre sous les chevaux et rester là, à l'ombre. »

Elle se tourna vers lui, le fixa, et attendit qu'il comprenne ce qu'elle était en train de dire. À savoir qu'elle savait que ce n'était pas une des juments qui avait fêlé les côtes de la vieille chienne.

Ils rentrèrent par un autre chemin en suivant ce qui restait d'un sentier s'enfonçant dans un étroit défilé planté de sapins luxuriants qui obligèrent les juments à marcher en se touchant, leurs croupes rebondissant l'une contre l'autre, l'étrier gauche de Sean cliquetant contre le droit de Carmen. Le soleil descendait déjà vers l'ouest, et ils cheminèrent lentement, suivant des traces de cerfs et les empreintes de sabots qui dataient de son dernier passage. Elle parla des universités auxquelles elle avait postulé, expliquant sobrement leurs avantages et leurs défauts, et lui confiant ce à quoi elle pouvait raisonnablement s'attendre, mais aussi ce qu'elle espérait. Ils avaient peut-être fait deux kilomètres sur le chemin lorsque la jument du garçon renâcla et se mit à accélérer l'allure. Il tenta de tirer sur les rênes, mais elle ne fit que secouer la tête avec fougue tout en poursuivant son chemin. L'autre jument lui emboîta le pas, et lorsqu'elles furent à la même hauteur, le garçon remarqua : « Elle m'ignore carrément.

— Elle sent l'écurie.

— Quoi ?

— L'odeur de l'écurie l'enivre. Ne le prends pas pour toi.

— Ne le prends pas pour toi, t'entends ça ? souffla-t-il à l'intention de sa monture. Après toutes les pommes que je t'ai données.

— Si tu lui faisais faire demi-tour, elle t'écouterait à nouveau. Mais pour ça, il faudrait arriver à faire demi-tour.

— Je vais tenter ma chance.

— Tu vas lui montrer qui est le patron ?

— Exactement.

— Fais voir, cow-boy. »

Le garçon jeta un coup d'œil autour de lui. « Y a pas la place de faire demi-tour ici.

— T'as déjà assisté à un rodéo ?

— Non. Pourquoi ?

— Un cheval peut s'enrouler sur lui-même comme un serpent.

— Un autre cheval. Pas celle-là.

— À mauvais ouvrier, point de bons outils. »

Il la dévisagea. « Où est-ce que t'as entendu ça ?

— Un homme l'a dit une fois devant moi.

— Quel homme ?

— Quel homme ? (Elle fit la moue.) Un homme qui s'appelle Grant Courtland.

— C'est bien ce que je pensais.

— Tu le connais ?

— Vaguement. Et tu sais quoi ?

— Quoi ?

— Il connaît rien aux chevaux. »

Elle renversa la tête en arrière et rit.

Bien avant d'arriver au virage qui se dessinait devant eux, les deux juments couchèrent les oreilles et s'ébrouèrent, balançant la tête dans l'encolure de la voisine, se serrant l'une contre l'autre, coinçant les jambes des cavaliers. Carmen tira sur ses rênes en s'exclamant « Holà, ho », et le garçon s'efforça de rester en selle. Puis ils entendirent ce que les juments avaient déjà perçu : les accords aigus d'une guitare électrique, et les basses profondes qui faisaient vibrer l'air. Le bruit s'intensifia, les bêtes continuèrent d'avancer, à la lutte contre leurs cavaliers, et pour finir ils atteignirent tous le virage, où ils virent la voiture. Les juments s'arrêtèrent en soufflant bruyamment.

Il avait quitté la route du comté pour s'arrêter sur le vieux chemin, s'engageant suffisamment pour les empêcher de passer. Ils ne pouvaient pas non plus faire un détour dans les bois, à cause des arbres trop nombreux et trop denses. Il avait laissé le moteur tourner, et baissé la vitre, et il était appuyé contre le pare-chocs arrière, avec son blouson de cuir noir, comme une extension de la voiture elle-même, et aussi immobile à l'exception du mouvement de son pouce qui pianotait sur le clavier de son téléphone.

Carmen jeta un coup d'œil au garçon, puis se souleva légèrement sur sa selle en lançant : « Hé », puis plus fort : « *Hé* », jusqu'à ce que Billy, sans même lever les yeux de son téléphone, brandisse sa main libre pour lui faire signe de patienter. Au bout d'un moment, il glissa le portable dans sa poche et se tourna vers eux, l'air innocent, enfin prêt à entendre ce en quoi il pouvait leur être utile.

Sous les riffs et le rythme des basses, le moteur ronronnait doucement.

« On ne peut pas passer », dit Carmen.

Billy mit sa main en coupe contre son oreille, et elle répéta sa phrase. Il leva un doigt, s'approcha de la portière, se pencha par l'ouverture, et musique et moteur s'arrêtèrent. Le silence régna à nouveau, ponctué seulement par les juments qui continuaient de renâcler et de piétiner sur place, sans relâche.

« Salut », fit Billy. Il leur sourit chaleureusement. « À cheval comme ça, on dirait une carte postale.

— On ne peut pas passer », répéta Carmen.

Il jeta un œil derrière lui, se retourna vers elle et rétorqua « Bien sûr que si. Il y a juste assez de place de ce côté-là.

— Les juments ne vont pas passer près de la voiture.

— Comment ça, elles vont pas passer près de la voiture ?

— Elles vont pas passer près de la voiture, c'est tout.

— C'est juste des chevaux, poupée, ils font ce que tu leur dis de faire. » Il sourit à Carmen, et regarda le garçon, qui jusque-là était resté silencieux. « C'est sympa de voir que tout le monde s'entend bien comme ça, je dois dire. Tout le monde est si avenant. Vous savez ce que j'ai entendu l'autre jour ? »

Ses interlocuteurs ne réagirent pas. Les juments secouèrent la tête.

« J'ai entendu mon vieux fredonner. » Il opina du chef. « Vous y croyez, vous ? »

Un sourire s'esquissa sur le visage de Carmen. Elle se tourna vers le garçon. Puis à nouveau vers Billy.

« Tu vas reculer pour nous laisser passer ? » fit-elle.

Billy soutint son regard. Toujours souriant, mais le rictus à présent se limitait à ses lèvres. « Vous avez été où, au fait ? (Il plissa les yeux.) Vous avez été à la cabane, non ? À la cabane du vieux Santiago ? » Un air de gaîté lubrique se peignit sur son visage. « J'ai connu un gars une fois qui est allé chez le toubib en disant qu'il s'était pris cinq plombs dans le cul. Le toubib a regardé son jean plein de sang, mais il n'y avait pas un seul trou. Alors il a fait : " Putain, je croyais que le vieux Santiago était mort depuis longtemps." »

Il ajouta, s'adressant au garçon : « Quand je te vois assis comme ça sur ton cheval, je me dis que ce vieux schnock est mort et bien mort, en fait. »

Le garçon ne dit mot.

Carmen réitéra : « Tu vas bouger cette voiture, ou pas ? »

Billy la dévisagea. Il effleura du bout de la langue la petite touffe de poils sous sa lèvre inférieure, et sourit à nouveau. « Pourquoi tu me parles sur ce ton ? C'est pas mon cheval sur lequel ton cul est posé ?

— C'est celui d'Emmet.

— Erreur. C'est mon cheval que tu as entre les jambes, poupée. » Il avança vers eux, les juments eurent un mouvement de recul et elles tapèrent du pied. Il s'immobilisa. « Non pas que je sois fier de posséder des canassons pareils. »

Carmen raccourcit ses rênes et s'écria : « Bon, c'était sympa. Vraiment. Mais je fais demi-tour pour rentrer.

— Rentrer ? s'étonna Billy. Avec lui ? »

Elle tenta de faire reculer sa monture, afin de pouvoir faire demi-tour, mais la jument se contenta de se tasser sur place et de secouer la tête.

Billy eut un mouvement de mépris. « Pitoyable. »

Elle finit par obliger violemment la jument à tourner, et celle-ci se cabra, percuta sa sœur avant de retomber sur ses antérieurs, en sens contraire. Carmen tira sur les rênes pour l'immobiliser, se tourna vers le garçon et dit : « Tu viens ? Elle t'obéira maintenant. »

Le garçon observait Billy.

« Sean », fit-elle.

Il quitta les étriers, balança la jambe par-dessus l'encolure, mit pied à terre dans la neige, s'empara des rênes d'une main, et de l'autre saisit un montant de la bride, alors que l'animal secouait la tête. Lorsqu'il l'eut calmée, il s'éloigna d'elle et s'avança vers Billy.

Ce dernier l'attendit, les bras relâchés de chaque côté du corps, souriant placidement. Le garçon s'immobilisa devant lui.

« Qu'est-ce qu'il y a ? fit Billy.

— Tu vas bouger cette voiture ?

— Bien sûr. »

Le garçon attendit.

« Tu veux dire maintenant ? À cette seconde ? Non, je ne crois pas pouvoir faire ça. »

Le garçon se dirigea vers la voiture.

« Tu vas où » ? lança Billy en lui emboîtant le pas.

Le garçon saisit la poignée de la portière côté conducteur.

« Je serais toi je ne ferais pas ça. »

Sean souleva la poignée et ouvrit la portière, et Billy se précipita pour la claquer d'un coup de talon. Le garçon lâcha prise. Le son se répercuta dans les sapins, et les deux juments reculèrent. Carmen tint bon, et fit : « Tout doux, tout doux. » Les yeux écarquillés comme ceux des juments, elle vit Billy s'emparer de la veste de Sean, le plaquer contre le pare-chocs et approcher son visage du sien en s'exclamant : « Tel père tel fils. C'est quoi, votre problème ? T'as rien de mieux à faire que toucher une voiture qui n'est pas à toi ? »

Le garçon n'avait pas résisté. Mais maintenant, alors qu'il avait le visage de Billy tout contre le sien, qu'il sentait ses postillons atterrir sur sa peau, il saisit son assaillant par le blouson en cuir, se dégagea de la voiture, fit volte-face et plaqua à son tour Billy contre la carrosserie.

« Arrêtez, cria Carmen. Sean, arrête.

— Tu ferais mieux de l'écouter, conseilla Billy. Comment tu vas te taper ce petit cul basané si tu peux même plus marcher ? »

Le garçon lâcha un pan du blouson, arma son poing, mais Billy détourna la tête et le coup ne fit que lui effleurer le menton, et avant que Sean puisse remettre ça, Billy l'attira à lui, collant sa tête contre sa mâchoire, comme pour lui dire quelque chose à l'oreille. Le garçon tenta de se dégager, mais Billy maintint sa prise et lui souffla : « Dommage que tu te sois pas battu comme ça quand t'as perdu ta sœur. » Là-dessus, il prit son élan et donna un coup de boule à Sean. Il y eut un claquement sec, et le garçon sentit le sang chaud inonder ses lèvres. Billy recula, le contourna, et le frappa violemment dans le dos. Malgré lui, le garçon s'effondra à genoux dans la neige.

Carmen essaya de faire à nouveau demi-tour, mais en vain. Pour finir, elle enfonça ses talons dans les flancs de la jument, et celle-ci partit au galop, droit devant elle. Carmen regarda en arrière pour voir si l'autre bête la suivait, puis elle lâcha les rênes, laissant sa monture filer sur l'étroit chemin au rythme de son cœur désespéré, l'énorme corps tanguant sous elle. Son chapeau s'envola dans le vent.

Alors qu'il la regardait s'éloigner, Billy ne vit pas le garçon se remettre sur pied, et le coup qu'il reçut à la tempe le surprit. Il vacilla vers les arbres. Il se rattrapa d'une main dans la neige, évitant ainsi de se retrouver par terre, et lorsque Sean avança pour lui mettre un coup de pied, Billy s'empara de sa botte, tira dessus, et Sean tomba à la renverse. Billy s'éloigna, une main sur le front. Le garçon se redressa tant bien que mal, se rua à nouveau sur son adversaire, et lui décocha maladroitement un coup de la main gauche. Billy s'écarta, le repoussa et éructa : « Pauvre con, tu t'es cassé le poignet en me tapant sur la tête. »

Le garçon pivota, et revint à la charge, le poignet gauche levé.

« Arrête. »

Sean frappa, Billy esquiva et le plaqua tête la première contre la voiture. Le garçon, le visage contre le pare-brise, se contorsionna en crachant du sang.

« Je t'ai dit d'arrêter, bordel de Dieu. Elle est partie. »

Le garçon essaya de faire volte-face, et Billy s'empara brutalement de sa main blessée. Sean continuait de se débattre, une grimace de douleur déformant ses lèvres ensanglantées.

« Je rigole pas, décréta Billy.

— Va te faire foutre.

— Que j'aille me faire foutre ? Vraiment ? » Il tordit le poignet du garçon. « Tu vas t'arrêter, oui ? »

Le garçon détourna le visage et cracha une giclée de sang sur le pare-brise. Sans un mot de plus, Billy donna un coup sec et sentit les os céder tels des brindilles, et ils entendirent tous deux le poignet craquer.

Le garçon se détendit, Billy lâcha prise et recula. Le garçon glissa lentement par terre, et s'assit dans la neige, tenant dans la main gauche son poignet blessé.

Billy, haletant, le dominait de toute sa hauteur. Il cracha et s'essuya la bouche avant de se tourner vers le chemin où la fille avait disparu. Il n'y avait plus aucune trace d'elle ni des chevaux, sinon les empreintes fraîches de sabots, et la forme sombre du chapeau dans la neige.

Il regarda l'asphalte de la route toute proche, et jeta un coup d'œil au garçon, toujours appuyé contre sa voiture, le nez en sang.

Billy secoua la tête. « Quand on se lève le matin, on n'a pas idée de ce qui va nous arriver. » Il leva le regard vers les cimes des sapins, vers la bande de ciel qui s'assombrissait.

Le garçon se tenait le bras. Devant lui, au niveau de la taille de Billy, il vit un ovale argenté avec deux yeux rubis, et une langue fourchue rouge en émail. C'était la ceinture sertie de bijoux du pugiliste, et il distingua sur la surface polie son propre reflet, son visage tordu et sanguinolent, en miniature.

*T'en fais une tête, Dudley.*

Billy sortit son téléphone et le soupesa dans sa paume, comme s'il s'agissait d'une pierre qu'il s'apprêtait à lancer.

« Et merde », lâcha-t-il finalement, glissant l'appareil dans sa poche. Il se pencha pour attraper le garçon par les revers de la veste, mais celui-ci le repoussa, et se remit tout seul sur pied. Ils marchèrent jusqu'au côté passager, Billy ouvrit la portière et attendit que le garçon monte à bord.

« Baisse la tête. » Il trouva un chiffon déjà rouge et le tendit à Sean pour qu'il s'essuie le visage. Il claqua la portière, contourna la voiture, et se glissa derrière le volant. Il prit une cigarette, s'apprêta à en offrir une à son passager, mais celui-ci s'essuyait le visage avec le chiffon, et Billy rangea son paquet. Il alluma sa cigarette et regarda à nouveau son voisin. Puis il se pencha pour fouiller sous son siège, mit la main sur une bouteille, en ôta le bouchon et la tendit à Sean.

« Tiens », fit-il, et le garçon dégagea son visage du chiffon pour voir de quoi il s'agissait. C'était une bouteille de Jack Daniel's à moitié pleine. Il s'empara du goulot et avala une rasade de whisky. Le goût de fer qu'il avait dans la bouche disparut, et le liquide coula dans sa gorge, froid et brûlant à la fois. Il rendit la bouteille à son voisin et frémit, les larmes aux yeux tandis qu'une volute de chaleur se déployait dans ses entrailles.

Billy essuya le sang sur le goulot, but une longue gorgée et replaça la bouteille sous le siège avant de tourner la clé de contact. Un riff de guitare électrique retentit, qu'il fit taire aussitôt d'un coup sec. Il resta là un bon moment à regarder à travers le pare-brise en secouant la tête. Pour finir, il activa les essuie-glaces, et ils observèrent tous deux le sang s'étaler sur la vitre, déformant le monde en longs arcs de cercle sanglants.

# 45

Alors que Grant sortait de la camionnette, la porte rouge s'ouvrit, et la vieille chienne sortit en boitillant pour l'accueillir, ses bandages gris de poussière. Il s'avança jusqu'au perron, s'arrêta. Maria se tenait dans l'entrebâillement, une main sur la porte et l'autre sur le chambranle, comme si elle hésitait à le laisser entrer.

« Je suis en retard, dit-il. Désolé. »

Elle le fit attendre encore un peu, le sac d'outils en toile à la main, façon sac de voyage, puis elle sourit et ouvrit la porte en grand. « Pas de souci, répondit-elle. On n'est pas aux pièces. »

Il essuya ses bottes sur le paillasson et entra, passant près d'elle et respirant son odeur, doux mélange de parfum, de cuisine et de vin.

« Tu veux me donner ta veste ? »

Il baissa les yeux sur la vieille veste en toile qu'il portait, l'épousseta.

« La seule autre que j'ai me donne l'impression d'aller à mon propre enterrement.

— J'adore cette veste. Mais tu vas avoir chaud si tu la gardes.

— Je ferais peut-être mieux de m'occuper de cette porte d'abord. À moins que le dîner soit prêt.

— On a le temps. Mais Grant, franchement, je te donnerai à manger, je te promets.

— Moi aussi, je t'ai fait une promesse. »

Elle le mena à l'arrière de la maison – traversant la cuisine et ses odeurs d'ail chaud, de viande mijotée et de pain frais, ce qui réveilla soudain son estomac –, jusqu'à la petite buanderie.

« Je peux t'offrir quelque chose à boire ? Un verre de vin ? »

Derrière elle, la chienne se coucha sur le sol en émettant un grognement, pour observer Grant.

« Zut, fit-il. J'ai oublié le vin. »

Elle secoua la tête et pressa deux doigts contre sa poitrine. « Je suis italienne, tu te souviens ? Si le shérif voyait ma planque, il m'arrêterait. Je vais te servir un verre.

— Tu devrais pas. Pas encore. J'ai des outils tranchants ici. »

Il déverrouilla la porte de derrière, tourna la poignée et ouvrit le battant d'un geste sec, faisant trembler le vieux panneau en verre.

« Je peux t'aider ?

— Non, madame. »

Elle resta à l'observer.

« Mais tu peux me tenir compagnie, ajouta-t-il. À moins qu'on ait besoin de toi en cuisine. »

Elle fit mine de jeter un coup d'œil par-dessus son épaule. « Je crois qu'ils contrôlent la situation. Je vais chercher mon verre. »

La porte s'affaissa sur ses gonds. Il la referma et examina les interstices. Puis il prit dans le sac marteau et tournevis, et fit levier pour décoller les charnières. Il souleva le battant, et libéra la porte, qu'il posa par terre, à côté. Le crépuscule froid pénétra à l'intérieur.

« Je vais faire vite, dit-il.

— Non, prends ton temps. »

Il se mit à dévisser les vis, et ce faisant il lui expliqua pourquoi il était en retard : il avait surpris Emmet sur une échelle, en train d'enlever la glace d'une gouttière avec un tournevis. Il avait passé environ une heure à convaincre le vieil homme de descendre, puis il avait pris sa place pour finir le boulot, et ensuite il avait passé encore plus de temps à le faire entrer chez lui et à s'assurer qu'il resterait au chaud pour la soirée.

Il leva les yeux, Maria le regarda – jusque-là elle avait contemplé ses mains à l'œuvre – et elle sourit. « Il a de la chance de t'avoir, remarqua-t-elle.

— Il s'en sortait très bien avant.

— Je veux dire en général.

— Moi aussi.

— Si pour toi se casser la jambe veut dire s'en sortir très bien.

— Il apprécie un coup de main de temps en temps. C'est juste qu'il ne supporte pas l'idée d'en avoir besoin.

— Il n'aime pas vieillir.

— Il est comme ça. » Grant ouvrit sa pochette de ciseaux à bois sur le sèche-linge, et en choisit un. Il se mit à creuser de nouvelles mortaises dans le champ de la porte et sur le chambranle, tapant doucement sur son ciseau avec le marteau.

Maria sirotait son vin. « Je crois qu'il rajeunit en fait, depuis que vous êtes là. Toi et Sean. Il a un éclat dans les yeux qu'il n'avait pas avant.

— C'est l'éclat du mal. »

Elle rit. « Le mal incarné.

— Je ne rigole pas. Rien d'innocent ne sort de sa bouche.

— Qu'est-ce qu'il dit ? »

Il présenta la charnière et reprit le ciseau pour enlever encore quelques fins copeaux de bois.

« Il a deux, trois trucs à dire sur ce qui se passe ici, répondit-il sans lever le nez.

— Ce qui se passe ici ? » Elle n'allait pas l'aider. « Comment ça, ce qui se passe ici ? »

Il fit tomber un copeau de bois par terre et replaça le ciseau. « Le fait que je vienne chez toi. Et que j'aille au café.

— Et alors ?

— Il n'en parle jamais directement. Il est trop malin pour ça.

— Je vois. (Elle l'observa.) Ça te gêne ?

— De quoi ?

— Qu'il soit si malin.

— Nan. » Il replaça la charnière, tapa dessus avec le manche du ciseau, et elle s'imbriqua parfaitement dans le bois. « Mais pour Sean, c'est pas gagné. Surtout si le vieux le cherche sur ce terrain-là.

— Quel terrain ? »

Il fixa une mèche sur sa perceuse et fit des trous pour les nouvelles vis. « Oh, il a pas arrêté aujourd'hui de parler de Sean et Carmen.

— Sean et Carmen ?

— Mon fils et ta…

— Oui, merci. Je sais. Mais qu'est-ce qu'il avait à dire sur eux ?

— Il paraît que les deux juments sont sorties se balader avec les deux gamins sur le dos, cet après-midi. »

Elle leva son verre et dit avant de boire une gorgée. « Ça te gêne ?

— De quoi ? » Grant changea la mèche et la regarda. « Pourquoi ça devrait me gêner ? »

Lorsque les vis furent mises, il souleva le battant et l'approcha du chambranle. Il positionna les gonds face à face, mit celui du haut en place, puis celui du bas, et enfin, il les enfonça avant de pousser la porte, qui se ferma avec un bruit sec et précis. Il fit à nouveau un essai, et comme rien ne gênait, il ferma le verrou, rangea les outils, s'empara du balai et commença à nettoyer.

« Laisse-moi faire ça au moins », s'exclama-t-elle, mais il secoua la tête. Le ménage faisait partie du boulot, répliqua-t-il, et parfois c'était ce qu'il préférait, même si ce n'était pas le cas cette fois. Elle lui demanda ce qu'il préférait cette fois, et il sourit en disant qu'il n'était pas encore sûr, mais que jusqu'à présent c'était l'odeur du repas qu'il avait sentie pendant qu'il travaillait. Elle sourit, mais pas comme elle en avait l'habitude.

« Écoute, fit-elle au bout d'une minute. J'ai quelque chose à dire…

Il cessa de balayer.

Elle n'avait mangé que deux olives noires, elle sentait l'arôme du vin sur ses papilles, et percevait l'effet de l'alcool dans sa façon de parler, mais elle poursuivit néanmoins. « Écoute, répéta-t-elle. Je ne sais pas exactement ce que c'est, notre relation. Tu vois ? Je ne saurais pas la décrire, mais je sais qu'on ne peut pas dire qu'on est en couple. Je sais que ce n'est pas pour ça que vous êtes ici, dans le Colorado. Toi et Sean. Et je veux juste que tu saches que j'en ai conscience. Tout le monde le sait.

— Tout le monde ? »

Elle but une gorgée.

« Qu'est-ce que les gens savent ? demanda Grant.

— Ils savent que tu... » Elle croisa son regard, le soutint, sourit et haussa les épaules. « Ils savent que tu n'es pas ici pour nous. »

Grant baissa les yeux sur la petite pile d'écailles de peinture et de copeaux de bois à ses pieds, puis il regarda à travers le vieux panneau en verre de la porte, mais la nuit était tombée et il distingua seulement le reflet de son propre visage incliné, et la silhouette de la femme derrière lui.

« Je n'arrive pas à croire qu'elle ait disparu, déclara-t-il sans se tourner vers elle. Tu le savais ? »

Maria hocha la tête, puis répondit : « Oui.

— Comment tu le savais ? »

Elle l'observa. « Parce que tu es son père. »

Il acquiesça aux reflets dans la glace.

« Sans preuves, dit-il, sans preuves irréfutables, un père ne peut pas arrêter d'y croire, n'est-ce pas ?

— Non.

— Même quand tout le monde a laissé tomber, et que chacun est retourné à sa vie et à ses occupations, un père continue d'y croire, parce que sans preuve, personne ne peut anéantir sa foi.

— C'est vrai. »

Il acquiesça encore, et resta silencieux un bon moment. Elle examina son dos, ses épaules.

« Mais ce n'est pas de la foi, poursuivit-il. Ce n'est pas de la foi. S'il y a eu de la foi, sous quelque forme que ce soit, elle a été détruite par quelque chose d'autre. Elle a été démolie par quelque chose d'autre. »

Elle continua de l'observer. En tenant son verre de vin à deux mains.

« La foi n'a jamais résisté au scepticisme », affirma-t-il.

Au bout d'un moment, elle répéta : « Au scepticisme ?

— Le scepticisme face au monde, expliqua-t-il. Sa façon d'être. Sa façon de fonctionner. Son Dieu. »

Elle attendit qu'il continue.

Il reprit : « Je reste parce que je suis sceptique. Je suis sceptique. Je n'ai pas d'espoir. Je ne prie pas. Je suis sceptique. Je suis sceptique, je rejette et je renonce, et il n'y a rien de plus à dire sur moi. »

Il fit volte-face. Son expression était parfaitement maîtrisée, son regard détaché et calme. Puis il la vit devant lui, et elle perçut le changement dans ses yeux, sur son visage, comme s'il venait de pénétrer dans une nouvelle lumière.

« Excuse-moi, fit-il.

— Pourquoi ?

— Je ne sais pas. Tu es quelqu'un de bien. Tu es une femme bien. »

Elle le dévisagea, puis parcourut la buanderie du regard : un objet, et un autre, rien de particulier. Elle s'essuya la joue, renifla, puis sourit. « La vache, tout ce que je voulais, c'était faire un bon dîner, et toi, tu me balances ça. »

Il soutint son regard. Ne trouva rien à répondre.

Il fit un pas vers elle, mais à cet instant la chienne se mit sur ses pattes et sortit de la cuisine. Ils entendirent la porte de devant claquer, et peu après Carmen apparut, la chienne sur les talons. Elle s'approcha avant de s'immobiliser devant l'étrange tableau qui se présentait à elle : sa mère, les yeux humides, tenant un verre de vin, et Grant Courtland, derrière elle, vêtu de sa veste en toile, un balai à la main.

## 46

Le jeune homme dans son lit n'entendit pas le déclic de l'interrupteur. Il ne sentit pas non plus la lumière à travers ses paupières. Il continua de dormir comme avant, bouche ouverte, rêvant à Dieu sait quoi. Il était couché sur le côté en chien de fusil, le visage face à la lampe, les cheveux éparpillés sur les yeux, un poing émergeant de la couverture près de son menton. L'air sentait la cendre froide, l'haleine alcoolisée, et l'odeur fétide de l'intérieur humide de ses bottes en cuir. Et il aurait continué de dormir s'il n'y avait eu un bruit dans la pièce, un bruit qu'il entendit et qu'il sentit, comme un coup dans la tête de lit, et qui le réveilla en sursaut. Il cligna des yeux dans la lumière – « Quoi ? » – en levant la tête. Il se tourna vers la lampe, puis regarda autour de lui.

Une silhouette était assise au-delà du halo lumineux de la lampe, bien droite sur une petite chaise, tel un médecin ou un prêtre.

« Qu'est-ce que tu fous, papa ? » s'exclama-t-il, la bouche pâteuse, et la silhouette se pencha en avant, les coudes posés sur les genoux, les mains croisées. Le visage s'éclaira, et Billy l'observa, abasourdi. Derrière l'homme, la porte était ouverte.

Le réveil matin affichait 3 h 35.

Billy se déplia et s'étira en bâillant. Il fit un bruit de bouche, puis demanda : « Depuis combien de temps vous êtes assis là ? »

Grant le scruta : les cheveux gras et tombants, les yeux creux, cette bouche.

« Pas longtemps.

— Très bien. » Billy se redressa, posa la tête contre le rebord de son lit, l'oreiller tassé dans la nuque. Cette nouvelle posture et l'angle de son cou lui donnaient l'air d'un homme incapable d'adopter une position plus confortable.

Il examina son visiteur et fit : « Quoi de neuf, Grant ?

— Je n'arrivais pas à dormir.

— Vous n'arriviez pas à dormir.

— J'étais allongé là-bas, j'essayais de dormir, mais je n'y arrivais pas. Donc je me suis levé et je suis venu ici. Je me suis dit qu'en parlant un peu ça irait peut-être mieux. »

Billy l'observa. Il huma l'air, mais ne sentit aucun relent d'alcool.

Grant examinait ses propres doigts.

« Vous ne pouviez pas trouver quelqu'un d'autre pour discuter ? demanda Billy. Le vieux de l'autre côté du couloir, il dort jamais. Vous auriez pu lui parler jusqu'à la saint-glinglin.

— Ça ne le concerne pas.

— Ah bon ?

— Non.

— Et moi, ça me concerne ?

— Oui. »

Billy sourit, agita un doigt, et déclara : « Je parie que ça concerne aussi votre fiston. Je me trompe ?

— Non.

— Alors pourquoi ne pas lui parler à lui ?

— Je lui ai parlé, avant. Mais ils lui ont donné des calmants, à l'hôpital, et il dort, maintenant.

— Ils lui ont donné des calmants à l'hôpital ?

— Oui.

— Pourquoi ?

— C'est ce qu'ils font quand un poignet est cassé.

— Il s'est cassé le poignet ? »

Grant le dévisagea. De son étrange position, Billy l'imita. « Et vous pensez que j'ai quelque chose à voir là-dedans.

— Oui.

— Parce que c'est ce qu'il vous a dit.

— Non. Il m'a dit que la jument l'avait foutu par terre.

— Ouais, ça arrive.

— La fille a une version différente.

— Quelle fille ? »

Grant se gratta la joue. Billy ne quitta pas sa main des yeux jusqu'à ce qu'elle redescende.

« Tu sais très bien quelle fille », répondit Grant. Il entendait la respiration du jeune homme, et Billy percevait également la sienne.

« Et maintenant vous voilà, s'exclama Billy. Vous rentrez dans la chambre d'un mec pendant qu'il dort. Bah, on fait ce qu'on peut, Grant. Mais avant tout, il y a quelque chose qu'il faut que vous sachiez, et je crois que personne ne vous en a parlé.

— C'est quoi ?

— C'était un combat à la régulière. À la régulière. Et si votre fiston s'est cassé le poignet, c'est seulement parce qu'il n'a pas su quand s'arrêter. Il ne sait pas se battre, désolé de le dire, mais en même temps il n'a peur de rien.

— Un combat à la régulière, répéta Grant. Qu'est-ce qu'un merdeux comme toi sait d'un combat à la régulière ? »

Jusqu'à cet instant, Billy avait eu un regard vitreux, qui s'était légèrement éclairé au fil de la conversation. Mais à présent, il avait un éclat dur et étincelant dans les yeux.

« Je regrette que Junior ne sache pas mieux se battre, lâcha Billy. Mais la conversation est terminée. » Il tendit la main vers l'interrupteur, éteignit la lampe, puis tourna le dos à Grant en donnant un coup de poing à son oreiller. « Fermez la porte en sortant. »

Grant resta assis comme avant, tel un homme qui veille, ses yeux s'ajustant à la pénombre. La lune avait surgi par la fenêtre exposée à l'ouest, blanche comme l'œil d'un aveugle. Suffisamment lumineuse pour y voir clair. Le tic-tac de l'horloge résonnait au pied des escaliers.

« T'en es où avec Dieu, Billy ? » dit-il, mais le jeune homme ne broncha pas. Puis finalement il soupira, excédé, et ronchonna : « Pire qu'une bonne femme. » Puis il se tourna vers Grant. La lueur de la lune se reflétait faiblement dans ses yeux. « Qu'est-ce que vous voulez ? Des excuses ?

— Je veux que tu répondes à ma question. »

Billy l'examina. Il secoua la tête, se hissa à nouveau contre la tête de lit, et s'empara de son briquet et de ses cigarettes, qui se trouvaient près de la lampe. Il actionna la pierre, une flamme jaillit et son visage s'illumina de manière grotesque, avant de s'évanouir à nouveau dans la pénombre.

« Où j'en suis avec Dieu ? C'était ça la question ? » Le bout de la cigarette rougeoya, se ternit. Une volute de fumée bleue se déploya au-dessus de sa tête.

« J'en suis nulle part, Grant. On s'ignore, principalement. Ça répond à votre question ? »

Grant acquiesça, en faisant la moue.

« J'étais comme toi avant, dit-il. Ça posait problème à ma femme. Elle a été élevée dans la religion catholique. » Il ouvrit les mains et observa les deux taches blanches que dessinaient ses paumes. Puis il raconta à Billy ce qu'il avait raconté au garçon, à savoir l'histoire de deux jeunes filles de seize ans, Angela et Faith, des jumelles, et leur petite sœur, encore bébé, sur le ponton. Il lui raconta le bruit de la chute dans l'eau, le plongeon, et le bouche-à-bouche tandis que Faith ne réapparaissait toujours pas, et qu'elle ne réapparaîtrait pas.

Billy se débarrassa de sa cendre dans un cendrier en verre. « Votre femme a perdu sa sœur », remarqua-t-il, et Grant fit : « Oui. Mais ça l'a rapprochée de Dieu. Elle l'a mieux compris, après. Elle a compris qu'Il était responsable de tout ce qui se passait dans le monde, les belles choses comme les plus laides, les joyeuses comme les odieuses. Elle a compris que rien ne Lui était étranger. Qu'Il était présent dans une belle journée d'été au bord du lac, et présent quand ce jour-là une sœur jumelle trouvait la mort. Qu'Il était fantasque et violent et cruel. Parce qu'on ne peut pas parler au monde. On ne peut pas prier le monde, ou l'aimer ou le condamner. Avec le monde, il n'y a pas de discussion possible. Et sans discussion on ne peut pas se mettre d'accord, et si on ne peut pas se mettre d'accord, on ne peut pas connaître la grâce.

— Ou la damnation », rétorqua Billy, et Grant riposta : « Non. C'est ça la damnation, justement. Ça t'ennuie si je t'en prends une ? »

Billy lui dit de se servir, ce qu'il fit.

Ils restèrent silencieux, à fumer. La lune restait dans le coin du carreau, comme coincée là. Le tic-tac de l'horloge perdurait.

« J'ai rien compris de tout ça avant que ma fille me soit enlevée, reprit Grant. Je n'avais jamais parlé à Dieu avant, même pas pour Lui demander de veiller sur mes enfants. Je croyais que les choses terribles qui se produisent dans le monde tous les jours ne pouvaient pas m'arriver, ni à ma famille. J'imagine que tous les hommes le croient. Jusqu'à preuve du contraire, on a tendance à penser que le mal ne peut pas atteindre ceux qu'on protège avec son amour. Et puis un jour, un homme te prend ta fille. Il la prend et l'emporte. Il n'a pas de nom et pas de visage, cet homme, et il repart dans les ténèbres d'où il vient, avec ta fille. Qu'est-ce qu'on peut faire en tant que père, devant autant de cruauté, sinon demander au Dieu auquel tu n'as jamais cru de te la ramener ? Et s'Il ne te la ramène pas, ou ne te montre pas comment la trouver, alors il faut s'accorder, il faut s'entendre sur un autre terrain. Un autre terrain d'entente. Je n'ai jamais cru en Dieu, tout comme je n'ai jamais cru qu'il existe d'homme véritablement mauvais. Que ce genre d'individu ait le pouvoir de m'atteindre. »

Le bout de la cigarette rougeoya, puis se ternit à nouveau.

« Maintenant, je demande à ce Dieu, s'Il ne me rend ma fille, de me donner au moins mon homme mauvais. Au moins ça. Je passe mes nuits à rêver de ça et de rien d'autre. À rêver de tenir cet homme entre mes mains. Je me réveille avec le goût de son sang dans la bouche. En fait, je m'aperçois que j'ai tellement grincé des dents dans mon sommeil que j'ai les gencives qui saignent, ou que je me suis mordu les lèvres. »

Il marqua une pause. Tira sur sa cigarette. Et parut presque sourire.

« À une époque, poursuivit-il, je voyais un type et je le suivais. Ça pouvait être n'importe qui. Je le repérais et je le suivais, parfois jusque chez lui. Je ne pouvais pas m'en empêcher. Comme celui que je cherchais. C'était plus fort que moi. Je crois que ton frère, Joe, a fait en sorte que je puisse vivre ici pour m'éloigner de ces hommes là-haut dans la montagne. »

Ils fumèrent, les volutes de fumée flottant et se mêlant dans l'espace entre eux deux. Quelque part dans la pièce, un bourdonnement faible mais régulier s'entendait, pareil à celui d'un insecte frénétique.

« Bref, fit Grant. Voilà où j'en suis avec Dieu. S'il ne me rend pas ma fille, il me doit au moins un homme mauvais. Et tu veux savoir le comble ? Le comble, Billy, c'est que peu m'importe maintenant de savoir si c'est le bon. J'en suis au point où n'importe lequel fera l'affaire. »

Billy sembla examiner le bout de sa cigarette. Il tira sur la barbichette sous sa lèvre inférieure.

« Et vous croyez pouvoir décider ça tout seul ? Vous croyez pouvoir décider si un homme est assez mauvais pour le tuer ou non ? C'est avoir une haute opinion de vous-même, non ?

— Avoir le pouvoir de décider importe peu, Billy.

— Ah non ?

— Non.

— Qu'est-ce qui compte alors ? »

Grant observa ses mains. Ses doigts pâles entrecroisés. « Dieu, répondit-il.

— Dieu ? » répéta Billy, et Grant hocha la tête.

« Si Dieu a fait en sorte qu'un homme croise le chemin de ma fille et l'enlève, alors j'attends en retour qu'Il en mette un autre sur ma route. Je l'exige.

— Et comment vous saurez que c'est lui, Grant ? Comment vous le reconnaîtrez ?

— C'est la partie la plus facile », répliqua Grant, et il leva les yeux. Billy vit au fond de ses orbites deux petites ouvertures dans lesquelles brûlait une flamme bleue. « Je reconnaîtrai cet homme parce qu'il sera celui qui a tenté de s'en prendre à quelqu'un que j'aime. »

Billy le dévisagea et Grant fit de même, sans bouger de sa chaise. Ils restèrent ainsi silencieux un bon moment, jusqu'à ce que Grant se penche en avant pour écraser sa cigarette dans le cendrier en verre, puis pose ses mains sur ses genoux et se redresse. Une soudaine lassitude parut l'assaillir comme il s'inclinait pour prendre le fusil appuyé contre le dossier de sa chaise.

« C'est à ça que je pensais là-bas, déclara-t-il. Voilà pourquoi je n'arrivais pas à dormir. »

Billy ne quitta pas le fusil des yeux dans la pénombre, l'éclat bleu de la lune se reflétant sur le double canon. Grant se tourna vers la porte et s'immobilisa. Ni l'un ni l'autre ne savait depuis quand le vieil homme se tenait là, mais lorsqu'ils le virent, ils comprirent que cela faisait un bon bout de temps.

« Désolé de t'avoir réveillé, Em », fit Grant, et il passa devant lui pour descendre l'escalier. Emmet l'observa jusqu'à ce qu'il atteigne le rez-de-chaussée, passe le coin et disparaisse.

Le vieil homme se tourna alors pour regarder son fils dans le lit. « Qu'est-ce que t'as encore fait ?

— Moi ? T'es aveugle en plus maintenant ? T'as pas vu ton pote, là, avec un fusil dans ma chambre en plein milieu de la nuit ? »

Emmet n'avait pas enfilé de peignoir, et sous son fin pyjama il semblait trembler.

« Je veux que tu quittes cette maison.

— Quoi ? Comment ça ?

— J'ai dit : je veux que tu quittes cette maison. Tu as dépassé les bornes, Billy »

Billy le fixa, puis s'effondra sur son oreiller dans la lueur de la lune, en riant.

« Espèce de vieux fou, lâcha-t-il. Tu ne peux pas me virer de ma propre baraque, putain.

— C'est pas ce que je fais, mon petit gars. Je te vire de la mienne. »

Billy resta allongé, les yeux vers le plafond. Puis il bougea, et Emmet vit un éclair au centre de la pièce, comme si un fantôme venait de cligner de l'œil, ou comme si une lune s'était mise à tournoyer sur elle-même. L'instant suivant, quelque chose éclata contre le chambranle de la porte, à gauche de sa tête. Il resta quelques secondes à observer les débris de verre et de mégots de cigarettes par terre, avant de reculer, et de fermer le battant derrière lui.

# 47

Grant venait de poser le pied sur la première marche de la véranda lorsque la porte à moustiquaire s'ouvrit. Emmet sortit à reculons, une tasse isotherme en aluminium dans sa main gantée. Il vit Grant et s'immobilisa.

« Tu es debout de bonne heure, lança-t-il.

— Toi aussi.

— Il n'est pas si tôt. » Il s'agrippa à la rampe et descendit les marches avec précaution. Il portait son pardessus sombre en bon état, un pantalon et des chaussures noires, et sa casquette d'un rouge flamboyant enfoncée jusqu'aux oreilles. Une fois sur la terre ferme, il leva les yeux et son regard rencontra celui de Grant. « Comment va ton gars ?

— Il dort.

— C'est grave ?

— Pas autant que ça en a l'air. Deux gros yeux au beurre noir, et un nez écrasé.

— Cassé ?

— Quoi ?

— Le nez.

— Non. Juste le poignet. Ils lui ont mis un plâtre.

— Je veux que tu me donnes la facture de l'hôpital, Grant. »

Grant balaya la phrase d'un geste. « Ils se sont juste battus, Em. »

Emmet tendit une oreille pour mieux l'entendre. « De quoi ?

— Ils se sont juste battus.

— Si mon chien se barre et tue les poulets d'un voisin, est-ce que le voisin en question va venir me voir pour me dire : T'inquiète pas Emmet, ils se sont juste battus ?

— Il y a plus flatteur comme comparaison, Em. »

Le vieil homme tendit à nouveau une oreille, et Grant secoua la tête. Il se tourna vers l'angle de la maison, d'où l'arrière de l'El Camino dépassait. Emmet renifla, et regarda le ciel.

« Pourquoi tu me laisses pas t'emmener, Em ?
— Ils ne m'ont pas encore enlevé mon permis.
— Je sais. Mais j'ai envie de conduire.
— Et ton gars ?
— Ça va aller, répondit Grant. Il dort. »

Dans l'enceinte de pins jaunes, quelques bouleaux étaient éparpillés, nus et blancs parmi les tombes. Grant sortit pour se dégourdir les jambes, mais il voyait le vieil homme dans le cimetière, de quelque endroit qu'il se trouve. Celui-ci marcha dans la neige jusqu'à une modeste sépulture en granit rose, puis il se mit à balayer de la main le sommet de la pierre tombale, d'abord à gauche puis à droite, comme elle avait sûrement dû un jour dégager de la neige ou des pellicules de ses épaules. Lorsqu'il eut fini, il ôta sa casquette et s'appuya contre la pierre, dos au cimetière, ses fins cheveux blancs en bataille.

Grant enleva la neige d'un bout de banc et s'assit sur les lattes froides. Le banc faisait face au nord. Par beau temps les montagnes devaient apparaître, s'élevant au-delà des collines, mais ce matin seuls d'épais nuages bas s'étendaient sur le monde, telle une canopée grise. Du coin de l'œil, il vit le vieil homme, appuyé contre la pierre, qui hochait la tête, tendait l'oreille comme pour écouter, acquiesçait de nouveau. Grant sirota son café. Après un moment, le vieil homme se leva, fit volte-face, toucha la pierre une dernière fois et marcha vers Grant. Ce dernier dégagea davantage le banc et Emmet s'installa près de lui.

« Sa famille est enterrée là-bas, dans ce coin, là où il y a le bouleau. Elle voulait être plus proche d'eux, mais les parcelles avaient été vendues depuis longtemps.

— C'est beau, où elle est, fit Grant.

— J'ai acheté deux parcelles pour nous, et deux de plus pour les garçons s'ils en veulent. Sinon, ils pourront toujours les vendre. Ils se feront un bon bénef. (Il marqua une pause.) C'était il y a vingt-cinq ans, et jamais je ne m'étais imaginé que je viendrais m'asseoir ici. »

Malgré le froid et la neige, l'odeur de moisi humide des tombes flottait dans l'air, ou du moins c'est ce que Grant s'imaginait, et il sortit machinalement ses cigarettes avant de les remettre dans sa poche.

« Vas-y, fume.

— Je peux attendre.

— Ça va pas me tuer.

— Ce n'est pas ce que j'ai entendu dire.

— C'était pas le tabac, c'était la putain de chimio. »

Grant sortit à nouveau son paquet, alluma une cigarette, souffla la fumée loin de son voisin, tandis que celui-ci l'observait attentivement. Le vieil homme huma l'air. Il avala une gorgée de café. Puis il tendit nonchalamment deux doigts gantés vers Grant.

« Quoi ? s'étonna celui-ci.

— Donne-moi une taffe.

— Laisse tomber.

— Allez.

— Non.

— Une putain de taffe, bordel. Avec la nuit que j'ai eue. »

Grant le regarda dans les yeux et lui tendit la cigarette.

Emmet tira sur le filtre, retint brièvement la fumée dans ses poumons, avant de l'exhaler lentement, les lèvres en avant. Il rendit la cigarette à Grant, sourit, puis se pencha en avant pour tousser avec une telle violence que son compagnon lui prit le bras.

« Em », souffla-t-il. Il jeta la cigarette et tapota le dos du vieil homme, surpris par la maigreur de son corps sous le manteau, les côtes et la colonne vertébrale saillantes. « Il te faut de l'eau », ajouta-t-il. Emmet secoua la tête, leva sa tasse isotherme, ou du moins tenta de le faire : quelques gouttes de café noir eurent le temps de s'échapper avant que Grant ne pose la main dessus pour la stabiliser et l'approcher du visage gris et déformé du vieil homme. Emmet avala une gorgée, puis une autre. Grant lâcha la tasse et cala son dos contre le dossier du banc.

« Mon Dieu, haleta Emmet en s'essuyant le menton. Sainte mère de Dieu. »

Il s'apaisa, et au bout d'un long moment Grant se pencha en avant : « Je voulais m'excuser pour hier soir, Em. Je ne sais pas ce qui m'a pris. »

Emmet posa la main sur sa casquette rouge pour la rajuster, l'enfonçant en avant, comme un homme affrontant une bourrasque.

« Je lui ai dit qu'il était temps qu'il parte, annonça-t-il.

— Quand ?

— La nuit dernière, après ton départ.

— Qu'est-ce qu'il a dit ?

— Peu importe ce qu'il a dit.

— Je suis désolé, Em.

— C'est pas la peine. (Son regard se tourna en direction de la tombe en granit rose.) Alice... », poursuivit-il avant de s'interrompre. Il se réinstalla sur le banc. « Elle te dirait la même chose. »

Grant massa ses doigts, ses deux moignons sans ongle, aux extrémités dures et presque insensibles ; pourtant parfois, lorsqu'il saisissait une tasse de café ou se grattait la joue, il était encore étonné, comme la première fois, de constater que ses doigts n'étaient soudain plus là. La perte était plus que physique.

Emmet reprit : « Je sais que je l'ai jamais dit, et j'aurais dû. Mais ma maison sera la vôtre, à toi et à Sean, aussi longtemps que vous le voudrez.

— Je te remercie, Emmet. Je ne sais même pas te dire à quel point.

— Mais tu vas quand même partir. Pas vrai ? »

Grant garda le silence.

« Où tu vas aller ? s'enquit le vieil homme sur un ton presque péremptoire.

— Je ne sais pas.

— Tu vas retourner dans le Wisconsin ?

— Je ne sais pas. (Grant examina ses mains.) Je ne me suis pas très bien occupé de ce garçon. S'il se remet en tête de partir... »

Il y eut du mouvement non loin d'eux, et ils se tournèrent de concert : deux cardinaux, des mâles d'un rouge étincelant, étaient perchés sur les branches dénudées d'un bouleau. Derrière l'arbre, la tombe en granit rose se dressait, la seule à ne pas être coiffée de neige. Grant avait vu les mots taillés dans la pierre, mais ne les avait pas lus. Ils indiquaient le nom de la femme dont la dépouille gisait là, ALICE MARGARET KINNEY, avec la date de sa naissance et celle de sa mort, et celui de l'homme assis à ses côtés sur le banc, EMMET THOMAS KINNEY, sans dates, mais avec un espace vide attendant son heure, et dessous étaient gravés les mots MARI ET FEMME, rien de plus. Le visage de sa propre femme lui vint alors à l'esprit, Angela Mary Courtland, même si la mort et les tombes étaient loin de ses pensées.

Il se tourna vers Emmet. Celui-ci l'observait.

« Quoi ? » fit Grant.

Le vieil homme se détourna et secoua la tête. « C'est dur de partir, déclara-t-il. Mais ce n'est pas ce qu'il y a de plus dur, pas vrai ? »

## 48

Le garçon mena les juments dans le champ de devant, les lâcha, et retourna à la grange, en passant, à l'aller comme au retour, devant l'El Camino ; son sang sur le pare-brise avait depuis longtemps disparu, et il n'y avait plus de traces de ce jour sinon la portière enfoncée dans laquelle Billy avait donné un coup de pied.

*Un vrai cow-boy, Dudley. Comme dans la pub Marlboro.*

Dans la grange, il s'empara de la fourche et commença à nettoyer les box. Une chatte noire prit son élan et bondit sur une des selles, à l'affût des étourneaux qui volaient sous la charpente poussiéreuse.

Cela faisait deux samedis qu'il ne l'avait pas vue, et maintenant, le troisième, il était convaincu qu'elle ne viendrait pas ; c'était à lui d'aller la voir, il le savait, mais pour lui dire quoi ? Et était-ce si important, en fait ?

*Si ça n'a pas d'importance, arrête d'y penser.*

*D'y penser ?*

*À elle.*

Il était gêné par le plâtre, mais pas autant qu'au début, et il ne tarda pas à enlever sa veste pour continuer de travailler en tee-shirt. C'est ainsi que son père le trouva, au beau milieu d'une tempête de poussière et de paille, se penchant, plantant et soulevant sa fourche chargée de crottin pour la vider dans la brouette.

« Sean », s'exclama-t-il, et sans s'interrompre, le garçon répondit : « Quoi ? »

Puis il s'immobilisa, se tourna, et vit son père dans la porte d'entrée.

C'était le premier jour d'avril, une belle journée imprégnée de l'odeur du printemps. Elle avait disparu depuis deux ans et huit mois.

Le shérif les retrouva sur l'autoroute, et ils suivirent son 4 × 4 métallisé en direction de Denver. Puis ils empruntèrent la même sortie que lui, et entamèrent à sa suite l'ascension du col permettant d'accéder à Estes Park et Boulder. Le printemps était indubitablement arrivé dans le comté, et les pneus crissaient sur les croûtes de neige en train de fondre qui s'étendaient encore parfois en travers de la route. Les virages s'illuminaient sur leur passage de particules de lumière, poussières de quartz et de mica, et ils se souvinrent tous deux de l'éclat luisant de la piste au printemps : le lustre des lignes blanches sur le noir scintillant, ses longues jambes allant et venant au rythme de ses foulées tandis qu'elle dépassait aisément une fille, puis une autre, et encore une autre. Sa lumière radieuse, sa chaleur, l'odeur du soleil qu'elle dégageait après. Les autres filles, leurs parents se rassemblant en cercle, joyeux, fiers, se félicitant les uns les autres avant de se séparer.

Il n'y avait pas de bruit dans la cabine sinon le souffle du vent qui s'engouffrait par les vitres, et tout en observant les nouveaux arbres de ce nouveau comté, les gorges profondes et au-delà les pentes couvertes de sapins, ils se rappelèrent la première fois où ils avaient roulé sur une route de ce genre – peut-être la même, dans la même montagne –, famille venue des plaines, qui n'avait jamais vu un tel paysage auparavant. Et si ce paysage ne leur était plus inconnu, il leur demeurait malgré tout étranger car il ne les étonnait plus, ne provoquait plus leur admiration ni leur excitation, mais ne faisait que leur rappeler chaque jour, presque au fil des heures, ce qu'il leur avait pris, et ce qu'il avait fait d'eux. Le shérif mit son clignotant, ses feux arrière flamboyèrent, et il quitta le bitume pour tourner brusquement sur un chemin de terre, étroit passage où la lumière du soleil qui lécha leur pare-brise et leurs visages était verte, tremblotante et froide. Le 4 × 4 du shérif et la Chevy se frayèrent cahin-caha un chemin entre les nids-de-poule jusqu'au sommet de la côte, puis ils redescendirent pour déboucher dans une cuvette dégagée où quatre autres véhicules attendaient. Deux d'entre eux étaient des 4 × 4 de la police identiques à celui qu'ils suivaient, et deux autres de banales voitures de randonneurs.

Le shérif Kinney et son jeune adjoint sortirent de leur véhicule métallisé et se dirigèrent vers Grant et le garçon, qui avançaient dans leur direction. Cailloux, aiguilles, et branchages craquaient sous leurs bottes. Le shérif s'immobilisa et les autres policiers l'imitèrent, debout derrière lui, le visage grave. Il serra la main de Grant, comme il le faisait toujours, puis il posa ses paumes sur sa ceinture, et observa le garçon.

« Qu'est-ce qu'il t'est arrivé ? »

Le garçon regarda le plâtre sale sur son poignet, comme s'il le découvrait pour la première fois. Il l'avait depuis trois semaines maintenant. Il répondit qu'il était tombé de cheval.

« Tu rigoles. C'est une de nos juments qui t'a mis par terre ?

— Oui, monsieur.

— Pourquoi on ne m'a rien dit ?

— Ce n'était pas la faute du cheval, se justifia le garçon.

— Et alors ? » Le shérif l'examina. Il ajusta son chapeau, se tourna vers Grant, et se souvint pourquoi il était là.

« Vous êtes sûrs que vous voulez faire ça tous les deux ? demanda-t-il, et Grant leva les yeux vers lui.

— Qu'est-ce qu'on va faire sinon ?

— Vous pouvez attendre ici.

— Ici ou en bas dans la vallée, il faudra bien qu'on voie le corps, répliqua Grant. Pas vrai, Joe ?

— C'est pour ça que je t'ai appelé, fit le shérif. Même si j'aurais pas dû. J'aurais dû respecter les règles et t'appeler plus tard. Mais il va sans doute falloir encore plusieurs heures avant de... » Il hésita. « Avant qu'on récupère la dépouille.

— Je te remercie d'avoir appelé, Joe. »

D'après ce qu'il croyait, déclara le shérif, l'auteur des faits l'avait emmenée en voiture ici, au début de ce sentier, et s'était garé. Puis soit il l'avait tuée ici et il avait gravi le sentier avec le corps, soit il l'avait forcée à marcher avec lui jusque là-bas avant de passer à l'acte.

*L'avait tuée.*

Le garçon se rappela une autre clairière ombragée dans les bois. Un banc froid et des pierres tombales blanches de guingois. Une plaque ternie qui promettait quarante jours de grâce, le tout sous l'œil bienveillant d'une statue blanche aux doigts amputés. C'était il y a si longtemps.

*Qu'est-ce qui va se passer cette fois, tu crois ?*

*Rien. Laisse tomber.*

Le chemin suivait la corniche. Seule une fine bande de sapins séparait les grimpeurs du précipice et du ciel. La pente était raide ; pourtant à chaque pas une pierre ou une épaisse racine noueuse sortait de terre, polie par le temps, les intempéries et les passages répétés des randonneurs. Les hommes progressaient en file indienne, le shérif en tête et les autres agents fermant la marche, comme s'ils escortaient Grant et le garçon pour les faire comparaître devant quelque tribunal de haute montagne. À moins de quinze mètres au-dessus des arbres, deux aigles royaux planaient dans le ciel bleu, aile contre aile sur les courants ascendants, sans effort apparent ou sans urgence, dans un silence absolu, leurs yeux de rapaces scrutant le sol.

Au-dessus des grimpeurs, au niveau d'un plat sur le sentier, deux autres hommes en uniforme attendaient, regardant le ciel à travers les arbres. Ils virent les deux aigles donner un coup d'aile et virer soudain de bord avant de plonger dans la gorge comme des Messerschmitt.

« Oh, ils ont repéré quelque chose », dit l'un des hommes. « Ils ont repéré leur dîner, oui », renchérit l'autre, mais lorsqu'ils entendirent les grimpeurs ils n'ajoutèrent pas un mot de plus, et attendirent que le groupe arrive à leur niveau : shérif, père, fils et collègues, tous essoufflés et ravis d'arriver sur un plat, même si à sept rassemblés là ils étaient à l'étroit. Les deux hommes qui les attendaient étaient le shérif du comté de Boulder et l'un de ses adjoints. Les présentations furent faites, et le shérif de Boulder, qui se nommait Price, rajusta son chapeau et expliqua que c'était là que le randonneur l'avait repérée. Elle était difficile à voir, précisa Price, il fallait s'avancer entre les branches, jusqu'au bord, et regarder juste en dessous.

« Pourquoi le randonneur a fait ça ? s'enquit Kinney.

— Je lui ai demandé la même chose, shérif.

— Qu'est-ce qu'il a répondu ? »

Price jeta un coup d'œil à Grant, puis au garçon, et enfin baissa les yeux vers le sol.

« Il a dit qu'il avait eu envie de se soulager. »

Entre les arbres, il n'y avait qu'un seul endroit où un homme pouvait se tenir de cette façon. Kinney s'y engagea et regarda en bas. Au bout d'un moment, il recula, et mit les mains sur sa ceinture, sans toutefois céder la place à Grant. Il sembla s'interroger intérieurement. Puis il regagna le sentier, et laissa passer Grant.

Celui-ci se glissa entre les branches, et plongea sans hésiter le regard dans le précipice, où il découvrit une saillie rocheuse à une douzaine de mètres en contrebas. Exposée au sud, l'avancée couleur café au lait était encombrée de caillasses et de bois blanchi par le soleil, et bordé de sapins rabougris mais tenaces. Il n'y avait pas de neige, ni aucune trace de dégel, et d'emblée, Grant ne vit rien d'autre qu'un enchevêtrement de branches grises et sèches sur lesquelles quelqu'un ou le vent avait suspendu des guenilles décolorées. Puis il distingua la masse de cheveux sombres, l'arrière de la tête, et il rectifia l'image intérieurement. Il chancela. Une de ses jambes recula malgré lui et il sentit que quelque chose lui agrippait le bras. Il se tourna et s'aperçut que son fils le tenait.

Il regarda Sean dans les yeux, et le garçon l'imita. Il avait le même regard que son père.

« Je ne sais pas, avoua Grant. Je n'arrive pas à savoir. »

Il recula et le garçon prit sa place au bord du précipice. Il se pencha et regarda.

« Je regrette, Grant », fit Kinney. Il jeta un coup d'œil à Price et à son adjoint. « Je n'aurais pas dû vous demander de venir ici. J'ai cru que vous pourriez voir. Vous devriez redescendre et… » Il s'interrompit. L'autre shérif et les hommes fixaient quelque chose.

« Qu'est-ce que c'est que ce bordel », lâcha Price, et les autres se tournèrent. Le garçon s'était agrippé à une branche au bord de la corniche et balançait sa jambe dans le vide, pour descendre.

« Sean, s'exclama Kinney, ne fais pas ça.

— Shérif, il peut pas faire ça, renchérit l'un des adjoints. C'est une scène de crime.

— Je t'ai dit de ne pas faire ça, fiston. » Kinney s'avança pour s'emparer du garçon, mais Grant lui barra le chemin.

« Ça va aller, Joe.

— Tu parles. Il a la main pétée et la jambe en vrac. Je ne laisserais même pas un homme en bonne santé descendre là-dedans.

— Ça va aller, répéta Grant.

— Ça va pas aller, Grant. Fiston, cria le shérif au garçon, je veux que tu remontes ici. C'est un ordre. »

Le garçon poursuivit son chemin. Longeant petit à petit la paroi de la falaise grâce à des racines découvertes, des roches proéminentes, des fissures. Il savait que sous le plâtre ses os tiendraient le coup, mais c'était le plâtre lui-même qui ralentissait sa progression ; il trouvait une prise pour sa jambe valide, descendait, trouvait une prise pour sa main valide, se laissait aller jusqu'à la prochaine prise, et *C'est ça que tu veux ? Qu'il te voie tomber et mourir ?* et à chacun de ses mouvements quelques éboulis de terre atterrissaient sur la saillie en contrebas. À six mètres de là où elle gisait, il regarda par-dessus son épaule et ne vit qu'un vide vert derrière lui. Il fit volte-face et dit à voix haute : « Fais pas ça. Ne fais pas ça. » Un mètre plus bas, sa jambe handicapée glissa, et l'espace d'un instant il tenta de repérer là où il pouvait atterrir, mais sa botte finit par trouver un appui sur la paroi rocheuse. Il continua d'avancer.

À moins de deux mètres du rebord, sa force l'abandonna, ou il lui permit de le faire, et il se repoussa pour se détacher de la paroi. Il atterrit la jambe valide en avant, mais celle-ci se déroba sous son poids, et il tomba lourdement sur le dos dans un nuage de poussière, près d'elle.

Loin au-dessus de lui, il distingua le visage de son père.

« T'es blessé ? s'écria ce dernier.

— Ça va, » répondit le garçon. Là-haut, l'un des hommes marmonna quelque chose à propos des preuves, et le shérif Price répliqua : « Je sais. »

Le garçon toussa, s'agenouilla, et se tourna vers elle. Sous un voile de tissu qui avait autrefois été une chemise de flanelle à carreaux, son dos était enveloppé dans un cuir blafard, un cuir si fin que chaque côte et chaque vertèbre était visible. Là où sa taille aurait dû se trouver, un matériau granuleux était tendu, telle une palme de canard. Un bras était coincé sous elle, et l'autre enchevêtré dans les racines des sapins rabougris, plus racine qu'autre chose désormais. Il n'y avait pas d'odeur, mise à part celle des sapins et des pierres poussiéreuses et crayeuses.

Il tendit la main et saisit une poignée de cheveux noirs. On aurait dit les cheveux de n'importe quelle personne vivante, mais lorsqu'il les souleva, des brindilles, des aiguilles de pin et de petites plumes se détachèrent, comme s'il s'agissait d'un nid abandonné, et l'espace d'un instant il pensa que c'était peut-être le cas. Il dégagea les cheveux sur le côté et se pencha pour voir le visage. Ce qui avait été son visage. Le masque gris et émacié de son profil. La paupière fermée, enfoncée profondément dans l'orbite. La pommette comme un coude. Le nez enfoncé. Le rictus macabre.

« Sean ? » appela son père.

Le garçon observa ce visage, qui pouvait être celui d'une sœur, celui d'une fille. Il examina le reste du corps en décomposition, et ne reconnut rien. Les vêtements ne ressemblaient pas à ceux qu'elle avait pu porter auparavant. Ce qu'elle avait aux pieds n'étaient pas des restes de chaussures de course, mais des espèces de bottes de randonneur. Il examina à nouveau les vêtements. Un lambeau de poche arrière tremblotait dans la brise. Quelque chose brillait faiblement dans les éboulis qui avaient atterri sur elle. Il gratta avec son index et dégagea une clé à laquelle une chaînette était attachée. Il tira d'un coup sec, et à l'extrémité surgit une petite touffe grise. Il immobilisa l'objet, l'approcha de son visage, souffla dessus, et une fourrure blanche et défraîchie se balança sous ses yeux.

Il y avait autre chose dans l'amas de terre et de cailloux sous la poche. Il creusa à nouveau et mit la main sur un porte-cartes en plastique. Il glissa un doigt à l'intérieur, le plastique se désagrégea, et le contenu s'éparpilla sur le sol : deux cartes de crédit fatiguées, et une carte d'identité. Le pelliculage de cette dernière s'était décollé dans un coin, et le papier en dessous avait été détrempé et séché à plusieurs reprises. Pourtant, la photo et presque toutes les informations qui y étaient indiquées avaient survécu. Elle s'appelait Kelly Ann Baird. Elle avait été étudiante à l'université du Colorado. Il ne parvint pas à lire la date de naissance.

Il se rassit dans les gravats, sa jambe blessée étendue devant lui, et examina la carte d'identité. Jolie fille. Joli sourire. Son image était restée identique à elle-même au fil des saisons tandis que l'originelle, à quelques centimètres de lui, avait vieilli et était devenue méconnaissable, restes solitaires et desséchés d'elle-même, de sa famille, de l'amour, de la fierté, du bonheur et de l'espoir. Le regard du garçon se perdit dans la vallée. Un oiseau surgit dans son champ de vision, cria à son attention, et s'éloigna à tire-d'aile. Il vivait peut-être ici, sur cette saillie, ce perchoir sépulcral, veillant sur elle. Lui tenant compagnie jusqu'à ce que les siens la trouvent et viennent la chercher pour la descendre de la montagne, comme pour célébrer une victoire.

« Sean, cria son père. *Sean.* »

Le garçon se tourna, leva les yeux et agita la carte d'identité. Il expliqua ce qu'il avait trouvé, et de là où il était assis sur l'avancée rocheuse, il sentit le cœur de son père se remettre à battre tel un pendule, le muscle retrouvant son élasticité, le sang circulant à nouveau, l'organe reprenant son labeur.

Un des adjoints avait redescendu le sentier pour aller chercher un câble et, en attendant, le garçon resta près de la fille, le visage tourné dans la même direction qu'elle. S'efforçant de voir ce qu'elle regardait depuis tout ce temps.

# 49

Le garçon alla se coucher et Grant s'allongea sur le canapé. Il resta là dans l'éclat intermittent de la télévision, observant les ombres colorées glisser sur les poutres et les festons poussiéreux. Les voix de la télé lui parvenaient telle une étrange incantation, se mêlant aux rêves qui défilaient sans cesse devant ses yeux ouverts, avec une grande clarté, jusqu'à ce que le jour se lève enfin et que sa lumière grise filtre par les fenêtres. Il se redressa alors, abattu et exténué, dans le même état de ferveur. À l'écran une femme en toge violette se tenait devant une estrade, un petit micro noir près de la bouche. Elle écarta les bras, et il brandit la télécommande. L'écran devint noir.

Il faisait froid dehors. Il était en nage, sa chemise était moite, il frissonna. Les lattes du plancher de la véranda craquèrent sous son poids, il sentit le bois glacé à travers ses chaussettes. Il inspira trop profondément et fut pris d'une quinte de toux. Il s'agrippa au poteau, se contorsionnant moins à cause de la toux elle-même qu'à cause des efforts qu'il déployait pour s'en débarrasser – et pour finir il alluma une cigarette et aspira dans ses poumons une bouffée de fumée apaisante.

Devant lui, de l'autre côté de la cour, la maison se dessinait dans l'aube. Aucun mouvement ni aucun son nulle part, sinon les premières notes hésitantes des oiseaux.

Il écrasa sa cigarette dans le cendrier sur la rambarde, rentra à l'intérieur et enfila une chemise sèche. Puis il alla dans la cuisine et prépara le café tout en regardant par la fenêtre la maison du vieil homme. La lumière changeait déjà. Il se servit une tasse de café à laquelle il ne toucha pas. En face, les fenêtres étaient sombres, à l'étage et au rez-de-chaussée. Les fauteuils à bascule sur la véranda immobiles et vides.

Il consulta sa montre et se passa lentement les doigts sur la joue, comme s'il cherchait à savoir s'il fallait qu'il se rase ou pas. Il resta ainsi un long moment. Puis il mit ses bottes, enfila sa veste et sortit à nouveau dans le matin froid. Il descendit les quelques marches, et entendit les marches de la maison du vieil homme craquer en écho.

Emmet n'était pas dans la cuisine, et la télévision dans le salon était silencieuse, mais Grant alla vérifier malgré tout. Il n'y avait aucun bruit dans la maison, sinon le tic-tac de la grande horloge, et après avoir contrôlé tous les endroits où un homme aurait pu se trouver au rez-de-chaussée, il monta lourdement les escaliers, frappa à la porte et attendit un instant, la main posée sur la poignée. Puis il pénétra dans la chambre du vieil homme. Il n'avait pas besoin de prononcer son nom, mais il le fit néanmoins.

« Em », souffla-t-il.

Silencieux et immobile dans le grand lit où il avait dormi avec sa femme pendant tant d'années. Silencieux et immobile et gris et si petit. Toute chaleur avait quitté le lit et le corps ; toute histoire et tout amour aussi.

# QUATRIÈME PARTIE

# 50

Billy Kinney était appuyé contre la tête de lit, l'oreiller en bouchon sous la nuque, et il observait la fumée flotter au-dessus de lui. Tout était tellement silencieux qu'il pouvait entendre crépiter le tabac de sa cigarette à chaque fois qu'il tirait une bouffée. Il ne bougeait pas, l'oreille à l'affût, et au bout d'un moment il se rendit compte que l'horloge au pied de l'escalier s'était arrêtée durant la nuit. Son antique tic-tac s'était tu. Il avait vu le visage de cire, avait écouté les prières du vieux pasteur, les condoléances plates – mais c'était ça, en fin de compte, la disparition de l'habitude, du son, du temps lui-même, qui rendait l'événement vrai et réel.

En bas, près d'une cafetière à demi pleine, il y avait un billet de cent dollars et un message. *Cet argent vient de moi, c'est pas l'héritage. Je serai de retour dans quelques jours avec les gens de la salle des ventes.*

« Bonjour à toi aussi, frangin », dit-il, d'une voix qui lui était étrangère.

Plus de shérif désormais, donc plus de voisins arrivant les bras chargés de plats et de tartes. Plus de talons martelant le sol de la véranda à l'aube, et plus de shérif les remerciant pour la nourriture et leur attention, avant de les saluer sans perdre de temps, car ils étaient venus tôt et espéraient partir tôt avant que l'autre ne descende, et n'était-ce pas remarquable, se demandaient-ils en s'éloignant de la maison en voiture, que deux âmes si bonnes aient pu avoir deux garçons aussi différents ? Les voies du Seigneur sont impénétrables, admettaient-ils, et il en serait toujours ainsi, mais aujourd'hui nos prières les accompagnent tous les deux.

Billy alluma son briquet, l'approcha du coin du message et observa les flammes lécher le papier qui se tordit et noircit jusqu'à ce que l'encre devienne violette avant de partir en fumée. Il lâcha le tout dans l'évier. Il alluma une cigarette et songea à Denise Gatskill dans sa robe d'enterrement noire. Ses cheveux remontés, révélant sa nuque. Elle était passée à la maison mais il l'avait congédiée. Maintenant qu'il avait de l'argent il pourrait l'emmener en ville, dans ce bar où on servait le vin rouge qu'elle aimait.

Il se planta devant la fenêtre. Rien ne bougeait dehors dans la lumière grise de midi. Pas un oiseau dans le ciel ni aucun signe de vie dans l'autre maison. La Chevy bleue avait disparu. Père et fils étaient sûrement partis avec le shérif pour déjeuner, ou bien ils étaient allés seuls au restaurant. Lundi, lundi. Il se mit à siffler avant de s'interrompre brusquement et de jeter un coup d'œil par-dessus son épaule. À quoi ? Rien. La cuisine vide. Le salon désert. L'écran noir de la télé. Rien.

Il s'empara de son blouson sur le dossier de la chaise, vérifia que son téléphone, son portefeuille et ses clés s'y trouvaient bien, ramassa le billet de cent dollars, puis sortit sur la véranda, passa devant les fauteuils à bascule en bois, descendit les quelques marches, et traversa la pelouse jaune et spongieuse. Riche parfum d'humus dans l'air, effluves de racines et de vers creusant la terre. Herbe, foin, crottin.

Il arriva au niveau du café et il vit la Chevy bleue garée sur le parking. Il poursuivit son chemin. Il passa devant la maison des Gatskill, puis devant son vieux lycée, perché sur la colline pelée et encore couverte çà et là de neige, et tout lui parut vieux, fatigué, pitoyable. C'était comme s'il était parti depuis plusieurs années, et qu'il n'avait pas vu les choses évoluer. Il se rendait compte tout à coup du changement lui-même, ce qui revenait à voir sa propre vie défiler sous ses yeux. Puis il atteignit la voie rapide et, avec la musique à fond, il poussa l'El Camino et fila vers Denver.

Il quitta les nuages et les restes de neige pour plonger dans la verdure renaissante du printemps. Il y avait des endroits sympas à l'est de la ville, mais il préférait une salle de billard située à l'ouest où l'on pouvait toujours fumer. En plus, si on se mettait trop minable, on n'avait pas à retraverser la ville au volant, avec toute cette circulation et ces voitures de police. Il espérait aussi y voir un type qu'il connaissait, même si le gus en question ne passerait que beaucoup plus tard dans la journée, en admettant qu'il vienne.

Il était tout juste treize heures lorsqu'il poussa la porte du bar ; l'endroit était exigu, et la vieille table de billard – avec ses trois pieds en forme de pattes de lion et un poteau de chêne noirci en guise de quatrième, ainsi que son tapis vert taché et maculé de trous de cigarette – occupait presque tout l'espace.

Derrière le bar se tenait Louis, un homme âgé aux mains énormes. Louis n'aimait pas entendre de musique pendant la journée, et si quelqu'un mettait une chanson sur le juke-box il sortait de derrière le comptoir et débranchait la machine. Après quoi les boules de billard s'entrechoquaient plus nettement, les voix s'élevaient, et le rire d'une fille faisait se tourner les têtes des poivrots.

Billy s'installa au bar, laissant un tabouret vide entre lui et deux hommes qui, jusqu'à son arrivée, parlaient tranquillement, mais qui, tandis qu'il prenait place, s'interrompirent pour l'observer dans le miroir derrière le comptoir, comme si sa présence constituait un événement étrange et nouveau qu'ils allaient ou non devoir accepter.

Louis s'approcha et Billy commanda un whisky 7 Up. Dans le miroir, au-delà de sa propre image, il vit l'unique fenêtre du bar se refléter, et dans ce carré de lumière il distingua la silhouette d'un homme et celle d'une femme. L'homme se pencha pour dire quelque chose à l'oreille de sa compagne que personne d'autre ne put entendre dans la salle silencieuse et éclairée par la lumière du jour.

Louis posa le cocktail sur un sous-bock et Billy plaqua les cent dollars sur le comptoir. Le vieil homme brandit le billet dans la lumière, fit la monnaie, et plaça les coupures plus petites exactement là où Billy avait mis les cent dollars. Billy fit glisser deux billets de un dollar vers Louis, et rangea le reste dans la poche de sa chemise. Il leva son verre en direction du vieil homme, qui hocha la tête, et il avala une gorgée.

« Est-ce qu'on peut toujours fumer ici, patron ? » fit-il, et Louis répondit : « Oui, si ces deux messieurs n'y voient pas d'inconvénient. » Les deux hommes en question se tournèrent vers Billy : le plus éloigné était le plus vieux, et l'autre avait seulement quelques années de plus que Billy.

« Vas-y si t'en as », lâcha le premier, et Billy jeta un coup d'œil à son voisin, qui le fixa un moment par-dessous la visière de sa casquette, avant de hausser les épaules et de détourner le regard.

Billy les remercia et en alluma une. Louis sortit un cendrier qu'il plaça sur le comptoir.

Billy but, fuma. Les deux hommes reprirent leur conversation, le plus âgé soliloquant à voix basse sur sa femme ou son ex-femme, racontant au plus jeune à la casquette tout ce qu'ils avaient fait durant leur mariage, les bonnes comme les mauvaises choses. Billy commanda un autre verre et l'homme évoqua tout ce qu'il rêvait d'infliger aujourd'hui à son ex-femme, maintenant qu'il n'était plus aveuglé par l'amour. Il décrivit dans le détail des choses violentes qu'il regretterait d'avoir dites, songea Billy, si la femme était retrouvée morte. Si ce n'était pas déjà le cas. Il mélangea son cocktail et suça le touilleur avant de siroter le breuvage pétillant.

« Tu mènes ta barque pendant des années, fit l'homme, tu penses que tu vis ta vie, tu penses que tu es un mec normal avec une femme normale, mais c'est pas vrai, c'est pas vrai, et un jour tu t'assois dans ton lit et tu vois ta vie comme elle est. Tu vois ta femme comme elle est. Tu comprends ce que je veux dire, Steve ? »

Le plus jeune acquiesça.

« Pas vrai, Steve ?

— Si », répondit le dénommé Steve.

L'homme leva sa bière et avala une gorgée avant de reposer son verre. « C'est comme quand j'étais à l'armée, Steve, même si je t'ai dit que je ne peux pas en parler. Cinq ans de merdier au plus haut niveau et un jour, boum, je me retrouve couvert de sang devant un miroir, sans savoir ni pourquoi ni comment. Les jours passent et c'est toujours la même putain d'histoire. »

Billy surprit son propre regard dans le miroir derrière le comptoir. *Il va jamais s'arrêter, ce type ?*

*Bah, rien ne t'empêche de partir.*

Mais son cocktail se buvait tout seul, et il lui restait des billets de vingt dans la poche. Il resta donc à observer Louis laver les verres, les sécher et les ranger, grands verres de pintes qui, dans les mains du vieil homme, devenaient soudain incroyablement plus petits. Lorsque ce dernier s'approcha pour voir si Billy désirait quelque chose, le garçon commanda une bière juste pour revoir l'effet. Il but la moitié de la bière froide, puis se leva et se dirigea vers les toilettes. En revenant, le bavard avait disparu.

L'autre, Steve, fixait le miroir, une main sur ce qui lui restait de bière. Billy lui adressa un signe de tête par reflets interposés ; Steve fit de même, et tous deux burent leur verre.

Louis essuya le comptoir et remplit le frigo. Derrière eux, dans l'encadrement de la fenêtre, l'homme avait posé une main sur la gorge de la femme, et celle-ci lui tenait le poignet.

« C'est tranquille ici », fit Billy, et Steve répondit : « Ouais, c'est sympa. » Il sirota sa bière et croisa le regard de Billy dans le miroir. « Ça doit être terrible, de devoir tout garder pour soi, ajouta-t-il.

— Comment ça ? »

Steve hocha la tête vers la droite. « Le militaire. Qui doit tout garder à l'intérieur. C'est terrible.

— C'est terrible, répéta Billy. C'est sûr qu'il avait des histoires qu'il pouvait pas raconter. »

Steve s'empara d'une paire de lunettes de soleil sur le comptoir, et contempla les verres en grimaçant. « J'aime bien entendre des histoires. Mais on devrait jamais être le héros de ses propres histoires. Personne n'aime entendre ça. » Il agita les lunettes, comme s'il songeait à les mettre sur son nez et à partir.

« Tu tires ? » demanda Billy.

Les lunettes s'immobilisèrent.

« Pardon ?

— J'ai dit, tu tires ? »

Steve le regarda de biais. « Comment ça, je tire, mec ?

— Au pistolet. Au fusil.

— Pourquoi tu me poses cette question ?

— Comme ça. J'ai vu tes lunettes. D'habitude c'est les mecs au stand de tir qui en portent. Ou la police. Ou les flics au stand de tir. »

Steve le dévisagea. « Tu m'as déjà vu au stand de tir ?

— Non. J'y vais pas tellement. (Il sourit à l'homme.) Il y a trop de flics.

— Tu crois que je suis flic ?

— Je parie que non.

— Pourquoi ?

— Qu'est-ce qu'un flic foutrait ici ?

— Il chercherait les méchants.

— Il serait au bon endroit. Mais il n'aurait pas de boue sur les bottes. Les forces de l'ordre ne supportent pas d'avoir les bottes sales. Tout le monde le sait. »

Steve ne vérifia même pas l'état de ses bottes. « Tu t'intéresses à mes bottes, mec ? »

Billy sourit derechef. Le visage de Steve resta de marbre sans pour autant paraître hostile sous la visière de sa casquette. Il n'exprimait rien. La casquette ne portait aucune inscription et était d'une couleur banale entre vert et marron, assortie à la veste en toile qu'il portait fermée jusqu'au cou. Un uniforme passe-partout. Assis, il donnait l'impression d'un homme qui debout ne serait pas très grand, mais dont il faudrait néanmoins se méfier en cas de bagarre. Il était tôt pour se battre, mais ceux qui buvaient durant la journée étaient prêts à se battre n'importe quand, et Billy était l'un d'eux.

Sauf qu'il n'avait pas envie de se battre. Il savourait son verre, il lui restait des billets de vingt dans la poche, et il ne voulait pas se faire mettre dehors par le vieux Louis et ses grandes mains.

« Pas le moins du monde, Steve. Je t'offre un verre ?

— Tu viens de m'appeler Steve ?

— Oui. J'ai entendu le militaire t'appeler comme ça. Qu'est-ce qui te ferait plaisir ?

— Je m'appelle pas Steve.

— Au temps pour moi, fit Billy. J'ai dû mal entendre. » Il sortit un billet de vingt de sa poche. « Et moi, c'est pas mec. C'est Billy. » Il poussa le billet de vingt sur le comptoir, et Louis s'approcha. « Un whisky 7 Up pour moi, et ce qui fera plaisir à ce monsieur.

— La même chose ? » lança Louis, et l'homme finit par opiner du chef.

Ils demeurèrent silencieux jusqu'à ce que les verres arrivent et que Billy ait payé en laissant un pourboire à Louis.

« Merci pour le verre. Désolé si j'ai été impoli, déclara l'homme. Monsieur opérations secrètes a dû me saouler.

— Y a pas de mal, répondit Billy. À la tienne.

— Je m'appelle Joe, fit l'homme, tendant la main, et Billy rit en l'imitant. Qu'est-ce qu'il y a de drôle ?

— J'ai un frère qui s'appelle Joe.

— Ah bon ?

— Et tu devineras jamais.

— Quoi ?

— Il est flic. »

Ils sirotèrent leur verre en silence, puis le dénommé Joe fit : « Joe le flic, et il sourit pour la première fois.

— Joe le shérif, précisa Billy. Là-haut dans les montagnes.

— Quelles montagnes ?

— Il y a plusieurs montagnes par ici ?

— Il y a toutes sortes de montagnes dans les montagnes, Billy. »

Billy se tourna vers son interlocuteur. L'homme le regardait toujours par-dessous sa visière. Sans se départir de son sourire.

« Mon frère Joe est shérif dans les montagnes du comté de Grand, révéla-t-il, et l'homme s'empara de sa bière et avala une gorgée.

— Le comté de Grand, répéta-t-il, songeur. Le comté de Grand. J'ai l'impression qu'on a parlé du shérif du comté de Grand aux infos, il y a un petit moment.

— Sûrement un ivrogne en ski qui visait les gens avec un pistolet factice.

— Non, répliqua l'homme. C'était à propos d'une fille. Une ado qui avait disparu là-haut. Ou peut-être que je confonds ? »

Billy se fendit d'une grimace admirative. « Tu as une bonne mémoire, Joe. C'était il y a plus de deux ans.

— On se souvient de trucs comme ça. Ça te reste. »

Ils burent. Un homme élancé se leva au bout du bar, regarda autour de lui, ne vit rien à son goût, et parut suivre ses propres jambes raides en direction de la sortie.

«Je me souviens encore d'un garçon que j'ai connu à l'école primaire», poursuivit Joe. Il leva les yeux de sa bière, et lorsque Billy croisa son regard dans le miroir, il les baissa à nouveau et fixa son verre. Comme s'il s'interrogeait sur ce qu'il venait de dire ou ce qu'il allait dire ensuite. Ou même s'il allait dire autre chose.

« C'était qui alors ? demanda Billy, et Joe avala une gorgée de bière.

— Il s'appelait Delmar Steadman. Un gars tout ce qu'il y a de plus ordinaire, qu'on appelait tous Chlingmar, je ne sais pas pourquoi. Il était ni gros ni moche et il ne puait pas particulièrement, mais on avait décidé de se moquer de lui. Peut-être parce que son père était plombier, ou parce qu'il avait une grande sœur qui s'appelait Bonnie qui nous filait à tous la trique, va savoir. Bref. Son jardin, le jardin de Delmar, touchait celui de Becky Clark, et ces deux là avaient grandi en se faisant les yeux doux à travers le grillage. À s'embrasser, à se serrer l'un contre l'autre avant même de savoir ce qu'ils faisaient. Ça arrive. Ça arrive tout le temps. Il y a des gens qui tombent amoureux à cet âge. Ils en parlent encore quand ils ont soixante, soixante-dix balais. » Il jeta un coup d'œil à Billy dans le miroir, leva son verre pour boire une gorgée, le reposa. « Le problème, c'est qu'à dix ans, Becky est passée à autre chose. Elle a juste laissé tomber Delmar. On l'avait compris, comme on savait tout sur tout le monde à l'époque, et c'était pas à cause des ordinateurs et des téléphones portables. Tu t'en souviens, Billy, de ce temps-là ? »

Billy acquiesça, et l'homme poursuivit :

« Bref. Ensuite il y a eu l'été entre l'école primaire et le collège. Un été magique. On poussait tous comme des asperges, on sentait le chlore et les foins. C'était le 4-Juillet environ, un jour avant ou un jour après, je m'en souviens plus, et la petite Becky était sur sa terrasse à bronzer. À l'époque ça faisait déjà un bon bout de temps qu'elle ne disait plus un mot à Delmar, ni à travers le grillage, ni à l'école, ni rien. En vérité, elle ne le voyait même plus, pour ainsi dire. Le garçon ne sortait plus dans son jardin, pas même pour jouer avec son petit chien. La porte s'ouvrait, le chien sortait, pissait, chiait, et la porte se rouvrait pour le faire rentrer à la maison. C'était comme vivre à côté de Boo Radley. Tu sais qui c'est ? »

Billy l'ignorait. Peu importait.

« Donc Becky était dehors sur la terrasse, qui était en fait juste une dalle de béton avec de l'herbe qui poussait dans les fissures et elle prenait le soleil dans ce petit bikini rouge qu'elle portait cet été-là… Oh la vache. Elle faisait dorer ses bras, son ventre. Elle sentait la noix de coco. Elle avait des lunettes de soleil et des écouteurs sur les oreilles, et elle ne l'a pas entendu arriver. Elle n'a même pas tourné la tête. »

L'homme garda le silence en fixant son verre, avant de le faire tourner sur lui-même, comme si remuer le contenu l'aiderait à relancer son histoire.

« C'est son propre père qui l'a trouvée comme ça, Billy. Allongée là dans le soleil de juillet, avec les écouteurs encore allumées et son petit front enfoncé comme un melon trop mûr. Son verre de thé glacé suintait sur le béton, et il y avait une clé Stillson rouge à côté d'elle. Tu sais ce que c'est, Billy, une clé Stillson ?

— Une clé serre-tube.

— Une grosse. Celle de son père, grosse comme ça. » Il secoua la tête, comme consterné. Il but.

Au bout d'une minute, Billy demanda : « Ils ont tous cru qu'il était responsable ?

— Comment ça, il ?

— Bah, le père de Delmar. Le plombier.

— Peut-être au début. Mais ensuite Delmar lui-même a raconté toute l'histoire.

— Et c'était quoi, toute l'histoire ?

— Comment ça ?

— Pourquoi il avait fait ça ?

— Il a dit qu'il avait fait ça comme ça. Il savait pas pourquoi. »

Billy prit ses cigarettes, en alluma une avec son Zippo, avant de le replacer soigneusement sur le comptoir. Il tira une bouffée, et expira la fumée, loin de l'homme.

« Qu'est-ce qui lui est arrivé, à Delmar ?

— Ils l'ont embarqué. Les parents de Becky ont divorcé et ont déménagé. Et le vieux Steadman aussi. On n'a plus jamais entendu parler de ces gens-là. La vie a continué. » Il leva sa bière et avala une gorgée. Puis ajusta sa casquette. « Je ne sais pas, poursuivit-il. Parfois je me dis qu'il était trop jeune dans sa tête, ce pauvre Delmar. » Il leva à nouveau son verre, sans boire cette fois. « Je pense que s'il avait attendu, s'il s'était donné le temps de grandir intérieurement, il s'en serait sorti. »

Billy tira sur sa cigarette et souffla doucement un nuage de fumée entre lui et son propre reflet.

« Je n'ai jamais raconté cette histoire à personne, remarqua l'homme. Je me demande pourquoi maintenant. Pourquoi je te saoule de paroles, comme ça. »

Ils sirotèrent en silence. Au bout d'un moment, l'homme s'essuya les lèvres avec le pouce, et demanda : « Ils ont retrouvé cette fille, au fait ?

— Quelle fille ?

— Celle des montagnes. »

L'homme secoua la tête. « Et le garçon qui était avec elle ? »

Billy avait fini son verre, et s'apprêtait à se lever. « Quel garçon ?

— Il y avait un garçon aussi, non ? Un petit frère ou un truc comme ça ? Il a été blessé, il était à vélo, non ? »

Billy le regarda.

« Et elle l'a laissé là, ajouta l'homme. Cette fille. Elle l'a recouvert d'une couverture et elle l'a juste laissé là, si je me souviens bien.

— C'est vrai, fit Billy. Un garçon en vélo.

— Qu'est-ce qu'il est devenu, ce garçon ?

— J'en sais foutre rien. C'était juste des touristes. » Il leva son verre, prit un glaçon entre ses dents et l'écrasa ; le son résonna bruyamment dans son crâne. Puis il continua : « Ce garçon n'a pas été capable de fournir la moindre preuve.

— Ah bon ?

— Tout ce qu'il a pu voir a été effacé de son disque dur. »

L'homme secoua la tête. « Quel dommage. Carrément dommage. » Il scruta l'intérieur de son verre. « Le monde est bizarre, hein Billy ?

— On peut le dire comme ça.

— Tu dirais comment sinon ?

— Je sais pas. »

Billy resta là une minute supplémentaire, et encore une autre, puis il sortit un billet de cinq et se leva. « Il faut que j'y aille, Joe. Mais je t'en offrirais bien un dernier, pour me faire pardonner de t'avoir appelé Steve.

— Tu dois y aller ?

— On dirait que le mauvais temps arrive. Et c'est exactement là que je vais. »

Ils se tournèrent tous deux pour regarder par la fenêtre dans leur dos. L'homme et la femme avaient disparu, et la grisaille que Billy avait laissée derrière lui dans les collines était descendue sur la ville, comme à sa recherche.

« Heureux de t'avoir rencontré, Billy. La prochaine fois, c'est pour moi.

— Entendu, Joe. Bon courage.

— Toi aussi. »

Le froid accompagnait la grisaille, et l'air avait un goût de fer comme le sang. Trois véhicules étaient garés sur le parking : son El Camino, une Oldsmobile bordeaux et blanc, et une vieille Bronco noire avec de la boue fraîche sur les pneus et sur la carrosserie, typique d'une quatre roues motrices.

Il s'approcha de la Bronco et regarda par la vitre côté passager. Rien à signaler, sinon des sièges, un tableau de bord et un plancher. Comme si elle venait d'être achetée ou était sur le point d'être vendue. Il examina de plus près la carrosserie, et se rendit compte que la peinture n'était pas d'origine. Ce n'était pas non plus le travail d'un professionnel. Il avança jusqu'à l'arrière de la voiture et regarda par le pare-brise arrière teinté. Le coffre contenait du matériel soigneusement rangé : un jerrycan à essence de vingt litres, une sangle de remorquage, une imposante boîte à outils ou caisse de pêche, et deux sacs de courses en papier, le tout fixé avec des élastiques noirs.

Il se redressa et jeta un coup d'œil à la porte du bar. Il secoua la tête. « Merde », lâcha-t-il avant de s'éloigner. Puis il se ravisa et revint sur ses pas. Il posa ses mains sur le pare-brise pour mieux voir, et regarda à nouveau à l'intérieur. L'un des sacs de courses était à moitié plein, et il n'y avait aucun moyen de savoir ce qu'il contenait. Dans l'autre, deux boîtes étaient apparentes, l'une rectangulaire et blanche, et l'autre carrée, d'un bleu clair avec le mot TAMPAX inscrit en jaune fluo.

Billy se redressa et regarda autour de lui, les mains dans les poches de son blouson. La droite jouant avec son briquet encore et encore. Il sentait l'alcool affluer dans son cerveau.

« Merde », répéta-t-il. Puis il tourna les talons et se dirigea vers sa voiture.

Il resta assis au volant, moteur éteint, et observa les premières gouttes de pluie glacée tomber sur son pare-brise. Au bout d'un moment il mit le contact et traversa la route pour se rendre à la supérette, se gara en marche arrière et coupa le moteur. Il sortit son téléphone de sa poche et vérifia l'heure. 14 h 30.

Il tira sur sa cigarette, fixa son téléphone avant d'exhaler et de composer un numéro. L'appel fut basculé sur le standard, et un adjoint répondit. Billy demanda à parler au shérif.

« Il est plutôt débordé en ce moment, Billy. Je vais lui demander de te rappeler.

— Il faut que je lui parle maintenant, Denny. C'est grave.

— Grave ?

— C'est important, Denny.

— Donny. Je vais lui dire de te rappeler, Billy. »

Billy souffla de la fumée par les narines et sourit. « Je te remercie infiniment, Donny. »

Le shérif rappela une heure plus tard. Billy était en train de rouler sur la voie rapide sous une pluie glacée qui se transformait en neige.

« Merci de me rappeler, shérif.

— Qu'est-ce qui se passe, Billy ?

— J'ai un truc à te demander. »

Le shérif dans son bureau parcourait des papiers de son père – de leur père –, de vieux papiers. Certains si vieux que l'encre commençait à s'effacer. « Vas-y, fit-il.

— Les gamins Courtland, dans la montagne, quand la fille a disparu. »

Le silence régna au bout du fil, comme le shérif rassemblait ses esprits. « Eh bien quoi ?

— Il y a quelque chose que vous n'avez jamais révélé au public, pas vrai ?

— Je te suis pas, Billy.

— Il y a toujours un truc que vous ne dites pas. Que seuls les flics savent. C'est comme ça que ça marche, non ? La procédure et tout.

— Billy, t'es saoul ?

— J'ai pas bu une goutte.

— J'ai l'impression que tu conduis, en plus.

— Écoute, bordel. Je veux juste savoir ce qui est resté top secret, c'est tout. C'est simple comme question, non » ?

Le shérif ne dit mot. Billy regarda les gros flocons tomber sous ses yeux. Les traces de pneus dans le gris fondu de la route. Les feux arrière de la Bronco tremblotaient au loin, flamboyant comme des rubis.

« Si on a gardé un truc secret, répondit enfin son frère, c'est pour une bonne raison. Alors pourquoi je te dirais ça maintenant ?

— Parce que je te le demande. Parce que qu'est-ce que ça peut foutre aujourd'hui ? »

Le shérif garda le silence. Puis : « Tu ferais mieux d'arrêter de rouler, Billy. C'est la tempête ici, et ça descend droit vers toi. »

De la friture encombra la ligne. Il prenait de l'altitude à présent, et il y avait moins de réseau. Il crut que ça avait coupé, et était sur le point de raccrocher lorsque le shérif dit : « Rentre à la maison, Billy. Je rigole pas. L'histoire de ces gens, c'est plus tes oignons.

— Plus ? (Il éclata de rire.) Putain, ça l'a jamais été, shérif. »

# 51

La Bronco avançait à bonne allure sur la route, à vitesse réglementaire mais avec une certaine audace, vu les conditions météo. En quelques kilomètres la pluie glacée avait cédé la place à de fortes chutes de neige tandis que les deux véhicules prenaient de l'altitude en direction de l'ouest, laissant derrière eux les contreforts déjà verdoyants pour retrouver le bon vieil hiver de la montagne. L'El Camino n'était pas particulièrement faite pour la montagne ou la neige, mais l'hiver Billy stockait dans son coffre, juste au-dessus des roues arrière, quatre-vingt-dix kilos de sable dans des sacs tubulaires ; et en ce début du mois d'avril, la couche de neige n'était pas trop épaisse. Par ailleurs, les traces des voitures qui l'avaient précédé, les traces de la Bronco notamment, lui balisaient le chemin, et il gravit la route sans problème.

La lumière était grise et terne, et il restait encore deux bonnes heures avant la tombée du jour. Il conduisait sans feux de position, à bonne distance de la Bronco. Il avait passé la sortie menant chez lui une dizaine de kilomètres auparavant, et il approchait à présent de celle qui conduisait au col. De là, la route grimpait jusqu'à la ligne de partage des eaux avant de redescendre vers la station de ski où la fille Courtland avait disparu, dans le comté où son frère était shérif. Il ralentit en amont, mais les feux de la Bronco poursuivirent leur chemin, et les traces aussi. Le vieux Steve était futé : on ne chasse pas sur ses propres terres. On n'y fait pas non plus les courses, et on n'y boit pas des canons. On fait ses emplettes sur les terres des autres, loin de chez soi, et par ici, pas besoin d'aller bien loin pour s'éloigner.

« Il y a encore beaucoup de chemin, Steve ? » Il vérifia sa jauge, et s'aperçut que son réservoir était à moitié plein. Ou à moitié vide.

« Où est-ce qu'on va, Steve ? »

Une vingtaine de kilomètres plus loin, juste avant le grand tunnel qui faisait tout à coup traverser les Rocheuses aux voyageurs – les faisant déboucher sous de nouveaux climats, pour une longue et lente descente vers les déserts de l'ouest, la côte et l'océan –, la Bronco mit son clignotant et des feux stop s'illuminèrent. Elle prit la sortie en direction de la Route 6 et du col de Loveland. Elle passa sous la voie rapide avant de reprendre de la vitesse sur la petite route qui serpentait, et Billy se laissa distancer, car la Bronco n'avait désormais plus d'autre choix que de grimper jusqu'au sommet du col avant de redescendre de l'autre côté.

Il prit un lacet à la vitesse indiquée et sa voiture dérapa légèrement. Lorsque la route se redressa il consulta son téléphone pour voir s'il avait du réseau. C'était le cas – mais à peine –, et il tapa un court texto qu'il envoya.

La route continuait de serpenter dans les montagnes, sous une neige épaisse qui finit par se transformer en véritable chaos blanc. Il eut l'impression de rouler au cœur en ébullition de la tempête elle-même. Puis il atteignit un sommet et entama la descente dans la vallée de l'autre côté. Plus il descendait, plus la neige faiblissait, et il croisa une fois, deux fois, trois fois, la Snake River avant de la longer au fond de la vallée, bitume et cours d'eau épousant la même géographie, la même logique.

Billy n'alluma pas la radio, il préférait écouter le moteur et le balayage régulier des essuie-glaces. Les effets de l'alcool s'étaient dissipés d'un coup, et il se sentait un peu nerveux. Il aurait bien bu une tasse de café. Il se demanda s'il savait ce qu'il était en train de faire, et il se répondit sans hésitation par l'affirmative : il se baladait en voiture, c'était tout.

Il n'y avait aucune sortie de quelque nature que ce soit, sur plusieurs kilomètres. Puis la limite de vitesse diminua, et un autre panneau annonça leur arrivée prochaine à la station de ski. La limite de vitesse baissa encore et son cœur s'anima à la vue d'autres signes de vie humaine : les toits pentus des hôtels, les lumières des restaurants et des boutiques qui rappelaient Noël, les feux de circulation d'un vert et rouge accueillants. Mais il y avait peu de véhicules à ce moment de la saison, et lorsque la Bronco s'immobilisa à l'ultime feu rouge du village, Billy comprit qu'il allait devoir s'arrêter à sa suite, faute de quoi il attirerait l'attention sur lui. Il se trouvait à une quinzaine de mètres, la tête du conducteur était visible à travers le pare-brise arrière, et lorsque le feu passa au vert, la Bronco mit son clignotant et tourna à gauche.

« Continue tout droit et fais demi-tour après », se dit-il intérieurement ; mais il redoutait de perdre Steve dans le labyrinthe des rues, et au dernier moment il mit son clignotant et tourna à l'orange.

Sans tarder, la Bronco prit encore une fois à gauche, longeant un grand parking presque vide. Puis elle bifurqua à droite sur une petite route qui les mena directement hors du village, et ils s'enfoncèrent vers l'est dans la longue vallée. Comme il ne croisait aucune autre voiture, Billy laissa la Bronco filer devant lui. De sa main libre il saisit son téléphone et envoya un nouveau texto.

La route tourna vers le sud, et la limite de vitesse diminua. Billy déboucha d'un virage et se rendit compte que son prédécesseur s'était arrêté à un croisement. Le stop avait surgi sans prévenir, et il n'y avait aucun moyen de se cacher, et si l'homme regardait dans ses rétroviseurs, il verrait sans aucun doute l'El Camino derrière lui. De la même façon, lorsque l'homme tournerait d'un côté ou de l'autre, il se rendrait compte que l'El Camino l'imitait, et Billy espéra donc que la Bronco prenne à droite, là où un panneau indiquait la direction de Montezuma ; car à gauche rien n'incitait quiconque à s'engager.

La Bronco resta immobile au stop comme si elle attendait que la circulation se fasse moins dense pour redémarrer, mais il n'y avait personne. L'El Camino resta au point mort derrière elle. La neige continuait de tomber.

« Je parie que t'as pas les couilles d'aller à gauche, fils de pute. »

La Bronco mit son clignotant à gauche, et tourna. Billy s'avança au stop, mit à son tour son clignotant, et la suivit.

Billy arriva à un nouveau carrefour quelques kilomètres plus loin, mais la Bronco avait filé tout droit, et il suivit les traces qui s'enfonçaient dans les montagnes. La Bronco ignora deux autres croisements et la route se mit à grimper en lacets de plus en plus serrés, comme si elle menait inévitablement vers un autre sommet, vers une autre tornade de neige. Mais les flocons demeurèrent épars et l'El Camino poursuivit son ascension. La chance n'avait pas abandonné Billy, il grimpa encore quelques kilomètres, vers les pics neigeux se dressant dans le brouillard tels des spectres, et puis elle le quitta d'un coup.

D'un coup d'un seul, sans prévenir, elle l'abandonna lorsque les feux de position de la Bronco disparurent, comme si la voiture avait quitté la route. Pourtant, quand Billy arriva à l'endroit où les phares s'étaient évanouis dans la nature, il ne trouva aucune trace de pneus sur les bas-côtés. Il n'y avait en fait plus de bitume, mais seulement de la terre couverte de gravillons qui craquèrent et crissèrent sous ses roues, et la route, ou ce qui en tenait lieu, se perdait dans la forêt d'arbres à feuilles persistantes qui s'étendait devant lui.

Il appuya sur la pédale de frein et l'El Camino s'immobilisa. Il resta là à observer les arbres. Ces derniers, et le voile de neige qui tombait toujours, obscurcissaient les montagnes. Il baissa sa vitre et contempla le vide blanc de la gorge. L'air se raréfiait. Il était froid, imprégné d'une odeur de neige et de résine mêlées. Billy s'empara de son téléphone et envoya un dernier texto, avant de se tourner à nouveau vers la route. Ou ce qui avait été la route, et qui, à l'exception des traces, aurait pu n'être qu'une petite clairière en cul-de-sac, où ceux qui à l'époque des pionniers traçaient les premières voies de circulation s'étaient inexplicablement et brusquement arrêtés.

Il tripota les poils sous sa lèvre inférieure, songea aux chaînes suspendues chez lui à un clou dans la grange, avec les cuirs des chevaux. Il resta quelques instants encore. Le crépuscule tombait dans la gorge, recouvrait les sapins. Alors il déclara : « Allez, garçon, on y va », et il ôta son pied du frein pour poursuivre son chemin.

## 52

La route serpentait en larges virages à travers les bois, et la pente n'était pas trop raide, la neige pas trop profonde. Il avançait bien dans les traces de la Bronco qui l'avait précédé. La route tournait sur elle-même, et à chaque fois il s'attendait à ce qu'elle s'arrête ; il s'attendait à voir la Bronco garée devant un chalet ordinaire, à voir l'homme, Steve, sortir de la voiture, et être accueilli par chien, femme et enfants, donc rien à faire pour Billy sinon rire et passer son chemin. Mais à chaque virage la route se poursuivait, il y avait d'autres arbres, et encore un virage, et pas de Bronco, pas de maison, pas de femme.

Plus il grimpait, plus la route rétrécissait. Les arbres et les broussailles se rapprochaient, les branches basses léchant les fenêtres. S'il fallait s'arrêter, il n'y avait aucune possibilité de faire demi-tour ; il faudrait repartir en marche arrière jusqu'en bas, et alors là, bonne chance. Billy continua, et la pente s'accentua. Il ne pouvait ni voir le dénivelé ni le sentir, mais il le savait parce que ses pneus dérapaient de plus en plus. Instinctivement, il enclencha la première et ralentit, à l'affût de tous les signaux pour continuer de grimper, coûte que coûte. Mais les pneus se mirent à patiner, l'arrière de la voiture à déraper vers les arbres d'un côté et de l'autre, et il comprit avec une rage soudaine qu'il n'y arriverait pas, et qu'il le savait depuis le début. Il prit encore un virage, et une giclée de neige mouillée jaillit sous le châssis. D'une main experte il manœuvra le volant, mais il continua de patiner, et le moteur s'emballa. Il n'y avait plus rien à faire, sinon s'arrêter, en espérant que la voiture reste immobile. Ce ne fut pas le cas. Frein ou pas, il allait repartir en marche arrière. Il passa un coude sur le dossier du siège passager et tenta d'une main de se diriger dans le virage, mais il alla trop loin et le plateau de l'El Camino heurta violemment le tronc implacable d'un sapin. La voiture s'immobilisa.

Il coupa le moteur. Puis alluma une cigarette et resta à observer les flocons qui tombaient en silence sur le pare-brise. Il neigeait plus intensément à présent. Les traces de la Bronco s'estompaient peu à peu.

Il ôta les clés de contact, les mit dans sa poche, boutonna son blouson de cuir, ouvrit sa boîte à gants pour prendre ses gants en peau retournée, puis il passa la main sous le siège, saisit la bouteille et avala une gorgée. Il replongea ensuite la main sous le siège, tâtonna plus profondément. « Viens ici, enfoiré. » Le choc avec l'arbre l'avait expédié à l'arrière de la cabine, mais il le sentit enfin, et tira dessus pour le dégager. Il le débarrassa du bonnet en laine noire, qu'il mit sur sa tête, et vérifia que l'arme, un 9 mm acheté à un homme dans le Nevada, était chargée, la sécurité enclenchée. Il glissa le pistolet dans sa poche droite. Il s'empara de son téléphone sur le siège à côté de lui, et le mit également dans sa poche, avant de se raviser, et de le replacer là où il était, bien en évidence sur l'étui d'un chargeur. Pour finir, il enfila les gants et sortit.

Il fit quelques pas sur la route, puis il se retourna pour regarder derrière lui. Sa voiture était presque en travers de la route, de sorte que n'importe quel véhicule montant ou descendant ne pourrait pas passer. Il y songea quelques instants, jeta son mégot de cigarette dans les traces de la Bronco et poursuivit son chemin.

Les bottes de cow-boy usagées qu'il avait gagnées au billard le firent valdinguer à quatre pattes une première fois, et l'envoyèrent de nouveau par terre avant qu'il écarte plus les jambes et commence par enfoncer l'intérieur du pied dans la neige. Le temps qu'il atteigne le virage suivant, qui n'était pas à plus de trente mètres de sa voiture, ses jambes étaient en feu, et l'air pauvre en oxygène lui déchirait les poumons. Il s'arrêta, les mains sur les genoux, incapable de râler tant il avait du mal à respirer. Le bruit de sa respiration poussive était le seul signe d'une créature vivante dans les montagnes.

Devant lui, la route ressemblait plus au lit d'un torrent creusé par des glissements de terrain ou le ruissellement de l'eau, ou les deux, et malgré tout, les traces de la Bronco continuaient ; pour finir, il se remit en marche, tituba jusqu'au virage suivant, où il marqua de nouveau une pause. Lorsqu'il atteignit le virage d'après, il constata qu'il n'y avait toujours aucun signe de la Bronco, sinon ses traces de pneus qui s'effaçaient peu à peu. Il s'arrêta encore une fois pour reprendre son souffle, et résista de tout son cœur à l'envie de tomber à genoux et de se coucher le dos dans la neige.

Le jour était en train de disparaître, le soleil s'était couché derrière un sommet lointain. Il se rendit compte que sous peu il n'y aurait plus de lumière sinon l'éclat de la neige elle-même sur le chemin.

Il jeta un coup d'œil en contrebas aux traces de la Bronco, et à ses propres empreintes de pas en canard. Il enleva un gant avec ses dents, trouva ses cigarettes et son Zippo.

« T'as jusqu'à la fin de cette tige pour décider », articula-t-il, et lorsqu'il eut fini il la jeta dans la neige et continua ; il n'était pas allé bien loin lorsque les traces de la Bronco quittèrent brusquement le chemin pour plonger dans des bois encore plus épais et impénétrables.

Il se tint au sommet de cette ravine, son pouls résonnant dans son cou. Il examina les arbres à la recherche de prises, et toucha le 9 mm dans sa poche, s'assurant que la sécurité était toujours enclenchée. Puis il tendit la main vers le premier arbre, contre lequel il s'arrêta. Il y avait une empreinte de botte dans la neige. Presque aussi fraîche que la sienne. Mais ce n'était pas lui : les lignes de la semelle étaient nettement dessinées. L'empreinte menait à sa jumelle de gauche, et il se rendit compte que les pas remontaient la ravine et continuaient de gravir le chemin. Il scruta dans cette direction et ne vit rien à travers les flocons, sinon le chemin qui serpentait et les empreintes sombres dans la neige.

Il se tourna vers la ravine, où la Bronco était planquée, avant de scruter à nouveau la montagne.

« OK, enfoiré, se dit-il intérieurement, c'est un combat à la régulière maintenant. »

Il savait, à la netteté des empreintes, que l'homme n'avait pas beaucoup d'avance sur lui, et il s'efforça non pas de regarder la neige, mais de scruter les bois plus sombres devant lui, pour que ses yeux s'adaptent à la pénombre, et qu'il puisse apercevoir l'homme avant que lui ne le voie. Mais il ne distingua rien. Il avait gravi une bonne cinquantaine de mètres dans la montagne lorsqu'il repéra sur sa droite, ou du moins crut repérer, un éclat de lumière au cœur de la forêt, si faible que s'il était passé par là quelques minutes plus tôt, alors que l'ombre du crépuscule était un peu moins dense, il n'aurait rien vu du tout.

L'homme qu'il suivait avait vu la lueur, ou ne l'avait pas vue, ou s'en était moqué. Les empreintes régulières de ses semelles se distinguaient sur le chemin, puis soudain chemin et traces contournèrent une petite barrière de rochers, pour disparaître derrière.

Billy scruta les bois, là où il pensait avoir vu une lumière. Il commençait à croire qu'il avait halluciné à cause de l'altitude et du mélange de fatigue et d'adrénaline. Puis il la repéra à nouveau, loin dans les arbres, d'un orange terne, vacillant faiblement telle une bougie perdue dans la forêt, et sans se fier à autre chose que l'élan de son cœur, il quitta le chemin et s'engagea dans la neige à travers les sapins, en direction de cette lueur.

# 53

Le shérif Kinney considéra les différentes piles de papiers posées devant lui. Il saisit une page et lut quelques lignes. Il s'agissait d'une lettre de la sœur de son père, sa tante ; à l'époque les gens entretenaient encore des correspondances. Celle-ci paraissait essentiellement évoquer le temps qu'il faisait et il la replaça là où il l'avait prise. Il pivota sur sa chaise et regarda par la fenêtre le champ couvert d'une fine couche de neige et le monde blanc au-delà.

« Et tu te balades dehors dans cette putain de voiture, marmonna-t-il.

— Vous m'avez demandé quelque chose, shérif? demanda l'adjoint de l'accueil.

— Quoi ? Non. Je parle tout seul. »

L'adjoint surgit dans l'encadrement de la porte, une cafetière à la main. « Vous en voulez encore ou je le balance ?

— Vas-y jette-le et rentre chez toi avant que ça n'empire. »

L'adjoint lança un coup d'œil par la fenêtre. « C'est juste un peu de neige, shérif. Il n'y a rien à craindre.

— Pourquoi tu ne sors pas faire un bonhomme de neige, dans ce cas ? »

L'adjoint resta pétrifié avec la cafetière.

Kinney leva les yeux vers lui. « Désolé, Donny. » Il désigna d'un geste vague les papiers sur son bureau.

« Y a pas de mal, shérif. En tout cas, votre père gardait des traces de tout, hein ?

— Et comment.

— Vous avez l'air d'un comptable avec tout ça, ou d'un avocat.

— J'ai l'impression d'être les deux. » Il souleva au hasard une feuille : le certificat d'acquisition d'une concession de cimetière à son nom. « On ne sait jamais combien de papiers on accumule au fil des ans parce qu'on n'a jamais l'occasion, de son vivant, de les consulter tous en même temps. Ensuite on meurt et c'est quelqu'un d'autre qui doit les parcourir. Et c'est peine perdue. C'est peine perdue et c'est ingrat. Tout le monde le sait et pourtant on continue de garder ces foutues paperasses. Et pourquoi ? Je te le demande.

— Peut-être parce qu'on ne peut pas s'en empêcher, shérif. C'est dans la nature de l'homme. »

Le shérif fixa son adjoint. « J'imagine, fit-il. Maintenant rentre chez toi, Donny.

— Je vais laver cette tasse si vous voulez.

— Merci, Donny. »

Le shérif s'enfonça dans le dossier de sa chaise pivotante et posa les talons de ses bottes au coin de son bureau, puis il contempla la photo de sa fille sous ses yeux. Joséphine sur ce brave poney rouan, Laddy, les rênes bien en main. Elle avait seize ans ce jour-là et elle avait remporté un ruban bleu, avec plus de cinq secondes d'avance sur les autres.

Elle était en troisième année de journalisme à l'université de Boulder désormais. Un bon moyen de voir le monde, affirmait-elle. Comme si le monde était quelque chose que ni sa mère ni son père ne pouvait en imaginer. Elle n'avait pas connu la fille qu'ils avaient trouvée là-haut, sur le sentier de montagne, Kelly Ann Baird. Mais à la fac, les gens se souvenaient de l'époque de sa disparition. Une jolie fille blanche qui se volatilise tout à coup. Cela ne passait pas inaperçu.

Il avait envie de téléphoner à Joséphine tous les jours mais il se retenait. Elle n'apprécierait pas. Plus il essayait de maintenir un contact étroit, plus elle cherchait à s'éloigner. C'était ça être père.

Il fixa les papiers et songea à la maison de son enfance, à sa vie de petit garçon unique pendant des années avant la naissance de Billy. Il avait fait les comptes et il n'y avait aucun moyen de la garder sans vendre celle qu'il habitait ici, ce qui signifiait déménager là-bas, et personne n'avait envie d'aller vivre là-bas, surtout pas sa femme. Il vendrait cette ferme et

Billy aurait un peu d'argent pour passer à autre chose, une bonne fois pour toutes peut-être. Grant et son fils trouveraient une solution, sans aucun doute. Grant était un homme intelligent, il avait travaillé dans le bâtiment à son compte avant, un homme bien, mais un homme qui avait vécu la chose la plus épouvantable qui soit. On pouvait aider son prochain, mais pas lui. Pas vraiment.

Son téléphone signala l'arrivée d'un texto. Il saisit l'appareil ; c'était encore Billy. Ça faisait trois maintenant. Il lut le message, puis reposa le portable sur le bureau et le fixa. Ce faisant, un nouveau signal retentit. Il consulta de nouveau le petit écran. Les messages précédents indiquaient des noms de voies rapides, de cols, et de petites routes, mais cette fois il ne s'agissait que d'un mot unique dont il ne comprit pas le sens : *couverture*. Il fit défiler ce qu'il avait reçu auparavant pour voir s'il avait raté quelque chose. Il attendit de recevoir la suite. En vain. Il se tourna de nouveau vers la neige à travers la fenêtre. Puis vers sa fille, à cheval.

Lorsque ses bottes retombèrent bruyamment sur le sol, son adjoint lui demanda si tout allait bien.

Kinney s'empara du talkie-walkie posé devant lui, prit en passant son chapeau et son blouson suspendus au portemanteau, et sortit de son bureau. Donny, avec ses gants et son blouson, se tenait près de la porte d'entrée.

« Qu'est-ce qui se passe, shérif?

— Tu as mis tes après-skis, je vois.

— Il neige.

— Tu as déjà dit à Linda que tu rentrais ?

— Je viens de lui envoyer un texto.

— Tant pis. Tu pourras l'appeler en chemin.

— Où on va, shérif?

— Au col de Loveland.

— Au col de Loveland ? » L'adjoint jeta un coup d'œil à travers les panneaux en verre de la porte. La neige tourbillonnait dehors.

« Je croyais que tu n'avais pas peur de la neige, Donny.
— Pas du tout. C'est que le col de Loveland est dans le comté de Summit.
— Ah bon ? »
L'adjoint tira sur ses gants. Ajusta son couvre-chef.
Kinney l'observa. « Je veux juste vérifier quelque chose là-bas, Donny, et j'ai besoin de toi.
— Pas de problème, shérif. Vous n'avez pas d'explication à donner. »

## 54

Il faisait complètement nuit sous les sapins et si cela l'aidait à distinguer la lueur orangée, le bois mort qu'il ne voyait pas compliquait sa progression. Il finit par se coincer le pied et plongea tête la première dans les branches qui lui griffèrent le visage telles les mains fourchues d'un démon. Une cheville douloureuse palpita dans sa botte et il résista pour garder le cap. Il lui fallait contourner les branches et à chaque fois, il perdait de vue la lumière ; il s'arrêtait alors, coupait en biais entre les arbres jusqu'au moment où il repérait à nouveau le halo lumineux, et il repartait droit devant lui. Puis soudain, il sentit une odeur de fumée, et il articula en silence à l'attention de la forêt autour de lui : *La vache, la vache.*

Il continua d'avancer, mais la lueur ne sembla ni s'intensifier ni se rapprocher, comme si elle bougeait à travers les bois tel un appât qu'on traîne dans l'eau. Il persévéra à travers les arbres jusqu'à ce qu'il arrive devant la large robe d'un épicéa bleu. Il s'immobilisa.

Devant lui, dans une minuscule clairière, se trouvait une cabane improbable, si petite et si austère, si terne, si grossièrement construite que sans les faibles rayons de lumière filtrant par les interstices de la porte, il ne l'aurait jamais vue. Sans cette lueur, il l'aurait prise pour un abri de fortune temporaire qui logiquement aurait dû tomber en ruine et être absorbé par la nature il y a des lustres.

Il ne voyait aucune fenêtre, et même le pâle filet de fumée s'échappant de la cheminée sur le toit, que l'on distinguait à peine de la neige vers laquelle il s'élevait, faisait penser que l'endroit venait d'être abandonné.

Il resta collé à l'épicéa, respirant aussi doucement qu'il le pouvait. Il chercha des signes de la présence de l'homme qu'il traquait, en vain. Aucune empreinte devant la porte de la cabane, aucun sentier visible nulle part. Il y avait la petite structure compacte, les arbres autour, et au-delà, la montagne vaste et enneigée. Il scruta l'interstice sous la porte, pour voir si quiconque passait derrière ; ce ne fut pas le cas. Il regarda autour de lui, à travers les arbres, à l'affût du moindre bruit. Il glissa la main dans sa poche et en sortit le 9 mm. Étouffant le son avec ses mains gantées, il arma le pistolet et ôta la sécurité. Il enleva son gant droit et le fourra dans sa poche opposée, avec la bouteille de whisky. Puis il rangea avec précaution le pistolet, et s'éloigna de l'épicéa.

La poudreuse recouvrait une croûte de neige, le bruit de ses pas annonçait son arrivée, mais il ne pouvait rien y faire, et il poursuivit sa progression sans précipitation, attentif à sa cheville douloureuse, jusqu'à ce qu'il atteigne la cabane. Il leva le poing pour frapper à la porte, et c'est alors qu'il remarqua le cadenas, un gros Master en acier inoxydable, dont l'anneau métallique était glissé dans le crochet tout aussi épais d'un solide loquet, lui-même fixé sur la porte et le chambranle, non pas avec des vis simples mais avec des vis sécurisées, probablement avec des boulons. Durant les quelques secondes où il considéra ce matériel, il comprit à l'odeur d'huile qui s'en dégageait et à l'éclat du métal que le cadenas avait été récemment manipulé et qu'il le serait à nouveau, bientôt. Il toqua à la porte à main nue en disant, aussi tranquillement qu'il le put : « Il y a quelqu'un ? »

Il fourra la main dans sa poche et empoigna le pistolet. Il retint sa respiration, l'oreille à l'affût : bruissement de flocons sur ses épaules, faibles crépitements d'un feu de l'autre côté de la porte. Il balaya du regard la clairière, et elle lui parut encore plus exiguë maintenant qu'il se trouvait en son centre, la forêt alentour semblant d'autant plus immense et sombre. Il lâcha le pistolet et leva encore une fois la main, mais s'arrêta dans son élan. Il percevait un bruit de l'autre côté du battant. Comme une chaîne, une chaîne qui se déroulait sur un plancher, peut-être un chien se dressant sur ses pattes, un vieux chien de montagne attaché pour éviter qu'il ne fasse des dégâts, ou ne s'échappe en l'absence de son maître. Mais le chien en question se mit à parler. D'une voix féminine, et il dit faiblement : « Il y a quelqu'un ? »

Billy avala sa salive.

« Qui êtes-vous ? » demanda-t-il.

La chaîne traîna à nouveau, puis le silence revint.

« Qui est là ? » fit la fille. Plus près de la porte, mais quand même à une certaine distance.

« Comment vous appelez-vous ? » dit Billy, et il attendit, le cœur battant. Il répéta sa question, et elle répondit : « Un homme me retient prisonnière ici. S'il vous plaît, aidez-moi. »

Il s'empara de son arme. « Est-ce qu'il est là ?

— Non. Il est parti. S'il vous plaît, aidez-moi.

— C'est ce que je suis en train de faire, mon chou. Dis-moi comment tu t'appelles, s'il te plaît. »

Elle resta silencieuse. La chaîne aussi.

Puis elle prononça son nom. Si doucement que Billy se demanda si ce n'était pas le fruit de son imagination.

# 55

Après dîner, le garçon enfila sa veste, sortit sur la véranda et descendit les quelques marches. Il prit la direction de la grange, foulant encore et encore sa propre ombre bleutée qui se dessinait sur la neige d'avril. Puis, il s'immobilisa brusquement, leva la tête et vit la pleine lune flamboyer au-dessus de lui. Malgré le froid mordant et hivernal, la nuit sentait le dégel que la neige avait recouvert, la terre humide, l'herbe et le goudron. Alors qu'il s'approchait de la grange, il huma le parfum de la balle de foin qu'il avait éventrée un peu plus tôt, et celui des chevaux et des cuirs – odeurs aussi tenaces qu'en plein été. Les juments tendirent l'encolure et renâclèrent lorsqu'il sortit une pomme et la tendit à l'une pour qu'elle la croque ; puis il fit de même avec l'autre. Elles continuèrent ensuite de renifler pendant quelques instants l'odeur de pomme dans sa main, et lui permirent de caresser leur chanfrein. Sur une rampe devant le mur où se trouvaient les filets et les licols, étaient posées deux selles. Il caressa de la main la douce courbure du siège de l'une d'elles.

Il ne l'avait vue qu'une fois, depuis : avec ses cheveux sombres et une jolie robe noire, à l'enterrement du vieil homme… Il avait levé les yeux et s'était aperçu qu'elle le regardait. Mais ce n'était pas le moment de lui parler, ce n'était pas le moment, et à quoi bon ?

Lorsqu'il regagna la maison, son père avait balayé la véranda, et était assis sur la marche du haut, à fumer une cigarette. Le garçon s'installa près de lui, prit une des siennes et se pencha vers la flamme que son père lui tendait.

« T'as regardé la gorge du vieux ? demanda ce dernier.

— Ouais.

— Mais ça ne t'a fait ni chaud ni froid.

— C'est pas vrai. (Il tira sur sa cigarette.) J'arrêterai quand tu t'arrêteras. »

Grant lui jeta un coup d'œil avant de détourner le regard. « OK. »

Une des juments hennit et tapa du pied dans son box.

« Tu vas leur manquer, remarqua Grant.

— À qui ? dit le garçon en faisant tomber sa cendre.

— Aux juments. Tu croyais que je parlais de qui ? »

Le garçon haussa les épaules. « Je croyais que tu parlais des juments.

— Pourquoi tu m'as demandé qui, alors ? »

Le garçon garda le silence. Ils fumèrent.

« On pourrait peut-être faire une offre, suggéra Grant. Et les emmener avec nous. Les juments je veux dire.

— Les emmener où ? »

Grant leva sa cigarette et tira dessus. De l'autre côté de la cour bleutée se dressait la maison du vieil homme, sombre et silencieuse. Il n'y avait pas de vent, ni de mouvement ni aucun bruit nulle part. Ils n'avaient pas vu l'El Camino de la journée.

« Tu crois qu'il va rentrer ? » demanda le garçon.

Grant tendit le bras pour se débarrasser de sa cendre. « Ça n'a pas vraiment d'importance maintenant, non ?

— Ça n'en a jamais eu, répliqua le garçon. Pas pour moi. »

Grant le regarda, avec son poignet dans le plâtre, lever les yeux vers la lune. L'astre était suspendu au beau milieu du ciel, dans la coupe noire peuplée d'étoiles que délimitaient les crêtes enneigées tout autour, elles-mêmes luisant sous la lumière crue du clair de lune.

« Il va encore neiger », nota Grant.

Le garçon scruta le ciel. « Il n'y a aucun nuage à cent kilomètres à la ronde.

— Il y a un halo autour de la lune.

— Et alors ?

— Ça veut dire qu'il va neiger.

— Selon qui ?

— Selon tout le monde. »

Le garçon lui lança un coup d'œil. « Tu as vu ça aux infos », fit-il, et Grant hocha la tête.

« Il neige dans les montagnes, et ça vient par là. » Il pointa sa cigarette vers la lune. « Mais n'importe qui peut voir ça. »

Le garçon secoua la tête.

Au nord, au-dessus des sommets, une étoile filante surgit et s'évanouit dans le ciel noir, laissant derrière elle une traînée floue.

*Tu as fait un vœu, papa ?*

*Oui. Et toi ?*

*Oui.*

*Épaule contre épaule dans l'herbe estivale, un concert d'insectes résonnant dans leurs oreilles. Les cieux flamboyants et étourdissants.*

*Y a combien d'étoiles là-haut, papa ?*

*Y en a trop pour les compter, ma petite sauterelle.*

*Elles vont toutes tomber ?*

*Non, juste quelques-unes.*

*Où est-ce qu'elles vont quand elles tombent ?*

*Je ne sais pas. Où tu crois, toi ?*

« Tu as vu ça ? dit-il à son fils.

— Quoi ?

— L'étoile filante.

— Ce n'était pas une étoile filante.

— Bien sûr que si.

— Les étoiles ne tombent pas. C'était un débris spatial. Un morceau de météorite. »

Grant se tourna vers lui.

« Quoi ? » fit le garçon.

Grant leva les yeux vers le nord. Comme si là où une étoile était tombée, il allait en voir une autre.

Le garçon tira sur sa cigarette et examina l'immensité du ciel. « Tu vois ce petit groupe d'étoiles, là, juste au-dessus de la crête ? » Il tendait le doigt vers le sud-ouest.

Grant secoua la tête.

« Juste sous la constellation du Cancer. »

Grant le regarda à nouveau.

« Ce petit amas, continua le garçon, juste là, au-dessus des cimes des arbres.

— Ah, oui, fit Grant, je le vois.

— C'est l'Hydre, la créature marine. Sa tête, en tout cas. C'est la plus longue constellation du ciel. Elle a été repérée par les Grecs il y a plus de deux mille ans, et tu sais quoi ?

— Quoi ?

— Aucune des étoiles qui la constituent n'est jamais tombée. »

Grant opina du chef. « Et quoi d'autre ? »

Le garçon lui raconta qu'Hercule avait combattu le monstre marin à plusieurs têtes dans le cadre de ses douze travaux, et qu'à chaque fois qu'il tranchait une tête, il en poussait deux autres. Grant lui demanda comment Hercule avait résolu ce problème et le garçon lui répondit que chaque fois qu'il coupait une tête, son neveu lui prêtait main forte avec une épée brûlante pour cautériser le moignon.

Ils demeurèrent silencieux, tous deux le regard tourné vers le ciel, comme s'ils voyaient ces histoires se dérouler en temps réel. Le garçon se tourna vers le nord, et pointa à nouveau le doigt. « Tu vois ces cinq étoiles là-haut ? On dirait une maison à l'envers.

— Oui, fit Grant.

— C'est Céphée, le roi.

— Qu'est-ce qu'il a fait ?

— Il avait une femme qui se vantait tellement de sa beauté que Neptune lui a envoyé un monstre marin pour détruire son royaume.

— Ça a marché ?

— Quoi ?

— Il a détruit son royaume ?

— Non. En sacrifice au monstre marin, le roi a enchaîné sa fille unique à un rocher au bord de la mer. » Le garçon fit tomber sa cendre.

Grant scruta les lointaines lumières. Les froids débris qui tombaient dans l'immensité, et sa main si chaude, si petite dans la sienne, qui le tenait si fort.

*Je crois qu'elles deviennent de petits enfants, fit-elle.*

*Comme toi ?*

*Non. Des petits enfants qui ne vivent pas dans des maisons. Et qui connaissent la magie. Et que personne ne peut voir, sauf Dieu.*

*Ce sont des anges ?*

*Non, papa. Ce sont juste des petits enfants, je te dis.*

## 56

Billy appuya sa main nue contre la porte. « Caitlin ? fit-il.

— Oui.

— Je m'appelle Billy.

— Vous êtes avec la police ?

— Mon frère est shérif, Caitlin. Le shérif Kinney.

— Il est avec vous ? » Ces mots étaient chargés à la fois de désespoir et d'espérance.

« Je vais te sortir de là, Caitlin. »

Il prit le gros cadenas dans sa main et le soupesa. Le 9 mm ne pourrait guère l'abîmer ; il entendit intérieurement la détonation résonner dans la montagne.

« Est-ce qu'il cache une clé, dehors ?

— Je ne crois pas.

— Y a un autre moyen de pénétrer à l'intérieur ? »

Elle lui parla de la fenêtre, en lui précisant qu'elle était barricadée et verrouillée de l'intérieur, et il contourna la cabane en boitillant, trouva la petite ouverture à hauteur de tête, avec, dans la planche, un trou à peine assez large pour laisser passer un moineau ; il songea à y coller son œil, mais se ravisa. Il continua de faire le tour de la cabane, et le long de la dernière paroi il tomba sur un morceau de bâche bleue, et en dessous il trouva une hache plantée dans une bûche. Il tira d'un coup sec et libéra la lame. Le manche était lisse dans sa main, l'outil lourd. Puis il vit la luge – une vieille luge en bois appuyée contre le mur, assez longue pour trois, peut-être quatre enfants. Une grosse sangle de remorquage et des patins d'un rouge vif. Il n'y comprenait rien.

Il transporta la hache jusqu'à la porte, et parcourut lentement du regard les bois autour de lui. « Caitlin ?

— Oui.

— J'ai trouvé une hache. Je vais essayer de faire sauter le cadenas avec. »

Elle ne répondit pas. Puis elle fit : « Billy ?

— Oui.

— Il y a eu un autre homme. Au printemps dernier. Un randonneur.

— Ouais ?

— Il lui a tiré dessus, Billy. Il l'a tué. »

Billy souleva la hache. Il sourit en regardant la porte, le cadenas. « Merci, mon chou. Maintenant, recule. »

Il frappa le fermoir du cadenas, et le coup tinta ; des étincelles jaillirent de la lame, et le choc résonna dans ses mains et ses épaules. Il se remit en position face à la porte et frappa à nouveau ; une gerbe d'étincelles fusa de nouveau, et une autre décharge de douleur irradia dans ses mains. Il frappa encore deux fois, et saisit le cadenas. Il sentit d'invisibles éraflures sous ses doigts, mais le cadenas et le loquet étaient solides. Il passa le pouce sur la lame de la hache, mais comme il n'avait pas vérifié son état avant, il fut incapable de dire si elle était ou non émoussée et rayée à cause de lui.

Il regarda autour de lui et frappa encore. Cette fois il toucha le battant, près du loquet. Mais soit la lame était vraiment amochée, soit le bois était vieux et d'une dureté et d'une épaisseur inouïes, car la hache se contenta de ricocher sans s'enfoncer ni entamer le bois le moins du monde.

L'outil à la main, il reprit son souffle.

La fille ne bronchait pas. Il lui demanda si tout allait bien et elle répondit que oui.

Il leva la hache et se remit à l'ouvrage, s'efforçant à chaque fois de frapper au même endroit, à droite du loquet, là où une petite fente se dessinait dans l'acier. Il affina sa position, son geste et l'angle d'attaque, et après une douzaine de coups dans la même entaille, quelque chose céda bruyamment et la cognée s'enfonça dans la porte. L'instant d'après, il entendit un bruissement dans les arbres derrière lui, et il fit volte-face en s'emparant de son 9 mm mais il ne distingua que la silhouette d'un grand oiseau de nuit s'envolant entre les branches. Il examina l'endroit d'où il pensait que l'animal avait décollé, mais plus rien ne bougeait, sinon les flocons qui continuaient de tomber. Aucun son, sinon les pulsations sourdes dans ses oreilles : sa propre circulation sanguine.

*Si tu es là, qu'est-ce que tu attends ?*

Il se concentra à nouveau sur le manche de la hache, et c'est alors que quelque chose le mordit profondément dans le dos. Il s'effondra contre la porte et entendit l'écho du tir qui venait de l'atteindre. La balle était entrée en haut de ses côtes, à droite de sa colonne vertébrale, et avait transpercé son poumon droit, qui déjà s'affaissait, mais tout ce qu'il savait, c'est qu'il s'était fait tirer dessus et qu'il n'arrivait pas à reprendre sa respiration.

Appuyé contre la porte, le front sur le bois, il entendit de l'autre côté du battant la chaîne traîner sur le sol. Elle prononça son nom, mais il ne répondit pas. Il entendit des pas s'approcher, fouilla dans sa poche à la recherche de son pistolet, mais avant qu'il puisse s'en emparer, il sentit une pression à la base de son crâne, le froid dur du métal.

« Je sais ce que tu cherches, et je laisserais tomber si j'étais toi. »

Billy retira sa main et la posa à plat sur la porte. Attendant le son qui serait le dernier. Rien ne vint. Rien. Puis le canon du revolver quitta son crâne, et il reçut un coup qui lui donna l'impression qu'une barre chauffée à blanc lui perforait le cerveau. Des vagues et des vagues de douleur telles qu'il n'en avait jamais imaginées ; il s'écroula par terre en tas contre la porte. Il se toucha la tête et roula sur lui-même, pour faire face à l'homme, qu'il ne put voir. La nausée l'envahit, il roula de nouveau, pris de convulsions. Les haut-le-cœur firent déferler de nouvelles vagues de douleur ; puis sa respiration siffla, et son corps tout entier fut secoué de spasmes.

Pendant ce temps, l'homme mit dans sa poche le 9 mm et s'empara également de la bouteille de whisky. Il saisit Billy par l'épaule, et le retourna contre la porte pour le regarder en face. Il s'accroupit et le fixa, son arme suspendue nonchalamment entre ses cuisses.

« Je me disais que c'était toi.

— Ah bon, souffla Billy.

— Tu posais beaucoup de questions, mec.

— Toi aussi, Steve.

— Je t'ai dit que je ne m'appelais pas Steve. Regarde ce que t'as fait à ma porte. J'ai attendu trop longtemps pour t'éclater.

— Qu'est-ce que… » Billy inspira une grande bouffée d'air froid. Le trou dans son dos gargouilla comme une nouvelle et étrange branchie. « … tu foutais ?

— Je voulais voir si la porte tenait.

— C'est du solide.

— Plus que toi. T'as pas l'air en forme, Billy.

— Je me sens pas en forme. Avec quoi tu m'as tiré dessus ?

— Bah, juste ce petit joujou.

— Je vais te dire, Steve.

— Quoi ?

— Si tu te casses maintenant, tu pourras peut-être passer entre les mailles du filet.

— Les mailles de filet de qui ? »

Billy cracha. « Du shérif.

— Du shérif, répéta l'homme. Ton frère le shérif? Le shérif Joe ? » Il dévisagea Billy. Puis il regarda la porte, comme s'il pouvait voir tout ce qui se trouvait de l'autre côté.

Il dit : « Si je pensais que le shérif Joe était en route pour venir ici, quelles seraient les chances de survie de cette fille, selon toi ?

— Les mêmes.

— T'as réfléchi à la question, hein ?

— C'était pas dur. »

L'homme sourit. « Non, j'imagine. »

Billy savait qu'à l'instant où l'homme l'avait vu dans la montagne, le destin de la fille était scellé : shérif ou pas, il n'allait pas traîner dans le coin, et il ne la laisserait pas en vie. Le seul espoir de Billy était que l'homme panique et s'enfuie. Ce n'était même pas un espoir.

Une faible lumière scintilla sur les dents de l'homme. « Tu sais comment je sais que t'es pas sérieux, Billy ? À cause de cette hache plantée dans ma porte. Pourquoi un homme ferait un truc pareil, si le shérif Joe était sur le point d'arriver ? Pourquoi il ne choisirait pas de s'asseoir tranquillement et d'attendre ?

— Parce qu'il est con et inconséquent. »

Ils gardèrent le silence. Aucun son de l'autre côté sinon le crépitement du feu. La neige avait cessé de tomber, et une lumière transperçait les nuages au-dessus de la clairière, comme si au-dessus d'eux s'étendait une ville scintillante. Billy toussa et cracha. Des points rouges surgirent dans son champ de vision. Le sol sous lui tangua comme s'il était couché sur des troncs d'arbre flottant dans l'eau.

L'homme considéra à nouveau la hache. « Avant de nous quitter, Billy, dis-moi un truc. »

Billy ne broncha pas.

« Pourquoi t'es venu jusqu'ici ? C'est qui cette fille pour toi ?

— Rien. Je connais sa famille.

— C'est moi sa famille, Billy.

— Son papa serait sûrement pas d'accord.

— Le papa qui l'a laissée aller seule dans les montagnes ?

— Elle n'était pas seule. »

L'homme ricana. « Ça n'a pas changé grand-chose. »

Billy toussa. Il sentit le tissu de sa chemise trempée de sang coller dans son dos.

L'homme l'observa. Puis il baissa les yeux et se mit à écrire dans la neige avec son index. Il sembla faire des calculs, mais les nombres qu'il inscrivait ne ressemblaient à aucun que Billy connaissait. Sans cesser de griffonner ses équations, l'homme déclara : « J'imagine que tu crois que j'avais repéré cette fille. Cette fille en particulier. Que j'avais élaboré un plan. » Il jeta un coup d'œil à Billy tel un professeur quittant un instant ses notes des yeux, et vit que son interlocuteur l'écoutait. Il poursuivit : « Les gens ne veulent pas reconnaître la part du hasard dans les trajectoires, bonnes ou mauvaises, que prennent leurs vies. Les gens préfèrent croire à un plan, à quelque chose d'organisé, alors qu'ils ont tout autour d'eux la preuve que le monde entier n'est rien qu'un hasard absolu. Depuis l'apparition des premières cellules dans l'océan. Depuis l'apparition des étoiles. »

Il leva à nouveau le nez de ses chiffres. « Tu crois que j'ai vu cette fille et que je l'ai suivie dans les montagnes ? Carrément pas. Je traînais dans le coin, à la recherche d'une fille, d'accord, je vais pas le nier, mais c'était une autre fille. C'était une fille qui aimait faire du vélo avec son copain unijambiste. Il avait une espèce de jambe en plastique pour pédaler, ce pauvre bougre. J'avais repéré *cette* fille. C'était ça, mon plan. Mais encore une fois, ça été une question de chance, Billy, c'est tout. C'est rien que le hasard qui a mis celle-là sur mon chemin, Billy. »

Billy se pencha et cracha. « C'est aussi un pur hasard si tu as foncé sur ce garçon avec ta voiture.

— Tu m'écoutes ? Si j'étais allé dans les montagnes juste quelques minutes plus tôt, ou quelques minutes plus tard, je n'aurais jamais croisé ces deux-là. Ils seraient rentrés dans le Wisconsin pour regarder le maïs pousser. Pourquoi c'est si difficile à comprendre ? Toi plus que quiconque, avec cette balle dans le corps, tu devrais le savoir. »

Billy tenta de sourire. « C'est aussi un pur hasard si je me suis fait tirer dessus ? »

L'homme l'examina. « Dis-moi. Ce bar où on s'est rencontrés. Tu y vas souvent ?

— Quoi ?

— Tu y vas souvent, dans ce bar où on était tout à l'heure ?

— Je ne sais pas.

— Une fois par semaine ? »

Billy secoua la tête.

« Une fois par mois ?

— Quatre ou cinq fois par an, coupa Billy, pour l'arrêter.

— OK, quatre ou cinq fois par an, répéta l'homme. Maintenant, demande-moi si j'y vais souvent. »

Billy le fixa.

« Vas-y », fit l'homme.

Billy cracha. « Tu y vas souvent ?

— Jamais, Billy. Jamais. Je ne sais même pas le nom de cet endroit. Je n'y avais jamais mis les pieds avant aujourd'hui. Aujourd'hui, sans aucune raison valable, j'ai décidé de m'arrêter, de rentrer dans ce bar, de m'asseoir sur ce tabouret, et devine qui est venu s'installer près de moi ? »

Billy ne dit mot.

« Et maintenant regarde où tu en es. Tu es couché là, avec une balle dans le corps. En te réveillant ce matin, est-ce que tu t'es dit, “banco, je vais descendre en ville, je vais rencontrer l'homme qui sait où est cette fille que mon shérif de frère n'a jamais réussi à trouver, et tant que j'y suis, je vais me faire canarder” ? »

L'homme regarda Billy comme s'il attendait une réponse. Devant le silence de son interlocuteur, il secoua la tête. Puis poursuivit : « Tu es comme cette fille là-dedans, Billy. Tous les deux, vous ne faites que démontrer comment fonctionne vraiment le monde.

— Espèce de taré, lâcha Billy. J'ai choisi de venir ici. Elle a pas eu le choix. Tu l'as enlevée, c'est tout. Ce que tu considères comme du pur hasard, siffla-t-il, on appelle ça dans le monde de la perversion de dégénéré. »

L'homme plissa les yeux. « Elle avait le choix, Billy. Elle aurait pu rester avec son frère. Elle est montée dans ma voiture de son plein gré. Tu peux lui demander. Vas-y. Elle écoute tout ce qu'on dit. Pas vrai ? » lança-t-il à la cantonade.

Billy détourna le regard. Il avait la tête tellement lourde.

L'homme l'étudia longuement.

« De la perversion, tu dis ? Penser que le monde s'intéresse une seule seconde à ce que tu fais ou ne fais pas, se préoccupe de savoir si tu vis ou si tu meurs, c'est ça la plus grande perversion sur terre, Billy. »

Billy cracha encore du sang. Il pensa qu'il était sur le point de perdre connaissance ou de mourir. Probablement les deux. Comme ça. Juste comme ça. Rien qu'un putain de violeur pour lui dire adieu. « T'as fini ? fit-il.

— Pourquoi ?

— Parce que si tu veux continuer de parler… je boirais bien un peu de whisky. »

L'homme sortit le whisky, dévissa le bouchon et tendit la bouteille. Billy la porta à ses lèvres, et avala une lampée de liquide chaud. L'homme reprit la bouteille, referma le bouchon, et la jeta dans le neige.

Billy lécha le sang sur sa barbichette.

« Il y a une différence, Steve, dit-il, entre toi et moi.

— À savoir ?

— Moi, je garde pas de gonzesse au bout d'une chaîne. »

L'homme le fixa. L'air un peu amusé. « Ah bon ?

— Non.

— Peut-être que t'aimes pas les filles.

— J'aime les filles.

— Je sais, Billy. Je parie qu'il y en a une quelque part qui se demande où tu es à l'heure qu'il est. Pourquoi tu n'es pas avec elle. Pourquoi tu ne l'as pas appelée. Qui se demande avec quelle autre fille tu fricotes. » Il regarda la porte et secoua la tête. « C'est une longue chaîne, Billy. Qui va dans les deux sens. »

Couché par terre, Billy respirait difficilement, et l'homme l'observa avec un air faussement concerné. Comme un joueur d'échecs qui a deviné l'issue de la partie depuis bien longtemps.

Billy reprit son souffle et articula : « Dis-moi un truc. »

L'homme attendit.

« Ton vieux, fit Billy.

— Bah, quoi ?

— Il faisait quoi ?

— Il faisait quoi ?

— Ouais.

— Tu veux dire en dehors d'être un poivrot et un fils de pute ?

— Ouais.

— Rien. Il était ouvrier dans le bâtiment. Il était rien.

— Il était pas plombier plutôt ? » demanda Billy.

L'homme le dévisagea, interdit, puis un sourire se dessina lentement sur son visage. « Ah, lâcha-t-il, tu crois ça ? »

Billy le regarda.

« J'ai jamais pensé que tu croirais à un truc pareil. Mais je comprends pourquoi maintenant », reprit l'homme. Il eut un petit rire. « Hé bé dis donc. » Il examina ses lignes de calcul dans la neige, comme pour y déceler quelque chose de nouveau.

« J'imagine que ça aurait pu être moi, fit-il. J'imagine que ça aurait pu être moi. Ce qu'a fait Delmar avec cette clé Stillson m'a marqué, je ne vais pas dire le contraire. Mais j'avais pas ça en moi, Billy, pas à cet âge-là. »

Une vague noire s'éleva devant le champ de vision de Billy, et l'engloutit.

Le regard de l'homme se perdit dans les bois. « Charlotte Sweet. C'était ma première. »

Il jeta un coup d'œil à Billy, un curieux rictus aux lèvres.

« Tu y crois, toi ? Je l'ai vue un jour sur les courts de tennis, dans le parc. Elle et personne d'autre. Elle courait après les balles avec des copines. Quarante kilos, et tout juste seize ans, Charlotte Sweet. Tu imagines ? (Il observa le visage de Billy.) Tu imagines. Tu y as déjà pensé. Tous les hommes y ont déjà pensé. Les rois et les empereurs en avaient à disposition comme des bonbons. C'est toujours le cas, alors que le péquenot moyen… Billy ! » aboya-t-il, et les paupières de Billy s'entrouvrirent.

« Me parle pas de chaînes, Billy. Les hommes vivent enchaînés toute leur vie. C'est ça la différence entre toi et moi. Voilà pourquoi t'es allongé là avec cette balle dans la peau, tu comprends ? »

Billy cracha et se détourna, pour ne plus le voir.

« Il y a un truc qu'il faut t'accorder, Billy, tu as du courage. J'avoue. Mais c'est comme je t'ai dit au bar tout à l'heure : un homme ne devrait jamais être le héros de sa propre histoire. Donc voilà ce qu'on va faire. Tu m'écoutes ? On va aller dans un endroit que je veux te montrer, une petite crevasse où j'ai failli me casser la gueule une fois. Ça doit faire dans les un mètre de large, et la profondeur, c'est impossible à dire. Il n'y a qu'une seule façon de le savoir, en fait. Parfois quand ça tombe vraiment, elle est cachée sous la neige. C'est comme ça que j'ai failli me faire avoir, le jour où je l'ai découverte. Mais ça ne se remplit jamais de neige ou quoi que ce soit d'autre, et je crois que tu seras bien au fond de ce trou, Billy. Tu seras pas tout seul. Il y a un autre héros sur place, vous pourrez vous raconter vos aventures. Et deux jeunes femmes. Et celle-ci vous rejoindra bientôt. »

Il se leva, souleva le revers de son blouson pour ranger le revolver dans son étui, et Billy aperçut le cuir de la gaine au-dessus de sa hanche. Ce fut la dernière chose qu'il vit avant que les troncs flottants ne s'écartent et que l'eau ne surgisse pour l'emporter vers les ténèbres.

## 57

Lorsqu'il revint à lui, il était allongé sur le dos. Il voyait par en dessous les branches des sapins se balancer. Ou peut-être était-ce lui qui se balançait : chaque aspérité, chaque bosse du terrain vibrait dans son corps à travers les lattes de bois dur sur lesquelles il gisait, et dans les talons de ses bottes qui traînaient par terre.

Au-dessus de sa tête, l'homme le tirait avec autant de facilité qu'un cheval ou une mule. Billy distinguait son souffle dans la lumière qui filtrait à travers les nuages diaphanes au-delà de la cime des arbres, et il contempla cette condensation tandis qu'il bringuebalait sur les lattes, sans savoir depuis quand il était parti et combien de chemin encore il avait à parcourir. Lorsque sa bouche se remplissait, il tournait la tête d'un côté et laissait le sang couler.

L'homme continua de tirer son chargement sur une trentaine de mètres et s'arrêta enfin, lâchant la sangle. Il prit quelques instants pour reprendre son souffle, puis il glissa les mains sous les bras de Billy et dégagea son corps inerte de la luge. Il le mit presque debout et commença à gravir avec lui en marche arrière une succession de petits monticules de roches noires semblables à d'antiques marches. À chaque pas une douleur aiguë transperçait la cheville tordue de Billy. Une fois au sommet des pierres, l'homme le retourna, le ceintura, le dressa devant la fosse qu'il avait décrite et le secoua comme une poupée de chiffon.

« Réveille-toi, Billy, s'exclama-t-il. Je sais que tu n'es pas mort. »

La tête de Billy roula d'une épaule à l'autre. Ses bras pendaient mollement de chaque côté de son corps. « Attends », souffla-t-il. Un filet de sang chaud affleura à ses lèvres. Il en sentit aussi couler jusque dans le bas de son dos.

« Ah, enfin. Bien. Je veux te montrer quelque chose. » L'homme dégagea un bras tout en maintenant Billy fermement de l'autre, et, ce faisant, ce dernier aperçut le 9 mm, la poignée noire et vide où le chargeur avait été enlevé. « Bon, fit l'homme en brandissant l'arme, écoute », et il la jeta dans le vide. Le pistolet tomba d'abord en silence dans les ténèbres, comme dans une large gorge ouverte. Il heurta la roche une première fois, puis une deuxième, pour rebondir encore et encore d'une paroi à l'autre, longue chute sonore, et il finit soit par atteindre le fond, soit par continuer de plonger sans bruit dans l'espace. Quelques éclats de roche dégringolèrent à sa suite, et le silence revint.

Le souffle de l'homme était chaud dans le cou de Billy. Ses deux bras l'enlaçaient à nouveau, curieuse étreinte, grotesque, à la fois tendre, brutale et maladroite. Comme il avait dû la serrer dans la petite cabane, à la lumière du poêle. Nuit après nuit. Et elle n'avait pas lutté, elle n'avait pas résisté, elle lui avait ouvert les bras, les jambes, elle avait fait ce qu'il voulait, ce qu'il aimait, comme une gentille fille, dans tous les sens, encore et encore, elle l'avait même embrassé, car à chaque fois elle gagnait une heure, un jour, et elle était encore en vie grâce à cela.

« Tu es prêt ? » murmura l'homme à son oreille.

Billy secoua la tête. Ses mains pendaient le long des hanches de l'homme, le bout de ses doigts l'effleurait encore et encore, tels des papillons de nuit. Puis il le sentit.

« Allez, courage, Billy. Tu vas presque rien sentir, de toute façon, vu l'état dans lequel tu es. » Il le fit avancer comme une marionnette jusqu'au bord de la crevasse, qui dégageait une intense puanteur de terre et de décomposition, comme s'il s'agissait de la bouche d'aération d'un entrepôt très profond et très sinistre.

« Attends, fit Billy alors que l'homme s'apprêtait à le pousser.

— Quoi ?

— Je suis pas prêt. » Il balança son poing gauche derrière sa tête et le sentit s'enfoncer dans un corps solide. Les bras de l'homme s'écartèrent et Billy bascula au-dessus de la crevasse. Mais le trou n'était pas très large et il avait assez de force dans les jambes pour sauter. Il vola quelques secondes avant d'atterrir à plat ventre sur le bord opposé, les pieds gesticulant dans le vide. Aussitôt il se mit à glisser, mais ses doigts trouvèrent une prise dans la roche et il se hissa, roula sur le côté, puis sur le dos. Son cœur cognait dans sa poitrine. Des éclairs rouges traversaient les arbres. Il se redressa sur les coudes et regarda en direction de l'homme.

Celui-ci était toujours de l'autre côté de la fosse. Il se tenait le côté gauche du cou avec sa main gantée, tâtonnant à la recherche de la poignée du couteau Bowie planté là, comme s'il s'agissait d'une lésion ou d'un abcès venant d'apparaître. La lame était invisible. Sans lâcher son cou, il plongea l'autre main dans l'étui de son revolver. Le bouton pression s'ouvrit d'un claquement sec et Billy le vit armer, viser, et le chien percuta la chambre vide.

Une terrifiante grimace déforma les lèvres de l'homme. Du sang noir comme de l'encre suinta entre ses dents. Il tenta de s'éloigner du vide mais ses jambes cédèrent et il s'effondra à genoux. Sa mâchoire remua comme pour parler mais aucun son ne sortit de sa bouche, rien que Billy ne puisse entendre, en tout cas. Ils se regardèrent tous deux à distance. Puis, l'homme, la main tenant fermement à présent le manche du couteau, bascula sur sa gauche et tomba sur les pierres, comme mort. Il resta là immobile.

Billy laissa aller sa tête par terre. Le sang pulsait dans son crâne. Il respira avec son poumon valide. Dans le ciel, un flot de nuages opalescents reflua au-dessus des sapins, parsemés çà et là de petites déchirures lumineuses tels des navires voguant de nuit à contre-courant. Il détourna le regard et vit l'homme de l'autre côté de la crevasse. Il ferma les yeux, juste une minute – *Donne-moi juste une minute, vieux, après je récupère les clés du bonhomme et je retourne la voir.*

Il ferma les yeux et rêva de la fosse, des créatures des profondeurs, des ensevelis grimpant les uns par-dessus les autres comme des crabes rampant vers la lumière de la lune, émergeant du vide, et examinant les deux hommes allongés là, les touchant, les reniflant, et décidant enfin : *celui-là,* avant de le saisir dans leurs mains en forme de pinces et de l'entraîner avec eux dans leur repère. Billy se réveilla en sursaut, toussa, la joue plaquée contre la roche plate, comme au bord d'un précipice. Son cœur battait la chamade. Il se redressa et cracha du sang. Il se dit qu'il n'avait pas perdu connaissance pendant des heures, mais se rendit compte que la lune avait malgré tout eu le temps de transpercer les nuages. Son éclat luisait juste au-dessus de lui, tel celui d'un soleil nocturne flamboyant. Il tourna la tête en direction de l'homme. Il avait disparu. Le sol où il s'était effondré était nu à présent. Comme si le rêve n'avait pas été un rêve, comme s'il ne s'était trompé que sur un point.

« Lève-toi, bordel, fit-il avec détermination. Je te connais. Tu n'es pas mort. »

Il se mit à genoux, et ensuite sur ses pieds. Il chancela un long moment, les sapins tournoyant autour de lui. Puis, *lentement, lentement, mon grand, descends les vieilles marches en pierre.*

## 58

Assis dans la voiture chauffée, ils scrutaient les bois autour d'eux, leurs phares traçant difficilement un rai de lumière sous les branches.

« Vous croyez que ce sont les traces de pneus de Billy ?

— Je ne sais pas. Peut-être. »

Ils consultèrent à nouveau l'écran du GPS. L'appareil semblait les situer dans un néant noir au bout du monde et indiquait 21 h 32. Leur vitesse affichait zéro.

« Vous pensez qu'il peut aller jusqu'où avec cette voiture ?

— Je ne sais pas. J'imagine qu'on le saura tôt ou tard.

— Vous voulez que j'appelle le comté de Summit à la radio, pour leur dire qu'on est ici.

— Non, voyons d'abord ce qu'il y a devant. »

L'adjoint enclencha les quatre roues motrices et ils s'enfoncèrent dans les bois sur la route rudimentaire qui serpentait entre les arbres, de plus en plus escarpée, de plus en plus sinueuse. Leurs phares illuminaient l'étroit passage et enfin ils virent au détour d'un virage l'El Camino. Ils avaient assez de temps et de distance pour l'éviter. L'adjoint décéléra avec tact pour ne pas déraper en marche arrière, et ils finirent par s'immobiliser tant bien que mal dans la pente.

L'El Camino était en travers du chemin, amarrée à un arbre par le hayon.

Ils l'observèrent pendant un instant.

« En tout cas, il a conduit cette voiture jusqu'ici, pas vrai, shérif ?

— Ouais.

— Vous voulez que j'allume le projecteur ?

— Non, il n'y a personne dedans.

— Comment vous le savez ?

— Bah, la neige s'est accumulée sur le capot, ce qui veut dire qu'il est froid, et personne n'a essayé de dégager cette voiture, ça se voit. Il y a aussi des restes d'empreintes de pas près de la voiture, qui remontent ensuite la route. »

L'adjoint se redressa en tirant sur le volant, comme pour mieux voir. Il se renfonça dans son siège et secoua la tête. « Je ne sais pas, shérif. J'ai une drôle d'impression.

— Bon, couvre-moi avec le fusil si ça peut te rassurer. »

L'adjoint mit le frein à main. La voiture ne bougea pas. Ils sortirent et l'adjoint prit position derrière la portière ouverte tandis que le shérif se dirigeait vers l'El Camino. Kinney braqua sa lampe torche vers l'habitacle et confirma à la cantonade qu'il n'y avait personne à bord. L'adjoint leva le canon de son arme. Kinney essaya d'ouvrir la portière, puis contourna le véhicule et recommença côté conducteur. La chance lui sourit cette fois et le plafonnier s'alluma. Il s'immobilisa pour examiner l'intérieur. Il saisit le portable de Billy et vérifia que les messages qu'il avait lui-même envoyés étaient bien arrivés. Ce n'était pas le cas. Les deux téléphones se trouvaient désormais à moins de trente centimètres de distance, pourtant rien ne se transmettait.

« C'est son téléphone ? lança l'adjoint.

— Ouais.

— Pourquoi il l'a laissé ?

— À ton avis ? » Kinney lisait les messages envoyés.

L'adjoint réfléchit. « D'abord, il ne lui aurait pas servi à grand-chose ici. Et ensuite, j'imagine qu'il voulait qu'on le trouve. »

Kinney glissa l'appareil dans sa poche. « C'est exactement ce que je me dis. »

Il ferma la portière, retourna vers son adjoint, lui tendit un chargeur et lui demanda de lancer une recherche par radio. Il rebroussa ensuite chemin vers l'El Camino, mais se ravisa et fit demi-tour. L'adjoint fixait le chargeur.

« Vous voulez que je lance une recherche sur ce chargeur, shérif ?

— Regarde de plus près. »

L'homme s'exécuta.

« Là, au dos, précisa le shérif.

— Oh, fit l'adjoint. Je vois. »

Quelques minutes plus tard, ce dernier lui annonça que le numéro correspondait à un permis du Nouveau-Mexique au nom de Reginald Smites qui, comme le permis lui-même, avait depuis longtemps expiré.

Kinney balaya le sol enneigé avec le rayon lumineux de sa torche pour voir ce qui restait des autres traces de pneus qui montaient la pente.

« On dirait qu'il est sorti et qu'il a continué à pied, shérif.

— Oui, on dirait.

— Vous croyez qu'on peut bouger cette voiture ?

— Il n'a pas laissé les clés.

— On pourrait la remorquer pour dégager le passage.
— On pourrait essayer, mais je ne veux pas perdre de temps. Prends une lampe, Donny, ferme la voiture, et on y va.
— Je prends les fusils ?
— Un seul suffira, je crois. »

Dès l'instant où l'adjoint éteignit les phares, les bois s'épaissirent. Partout. Les arbres s'imbriquaient les uns dans les autres, et la pente raide de la montagne se dévoila dans la lumière bleutée de la lune. Ils se mirent en branle. Ils remarquèrent bientôt que Billy était tombé à deux reprises, et comprirent aussi qu'il avait adapté sa démarche pour continuer d'avancer. Ils suivirent ces curieuses empreintes, toute torche éteinte. Ils ne percevaient que le bruit de leurs pas et le faible sifflement du vent dans les branches. Lorsque le talkie-walkie du shérif se mit à crépiter, celui-ci s'en empara et le réduisit au silence d'un rapide mouvement du pouce. Son adjoint l'imita.

## 59

Le bois se fendit et le coin de la lame surgit, terne éclat argenté sur la surface noire de la porte. Elle n'arrivait pas à y croire. Quelque chose du monde extérieur venait de se frayer un chemin jusqu'à elle. Elle examina le fragment métallique, le cœur à l'arrêt, dans l'attente de ce qui allait advenir. Ce qu'elle avait sous les yeux réveilla dans ses jambes frêles le souvenir d'un jour lointain en raquettes – dans la neige profonde, le sang circulant à toute allure dans les cuisses, les poumons en feu, descendant un peu plus la pente à chaque pas, s'éloignant de la cabane, du lit de camp, de la salle d'eau, de la chaîne. Elle regarda la lame ; celle-ci ne bougea pas. Puis elle entendit la détonation, tomba à genoux, et la voix qu'elle perçut ensuite fut celle du singe.

Elle recula, traînant la chaîne avec elle jusqu'à sa place sur le lit où se trouvait le vieux duvet à l'odeur âcre qui, elle l'avait cru l'espace d'un instant, ne toucherait plus jamais sa peau. Elle replia ses jambes et s'enroula dedans, les yeux rivés sur le bord de la lame, faiblement éclairée par la lueur du poêle dans lequel se consumait sur un tapis de braises son avant-dernière bûche.

Au bout d'un moment, les deux hommes se turent. Pour finir, le singe lui dit à travers le battant qu'il reviendrait très vite, et il y eut d'autres sons. Puis, elle entendit les patins de la luge fendre la neige et s'éloigner vers les arbres. Le silence revint ensuite et elle resta immobile, fixant le coin de la lame dans la porte, avec une telle intensité que ses yeux commencèrent à lui faire mal – et l'éclat métallique, curieusement, devint plus que cela, elle eut l'impression qu'il s'agissait d'un morceau du monde extérieur lui-même, tout comme le fin croissant d'une lune suggère l'astre en entier, et elle se souvint d'un livre qu'elle aimait autrefois, un livre à propos d'un être rond auquel il manquait un petit bout, gros comme une part de tarte, et qui roulait à travers le monde en chantant : *Oh, mais où il est mon petit bout manquant, où il est mon petit bout manquant*. Elle se souvint de l'odeur des pages du livre et de l'odeur de sciure sur la chemise de son père dans les bras duquel elle se lovait, elle-même petit être rond. Elle se souvint de l'écho profond de sa voix dans sa poitrine, qui vibrait dans son corps à elle, et des battements de son cœur aussi qui résonnaient dans un registre si grave qu'elle seule pouvait les percevoir. Elle comprit, à l'évocation de ce souvenir, à l'empressement dont elle faisait preuve pour le faire revivre en elle, qu'elle ne reverrait plus jamais son père. Ni sa mère ni son frère.

Elle songea alors à chacun d'entre eux, s'efforçant de tout se rappeler, tandis qu'une autre part d'elle-même restait à l'affût du bruit de ses pas, du glissement de la luge vide sur la neige, du son de la clé glissant dans la serrure du cadenas. Il avait affirmé à Billy qu'il ne croyait pas que l'arrivée du shérif était imminente, mais il ne courrait pas le risque. C'était l'heure. Il allait faire ce qu'il aurait dû faire depuis longtemps et ensuite il redescendrait de la montagne, ne reviendrait jamais ici, et ne serait jamais retrouvé. Elle non plus d'ailleurs, ni ses sœurs d'infortune avant elle, ni les deux hommes qui avaient essayé de lui venir en aide. Sa famille ne saurait jamais et elle se rendit compte que c'était là le pire, ne pas savoir. Elle espéra que si Dieu n'existait pas, s'il n'y avait pas de paradis, elle pourrait au moins leur apparaître une dernière fois, pour leur dire tout ce qu'elle avait omis de leur dire quand elle en avait encore l'occasion, et elle se mit à leur parler avec ferveur, à la hâte, car elle entendait à nouveau les pas dehors, au loin, qui se rapprochaient de plus en plus, s'enfonçant lourdement dans la neige dure. Mais elle ne perçut pas le glissement de la luge, ni le cliquetis des clés lorsqu'il arriva devant la porte. Le battant s'ébranla et elle vit la lame de la hache s'extraire de son entaille dans le bois ; puis, seul son murmure enfiévré continua de frémir dans le silence tandis que, les paupières closes, elle parlait encore à ses parents, à Dudley. Elle voyait leurs visages, pas le sien ; les visages de son père, de sa mère, de Sean. Elle s'efforça d'imaginer à quoi ressemblait maintenant son petit frère. Il avait l'âge qui était le sien lorsqu'elle avait disparu. Il était plus grand, plus fin, il avait la silhouette de son père. Ce n'était plus un garçon mais un jeune homme. Pour finir, elle se visualisa elle-même, non pas comme elle était désormais, mais comme elle avait été auparavant. Elle plaça son visage tel qu'elle s'en souvenait dans le portrait familial, et ainsi ils furent réunis, au complet une fois de plus, sans bout manquant.

L'instant d'après, le mur dans son dos trembla et elle ouvrit les yeux. Le coin de la hache avait réapparu dans la porte, un peu plus enfoncé qu'avant. Il se volatilisa à nouveau et elle entendit l'homme respirer bruyamment pour reprendre son élan avant que la hache s'abatte à nouveau contre le battant. La lame entière défonça le bois, cette fois, et surgit telle la tête d'un animal en panique. Le fer se libéra encore pour aussitôt pénétrer plus avant. Elle ne comprenait pas. Elle ne comprenait pas. Avait-il perdu ses clés ?

La hache cogna encore et des éclats de bois volèrent à travers la pièce. L'homme tira sur le manche et l'outil ne se manifesta plus. Le trou était assez grand maintenant pour qu'elle puisse voir la neige dans les arbres, lumineuse dans le clair de lune. Puis le trou s'assombrit et elle comprit que sa tête l'obstruait. Elle retint son souffle. Des doigts blancs émergèrent de l'ouverture et s'agrippèrent au bois. La porte s'agita. Les doigts disparurent.

S'ensuivit un autre coup de hache, et cette fois, la lame ne s'arrêta pas mais continua de fendre le bois de haut en bas, jusqu'au sol. L'espace d'un instant, le battant resta immobile. Puis la porte s'ébranla violemment une fois, puis une seconde fois, et elle s'ouvrit enfin dans une explosion de lumière, de neige, d'échardes de bois voltigeant dans l'air, et l'homme se précipita à sa suite, s'écroulant à quatre pattes comme quelqu'un qui vient de marcher sur un parquet pourri. Il resta là, haletant, la hache plantée dans le sol sous sa main droite. Il avait surgi dans l'éclat de lune, et plus il restait dans cette position plus il semblait enfermé dans une boîte de lumière. Lorsqu'il leva enfin les yeux, son visage était effrayant ; il l'aurait été sous n'importe quel éclairage. Ce qui était peut-être ses dernières gouttes de sang perlèrent de sa bouche, gluantes tel un sirop noir. Quelque chose gargouilla dans son corps, comme si chacune de ses respirations se faisait à travers un tissu mouillé.

Elle se débarrassa du sac de couchage, et Billy eut l'impression qu'elle n'avait que la peau sur les os, tant elle était maigre et pâle dans ses guenilles en lambeaux. Des cheveux sombres et emmêlés tombaient sur son visage ; ses pieds nus étaient noirs. La chaîne et le cadenas se balançaient à sa cheville comme un bijou grotesque. Ils se regardèrent tous deux dans les yeux, et comprirent quelle créature pitoyable chacun était devenu.

Elle posa une main sur son épaule. La première fois qu'elle touchait un autre être humain en dehors de lui, depuis si longtemps. Elle s'attarda ainsi, résistant à l'envie de s'emparer de la hache – *c'est la mienne, donne-la-moi.*

« Billy, dit-elle, où est-il ? »

Il cracha du sang et respira bruyamment, puis se redressa à genoux et s'accroupit sur ses talons. Il essuya du poing le sang sur ses lèvres, et regarda autour de lui. « Mon Dieu, fit-il.

— Billy », répéta-t-elle, mais il perdit l'équilibre et tomba lourdement à la renverse, contre le chambranle de la porte. Ses jambes se déplièrent devant lui une par une, et désormais elle ne pouvait plus toucher que ses bottes. Elle saisit la hache, et la fit glisser plus près d'elle.

Il clignait des yeux, l'air assommé. Son odeur ainsi que le clair de lune et le froid avaient envahi la pièce. Il sentait la cigarette, les pots d'échappement, la résine, la neige, la boue. Les cheveux sales, le vomi et l'alcool. Il sentait la sueur, la chair, le cuir, et quelque chose de métallique et de primitif : l'odeur du sang, se dit-elle. Il sentait le monde.

« Billy, répéta-t-elle encore, où est-il ?

— Qui ça ?

— L'homme. L'homme qui t'a tiré dessus. »

Il fit un geste vague de la main. « Poignardé.

— Tu l'as poignardé ? »

Il hocha la tête.

« Il est mort ? Billy, il est mort ? »

Il soupira. Ferma les paupières. « Je ne sais pas. » Il avait les lèvres bleues ; il commença à claquer des dents.

Elle regarda la lumière de la lune, les arbres et la montagne. Son champ de vision n'était pas assez large pour qu'elle pût voir la lune elle-même, mais elle savait qu'elle était là-haut, lumineuse et entière.

Le froid s'intensifiait dans la pièce, mais elle ne le sentait pas. Elle avait chaud. Son cœur martelait ses côtes décharnées.

« Billy », dit-elle. Elle attrapa sa botte et la secoua. « Billy. »

Il ouvrit les yeux. Des yeux vitreux, somnolents, qui luttaient pour voir clair.

« Billy, tu as dit que le shérif arrivait. C'est vrai ? Il est en route ? » Il grimaça, et elle s'aperçut qu'elle tenait dans la main sa cheville blessée. Elle lâcha prise.

Il remua la tête. « Je ne sais pas, répondit-il. Mon téléphone.

— Quoi ? fit-elle, quoi ? Tu as un téléphone ? Où ? Où est ton téléphone, Billy ? » Elle tendit la main vers lui.

« Pas ici, murmura-t-il. En bas. Dans la voiture. »

Elle le dévisagea, incrédule. « Pourquoi tu l'as laissé là-bas ?

— Vas-y, souffla-t-il. Ma voiture. » Il frissonna. Sa main gantée se souleva du sol et retomba sur la poche de sa veste, pour finalement se frayer un chemin à l'intérieur. Elle entendit un bruit de clés, et il brandit son poing fermé vers elle. Elle pouvait tout juste l'atteindre. Sa main effleura le gant ensanglanté, et elle récupéra les clés.

« Mes empreintes, articula-t-il. Suis la pente. Tu comprends ? »

Elle acquiesça. Elle serra les clés dans sa main. Ce n'était pas celles qu'elle voulait, et il sembla le comprendre. Elle avait une telle tristesse dans le regard.

« Désolé, fit-il en frémissant. Je peux plus. La hache.

— C'est pas grave. Repose-toi. Je vais te chercher de l'eau. » Elle s'apprêtait à se redresser, mais il leva la main pour l'arrêter. Il avait autre chose à dire.

« Tu sais quelle heure il est ? »

Elle se tourna et chercha instinctivement des yeux le rond de lumière sur le sol, mais il avait disparu.

« Dix heures, répondit-elle. Peut-être dix heures et demie. »

Il opina du chef.

« Ta famille », souffla-t-il.

Elle le regarda. Absolument immobile.

« Ta famille, répéta-t-il. Toujours dans la vallée. Te cherche encore. »

Elle inclina la tête. Elle posa à nouveau la main sur sa botte. Ses frêles épaules tremblaient. Au bout d'un moment, elle s'essuya le visage, leva les yeux et lui dit qu'elle allait lui chercher à boire.

Elle traîna la chaîne jusqu'à la salle d'eau, prit le seau d'eau vide aux trois-quarts, tout ce qui lui restait, et elle regagna l'autre pièce. Mais elle s'arrêta immédiatement, posant le seau, car de là où elle se trouvait, elle voyait bien qu'il était mort.

Dehors le vent souffla dans les sapins. De la neige glissa sur le sol et resta collée contre la jambe de Billy. Elle jeta un coup d'œil derrière elle, au poêle sombre, à la dernière petite bûche posée à côté. Puis elle regarda dehors : le monde qu'elle pouvait distinguer dans la lueur de la lune, à travers la porte ouverte.

« Viens, je t'attends », lança-t-elle, hache à la main.

## 60

Elle n'en avait jamais utilisé auparavant, mais la forme du manche et le poids de la cognée lui indiquèrent comment s'y prendre. Elle se positionna par rapport à la chaîne, brandit la hache aussi haut qu'elle le put malgré le plafond bas, et l'abattit de toutes ses forces vers le sol. Des étincelles jaillirent, la tête de la hache vrilla et la poignée se contorsionna dans ses mains comme une créature vivante. L'effort la laissa haletante, sonnée, et furieuse contre son propre corps. Elle se pencha et ramassa la chaîne mais ne trouva aucune trace du coup, juste une égratignure sur un maillon terni, le maillon lui-même étant resté intact. Elle prit aussitôt conscience de plusieurs vérités : la chaîne était trop solide, la hache trop mal affûtée, son corps trop faible. L'air était imprégné d'une âcre odeur de fer qui rappelait la fumée des cierges magiques que les gens allumaient les soirs de 4-Juillet.

Elle reprit la hache en main, et cette fois elle s'aligna par rapport au socle arrimé au sol, au-dessus du demi-maillon auquel était fixée la chaîne, ce point d'ancrage pervers qui avait défié tous ses efforts pour le briser. Elle souleva la hache et frappa. La cognée ne vrilla pas cette fois, mais se contenta de provoquer une faible note avant de rebondir dans les airs. Elle avait atteint la surface du socle à trois centimètres de l'anneau.

Étourdie, elle brandit à nouveau la hache et frappa. La lame ricocha sur l'anneau mais elle tint bon. Elle s'agenouilla pour toucher l'anneau et la chaîne, mais ils restaient attachés l'un à l'autre comme avant. Elle tourna la hache et passa son pouce le long de la lame émoussée et éraflée. Le désespoir monta en elle, elle s'efforça de l'étouffer. Elle regarda la porte, ou ce qu'il en restait, puis le sol autour du socle en acier. Maintenant qu'elle avait manié la hache, elle comprenait la force qu'il avait fallu déployer pour défoncer la porte, et ce que cela lui coûterait de faire la même chose dans le sol. Elle comprit qu'elle n'y arriverait jamais.

L'air froid tourbillonnait dans la pièce. La neige continuait de s'amonceler contre la jambe de Billy, petite dune croissante. Elle resta là à l'observer, en frissonnant.

*Qu'est-ce que tu fais?* demanda la fille – celle qui était forte, celle qui l'avait abandonnée, croyait-elle.

« Je pense. »

*J'espère que tu penses à relancer ce feu et à te mettre dans ce duvet.*

« J'en ai rien à foutre, de ce duvet. »

La fille ne dit rien.

Caitlin tenait la hache, l'oreille à l'affût. Puis elle dit : « Tu crois qu'il va venir ? »

*Qui ?*

« L'un ou l'autre. »

La fille mit un certain temps à répondre, mais Caitlin savait ce qu'elle allait dire.

*Je pense ce que j'ai toujours pensé. Personne ne viendra. Il n'y a que nous.*

Des cristaux de neige flottaient dans l'air et atterrirent sur son visage. Les clés de Billy se trouvaient là où elle les avait laissées, par terre, étincelantes dans la lumière bleutée. Suis ses empreintes, c'est tout. Va à la voiture. C'est tout. Elle se rappela les raquettes, la poudreuse profonde, et son cœur battant la chamade, le singe à sa poursuite, et *ne tombe pas, ne tombe pas*… Il avait tout mis dans un sac, raquettes, bottes, blouson, gants, et avait tout emporté sans dire un mot. Méchante.

Elle serra la hache. Son cœur égrenait les secondes, les minutes. Maintenant qu'elle avait laissé les visages des siens pénétrer son esprit, elle ne pouvait s'en débarrasser. Les visages de la vie d'avant. Ils étaient toujours dans la vallée, avait-il dit. Ils la cherchaient encore. Ils la cherchaient encore, mais qu'allaient-ils trouver ?

Elle tendit l'oreille pour écouter la fille – prête à tout entendre. Mais il n'y avait rien. Du vent. La neige qui chuintait le long des lattes de parquet.

Elle se remit sur pied, ouvrit la porte du poêle, et avec la dernière bûche poussa celle qui se consumait, rien de plus à présent qu'un os noirci et fumant qui au premier contact s'émietta en petits cubes rougeoyants. Des flammes s'élevèrent, et elle déposa avec précaution la nouvelle bûche dessus, avant de fermer la porte en la laissant entrebâillée, afin que l'air attise le feu, et que le bois brûle plus rapidement et intensément. Elle plaça le seau d'eau et la hache à côté du poêle, puis elle s'approcha du lit et ramassa une chemise de garçon en flanelle, autrefois rouge mais désormais presque noire, et elle l'enfila, la boutonna jusqu'au cou. Pour finir, elle se mit à quatre pattes et fouilla sous le lit, jusqu'à ce qu'elle touche ce qu'elle cherchait, et les sorte de leur cachette. Elles étaient poussiéreuses, grises, et ratatinées, telles des créatures qui se seraient réfugiées là-dessous il y a bien longtemps, pour mourir ensemble. Elle en prit une dans chaque main, et fit claquer les semelles l'une contre l'autre. Le son et la sensation qu'elle éprouva la firent presque pleurer. Elle les claqua l'une contre l'autre et la terre rouge du sentier, la poussière grise des années, tombèrent comme des flocons de neige.

Il n'y avait plus de boîtes de conserve, plus de barres de chocolat, plus de minibriques de jus de fruit, plus rien sur les étagères du garde-manger ; aussi, elle plongea la main dans le seau, et but trois grandes gorgées d'eau.

Elle regarda l'homme couché par terre prénommé Billy.

« Désolée », souffla-t-elle, et elle l'attrapa par les chevilles.

## 61

Peu à peu la route se transforma en sentier, et bientôt ils atteignirent l'endroit où les traces de pneus plongeaient sur le côté. Ils repérèrent alors deux empreintes de pas au lieu d'une. Ils levèrent leurs lampes torches et sondèrent la ravine, mais les rayons lumineux butèrent sur l'épais rideau de broussailles, sans pouvoir aller plus loin. Ils éteignirent les lampes et restèrent immobiles dans le clair de lune.

« Vous voulez que je descende voir, shérif ?

— Je ne crois pas que ce soit la peine, Donny. On a deux hommes à pied maintenant et on ferait mieux de chercher à savoir où ils sont partis. Vu les empreintes, là, je dirais qu'ils sont déjà loin. »

L'adjoint renifla et regarda en contre-bas derrière lui, puis il se retourna dans la direction où ils allaient. « Mais pourquoi il a fait un truc comme ça à votre avis, shérif ?

— J'ai arrêté de me poser ce genre de question il y a longtemps, Donny. »

Ils se remirent en marche.

Les deux empreintes de pas progressaient dans la même direction sur l'étroit sentier, à bonne distance l'une de l'autre comme par obsession ou superstition. Comme si l'un des deux hommes était dégoûté à l'idée de poser les pieds là où l'autre avait marché.

« On ne peut pas les confondre, pas vrai, shérif?

— Marchons en silence, s'il te plaît. »

Ils débouchèrent d'un virage et, s'apercevant que les empreintes continuaient de suivre le sentier, ils firent une halte pour reprendre leur souffle. Kinney aurait bien fumé une cigarette mais il chassa cette envie de son esprit.

Ils s'apprêtaient à repartir lorsqu'ils entendirent un bruit, ou l'écho d'un bruit provenant de la montagne au-dessus d'eux. Un coup sourd, comme une hache s'abattant sur du bois. Ils s'immobilisèrent et écoutèrent. Moins d'une minute plus tard, le son retentit à nouveau, puis le silence absolu revint. L'adjoint regarda le shérif et ce dernier hocha la tête. Ils reprirent leur ascension.

Le sentier devenait plus pénible et le shérif laissa son adjoint passer devant pour pouvoir lui-même se concentrer sur l'immensité qui les entourait, l'oreille à l'affût du moindre bruit étranger à la forêt. Ils n'avaient pas fait cinquante mètres lorsque le shérif posa la main sur l'épaule de son compagnon. Ils s'arrêtèrent.

L'adjoint se tourna dans la direction que le shérif désignait du doigt et il distingua une lueur, une forme lumineuse, géométrique et orangée, qui vacillait au fond des bois : probablement une porte ouverte. Presque immédiatement, il sentit l'odeur de fumée, comme si l'une ne pouvait exister sans l'autre.

« La vache, shérif, souffla-t-il. La vache. »

Kinney s'accroupit et ôta son chapeau. Son adjoint l'imita, son fusil sur les cuisses. Ils regardèrent pour voir si quelqu'un passait devant la porte, ou la fenêtre, ou s'approchait pour la fermer à cause du froid, mais ce ne fut pas le cas.

L'adjoint chuchota : « Shérif, vous avez vu là-bas ? » Il désigna du doigt l'endroit où les empreintes de pas divergeaient brusquement. Les deux hommes se levèrent et remontèrent le sentier, légèrement voutés, avant de s'accroupir de nouveau et d'étudier les empreintes.

L'adjoint posa son index ganté sous son nez. « Qu'est-ce qu'on fait, shérif ? »

Au-dessus de leurs têtes, les sapins se dressaient vers les étoiles et une fine poussière pailletée dégringolait de leurs cimes blanches.

« Je n'aime pas ça, répondit le shérif, mais on va se séparer. (Il se pencha et cracha.) Tu suis ces empreintes-là et moi je prends les autres, reprit-il. Mets ta radio sur bip. Si tu vois quoi que ce soit, bipe-moi deux fois et attends que je te rejoigne. Je ferai la même chose si besoin. »

Ils remirent leurs couvre-chefs, les ajustèrent et se levèrent. « Évite d'allumer ta torche, si possible, et fais gaffe, Donny.

— OK, shérif. »

Ce dernier regarda son adjoint s'éloigner, puis tourna les talons et s'enfonça dans les bois, comme son frère l'avait fait lorsqu'il avait repéré la même lueur, deux, peut-être trois heures plus tôt.

La lune le suivit. Elle se faufilait entre les cimes des arbres et projetait devant lui une version déformée de sa propre silhouette, une ombre liquide se déplaçant avec agilité tandis qu'à sa suite, il avançait difficilement. Il gardait un œil sur les empreintes de Billy, un œil sur la lumière, et faisait une pause tous les dix mètres environ pour écouter. Il entendit le craquement d'une petite branche au loin, dans la direction de son adjoint, mais rien d'autre. Avait-il pris la bonne décision en lui ordonnant de partir de son côté ? En choisissant de ne pas appeler ses collègues du comté de Summit pour leur dire de les rejoindre ici ?

Nous rejoindre pour quoi, bon sang ?

Il s'était arrêté pour écouter, là où Billy avait trébuché sur un arbre enfoui sous la neige. « Venir ici avec des bottes de cowboy », maugréa-t-il. Puis il repartit.

Il suivit les traces qui contournaient les sapins, et lorsqu'il jeta un coup d'œil au rectangle lumineux, à la porte ouverte, cela ne faisait plus aucun doute désormais, quelque chose passa devant sans faire de bruit, comme si un arbre venait de s'abattre par terre en silence. Il s'immobilisa. L'arbre passa derechef devant l'embrasure de la porte et il se rendit compte qu'il ne s'agissait pas d'un arbre mais d'une silhouette humaine titubant à travers bois.

Il se dissimula derrière les branches d'un jeune sapin et observa la silhouette avancer, instable et imprévisible, boitant méchamment. Privée de tout équilibre et de tout sens de l'orientation, elle suivait pourtant avec obstination un chemin, et c'était le même chemin, se rendit-il compte, que celui sur lequel il se trouvait, et qui était balisé dans la neige par les empreintes de bottes de son frère.

Il ôta ses gants, les fourra dans sa poche, sortit son arme de poing de son étui et se positionna derrière le petit arbre, bottes enfoncées dans la neige. Il leva sa torche et la posa sur une branche au niveau de ses yeux, puis braqua à la fois l'arme et la lampe éteinte vers un endroit à cinq mètres devant lui, là où la visibilité était bonne, et où il savait que la silhouette allait passer.

Entre les branches, il distingua l'éclat bleuté d'un cuir sur la silhouette claudicante, et même s'il crut reconnaître le blouson, il ne décela rien d'autre, dans les mouvements chaotiques ni sur le visage blafard dissimulé sous un bonnet noir, qui ressemblât à son frère. Il ôta la sécurité de son arme d'un coup de pouce, et expira lentement.

Le bruit de pas erratiques lui parvint avant même qu'il voie la silhouette, et Kinney distingua la condensation du souffle devant le visage blême. Puis il entendit la respiration elle-même. La silhouette déployait non seulement des efforts incommensurables mais elle articulait aussi des phrases décousues – incantation haletante, aussi féroce qu'inintelligible.

La silhouette finit par surgir dans sa ligne de mire, et il alluma sa lampe. Une main gauche gantée se leva immédiatement : elle ne tenait pas d'arme, ni la droite d'ailleurs, qui demeurait baissée, le poing fermé, le long de la cuisse droite.

« Pas un pas de plus », s'exclama Kinney, et la silhouette se pétrifia. La paume ouverte oscilla dans le rayon lumineux, son ombre dissimulant le visage tel un énorme gant prêt à l'étouffer. Il se rendit compte qu'il ne s'agissait pas de son frère mais d'un imposteur portant les vêtements de ce dernier, et un imposteur peu crédible : noyé dans le blouson en cuir, l'ourlet du jean tombant en accordéon sur les chevilles. Ou plutôt sur une cheville, car l'autre jambe du pantalon était bouchonnée au-dessus d'une botte de cow-boy, dans les passants de laquelle était enfilée une ceinture, l'imposteur tenant la boucle ainsi formée dans son poing ganté telles les rênes de son propre pied droit.

« Les deux mains en l'air, tout de suite », ajouta Kinney, et au bout d'un instant la silhouette chancelante lâcha la ceinture et s'effondra à genoux, puis à quatre pattes, en poussant un gémissement aigu et sinistre. Une cascade de cheveux noirs se répandit devant le visage, et se figea dans le rayon lumineux de la torche du shérif.

« Levez les yeux », fit Kinney. Les épaules sous le blouson tremblaient manifestement. Des gouttes, soudain lumineuses dans la lumière, tombèrent dans les cheveux ternes, avant de disparaître dans la neige.

« Allez, reprit le shérif plus doucement. Regardez-moi. » Il baissa sa torche et la silhouette souleva la tête, lui révélant son visage sous le bonnet, et l'espace d'un instant il crut voir celui de sa propre fille, tourmentée, vidée, ravagée par la maladie.

« Mon Dieu », souffla-t-il. Il se dégagea de l'arbre, rangea son arme, s'agenouilla à côté d'elle, et la regarda. Ses yeux humides étaient comme possédés. « Ma petite, dit-il, comment t'appelles-tu ? »

# 62

Ils étaient restés silencieux un long moment à fumer dans le clair de lune, lorsque Grant déclara : « J'ai réfléchi à essayer de rester ici. J'en ai parlé au shérif Joe. Je crois que je pourrai payer le prêt pendant un moment. Mais ça voudrait dire vendre notre maison. C'est-à-dire retourner là-bas et tout mettre en garde-meubles. Ou tout vendre. »

Le garçon songea à la maison dans le Wisconsin, sa chambre au-dessus du garage, toutes ses affaires d'enfance, son lit, ses livres, ses avions de combat suspendus avec du fil à pêche. Les rubans de Caitlin sur le mur, telle une aile d'oiseau, ses trophées, ses affiches, et le singe en peluche qu'il lui avait donné une fois à Noël, et qui était encore sur son lit. Tout était resté intact dans la pénombre froide et silencieuse. Il baissa la tête, souffla dans ses mains jointes et dit : « Et maman ?

— Quoi, maman ?

— Elle compte rester avec tante Grace pour toujours ?

— Je ne sais pas.

— Vous allez divorcer ?

— Je ne sais pas.

— Tu ne sais pas.

— Non. On ne parle que d'une seule et unique chose depuis un bon moment. »

Le garçon pensa à la serveuse Maria, et à Carmen.

Grant prit le cendrier sur la balustrade de la véranda, et écrasa sa cigarette.

Le garçon demanda : « Elle croit toujours en Dieu, à ton avis ? »

Grant hocha la tête. « Oui.

— Et toi ?

— Comment ça, moi ? »

Le garçon le regarda, puis détourna les yeux.

« Je ne sais pas, ajouta Grant.

— Tu crois que ça aurait changé quelque chose ?
— Que quoi aurait changé quelque chose ?
— Croire. Avant. »
Grant fixa le profil de son fils dans la lumière de la lune.
« C'est ce que tu crois, toi ?
— Parfois. »
Ils gardèrent le silence. De l'autre côté de la cour, surgissant de l'ombre de la maison, la silhouette de la chatte se faufila, sinueuse et noire sur la neige, à la poursuite de quelque chose. L'animal était sur le point d'atteindre l'épicéa bleu lorsqu'il s'arrêta, une patte en l'air. Ses yeux s'illuminèrent tels deux minuscules phares d'un vert mordoré. L'espace d'un instant, le monde resta comme en suspens. Puis le garçon frotta sa botte contre la marche, les phares disparurent, et la chatte s'enfuit dans l'ombre. Ils regardèrent pour voir si elle réapparaissait, mais ce ne fut pas le cas.

« Cette maison, c'est tout ce qui nous reste », remarqua le garçon.

Grant prit une autre cigarette et tendit le paquet à son fils, mais celui-ci déclina. Grant alluma sa cigarette et souffla un nuage de fumée, bleu et spectral.

« Je n'ai pas d'autre solution, dit-il. Et toi ? » Il regarda son fils. Sa moustache blonde naissante luisait dans le clair de lune. Grant voyait toujours le petit garçon qu'il avait été il n'y avait pas si longtemps, mais il savait qu'il était le seul, que c'était l'image qu'un père gardait en lui, imprimée pour toujours.

Le garçon fit non de la tête, et avoua qu'il avait souhaité quelque chose de terrible. Terrible.

« Quand ? demanda Grant. À l'instant ? » Il pensait à l'étoile filante.

« Non. Quand on est allés voir cette fille. »

Grant se tourna vers lui. « Qu'est-ce que tu as souhaité ?
— J'ai souhaité que ce soit elle. J'ai souhaité que ce soit Caitlin. »

Grant détourna les yeux.

« J'ai voulu que ce soit elle pour qu'on la ramène à la maison. »

Grant secoua la tête. « Je n'aurais jamais dû te laisser descendre là-bas.

— Tu n'aurais pas pu m'arrêter. »

Grant secoua à nouveau la tête. « J'ai eu cette conversation des milliers de fois », constata-t-il. Il regarda le ciel. « Je dis : je n'aurais jamais dû vous laisser aller dans ces montagnes. »

Le garçon garda le silence. La lune trônait dans son halo.

« Et elle répond : tu n'aurais pas pu m'arrêter. Et moi je fais : peut-être pas. » L'éclat des cieux illuminait ses yeux. « Mais j'aurais dû essayer. »

## 63

Kinney dit à la jeune fille qui il était, et il lui expliqua qu'il avait suivi son frère Billy jusque-là. Elle resta immobile à quatre pattes, et il balaya la neige du regard, pour voir s'il y avait du sang.

« Tu es gravement blessée, Caitlin ? »

Elle sanglota, vacilla, et il la saisit par le bras. Un bras squelettique sous le cuir. Il comprit ce faisant à quel point elle allait être légère.

« Ça va aller ma petite, murmura-t-il. Ça va aller maintenant. On va te sortir de là. » Il mit la main sur sa radio, appuya sur le bouton à deux reprises, et attendit. Il appuya encore deux fois, et ne tarda pas à entendre quelqu'un avancer dans les bois, rapidement mais avec précaution. Il éteignit sa lampe, sortit à nouveau son arme et la pointa au-dessus de la fille recroquevillée et figée à ses pieds.

« Y a quelqu'un d'autre ici, Caitlin ? souffla-t-il. Il est là, l'homme qui t'a enlevée ?

— Je ne sais pas. Je crois.

— Et Billy ? Où est Billy ? »

Avant qu'elle puisse répondre, la silhouette d'un homme apparut, et Kinney reconnut la forme du chapeau. Il baissa son arme et fit clignoter sa torche deux fois, pour le guider. Il dit à la jeune fille que tout allait bien, il ne s'agissait que de son adjoint, et elle se remit à respirer.

L'adjoint émergea des arbres à la hâte, s'arrêta près d'eux, appuya le fusil contre ses genoux et se pencha en avant pour reprendre son souffle, comme un homme qui vient de finir une course difficile. Il était aussi pâle que la fille et lorsque ses yeux rencontrèrent ceux du shérif, celui-ci se rendit compte qu'il était profondément ébranlé.

L'adjoint observa la fille à quatre pattes dans la neige. Il s'attarda sur l'unique botte de cow-boy qu'elle portait, et sur la ceinture qui dessinait un sourire sinistre par terre. Il regarda ensuite la chaussure de sport qu'elle avait à l'autre pied. Il sembla manquer de souffle ou de mots pour parler.

« Qu'est-ce que tu as trouvé, Donny ? »

L'adjoint s'agenouilla près de la fille, comme pour prier ou mendier. La fille tourna ses yeux humides vers lui.

« Vous l'avez trouvé ? murmura-t-elle.

— Trouvé qui ?

— L'homme.

— Tout ce que j'ai trouvé, c'est Billy », répliqua-t-il.

Elle l'interrogea du regard. Puis sa tête retomba lourdement, ses cheveux noirs s'étalant dans la neige.

Kinney se tourna vers son adjoint. « Vas-y, dis-moi.

— Shérif, je crois qu'on doit emmener cette jeune fille à l'hôpital.

— Je sais. Dis-moi ce que tu as vu là-bas.

— Shérif, je ne sais pas si je peux.

— Bon Dieu, Donny. »

L'adjoint secoua la tête, l'air abattu. Il tendit la main pour toucher l'épaule de la fille, mais s'arrêta dans son élan. « Mademoiselle ? dit-il. Est-ce qu'on peut regarder ? »

Elle ne broncha pas. Puis en silence elle pivota sur une hanche, se tourna pour s'asseoir dans la neige, les bras plantés derrière elle et les jambes tendues ; dans cette position elle leva sa botte unique en l'air, devant les yeux de l'adjoint, comme une offrande. Comme pour l'inviter, bizarrement, à la déshabiller.

L'adjoint tendit le fusil au shérif.

« Qu'est-ce que tu fais, Donny ? »

L'adjoint prit la botte dans les mains et commença délicatement à tirer. Elle glissa plus facilement que Kinney ne l'aurait imaginé, et lorsque son adjoint eut fini de l'enlever, il ne comprit pas ce qu'il voyait. Au bout de la jambe blanche et frêle, il n'y avait pas de pied. Il restait le talon – mais rien d'autre. Spectaculaire illusion. Comme si le reste du pied était resté dans la botte. L'adjoint inclina la chaussure, et du sang épais comme de l'huile s'en écoula. Kinney regarda à nouveau la jambe et s'aperçut que la blessure était couverte de suie, et il sentit l'odeur de chair brûlée.

« Mon Dieu », fit-il.

L'adjoint inclina un peu plus la botte, et quelque chose de lourd glissa du talon pour atterrir avec un bruit sourd dans la neige.

« Qu'est-ce que c'est ?

— Je crois que ce sont ses chaussettes, shérif. Les chaussettes de Billy. »

Kinney le dévisagea.

« Il s'est pris une balle, Joe. Il est mort. Je suis désolé. »

Kinney fit une grimace. Il ajusta son chapeau. Puis il tendit le fusil à son adjoint, glissa un bras sous les genoux de la fille et un autre dans son dos, et se redressa en la soulevant sans effort.

« Non, fit-elle. Je peux marcher.

— Je sais que tu peux, ma petite. Mais on ira plus vite.

— Je vais vous aider, shérif.

— Non, elle pèse rien. Prends la ceinture et attache sa jambe. » L'adjoint s'exécuta. « Plus haut, ordonna le shérif. Juste sous le genou. Sers bien. Coince le bout. Ça fait mal, Caitlin ? » Elle secoua la tête, mais il ajouta néanmoins, « Putain, quelle question. » À l'attention de son adjoint, il lança : « Maintenant, couvre-nous avec ce fusil, Donny. S'il y a quoi que ce soit qui bouge dans ces bois, vas-y, tu tires dessus direct. »

La fille passa un bras autour de son cou et colla son visage contre sa poitrine. Il pivota et ils commencèrent à descendre. Ils progressaient lentement, non pas qu'elle fût lourde, mais le shérif redoutait de la secouer, redoutait qu'une branche ne la touchât, ou redoutait de glisser lui-même sur le sentier escarpé. Elle ne saignait pas abondamment. Elle n'avait pas perdu beaucoup de sang, se dit-il, et si elle ne s'était pas évanouie jusqu'à maintenant, cela ne se produirait sans doute plus. Son seul désir était de l'emmener sans encombre jusqu'à leur voiture.

La fille, quant à elle, était blottie dans ses bras comme une enfant surprise par le sommeil, même si ce n'était pas le sommeil auquel elle avait cédé mais quelque chose de plus absolu, de plus exquis, à savoir le bonheur de l'abandon. Elle avait renoncé à la pensée, à la peur, à la responsabilité, au courage. Elle s'était abandonnée, et dans cet état elle sentit la force de la pesanteur dans la pente, et elle s'imagina que l'homme qui la transportait était en réalité une luge ou un traîneau, et elle son seul passager. Voguant dans la descente avec la mélodie de la vitesse dans les oreilles, le bruit des battements de son cœur contre ses côtes, tout entière en elle-même mais faisant corps aussi avec la neige, le vent, la lune et la montagne. Beaucoup plus agile et rapide qu'elle ne l'avait jamais été dans n'importe quelle course, mettant de la distance, encore plus de distance entre elle et sa vie là-haut, qui n'était pas une vie mais seulement une interruption momentanée de la vie, et à chaque instant cet homme-luge l'éloignait encore un peu de la cabane, de la chaîne, du duvet, du singe. Descendant encore et encore cette pente, divin trajet, joie de la vitesse, plus bas, toujours plus bas, sans jamais s'arrêter.

## 64

Ils débouchèrent du dernier virage et trouvèrent l'El Camino en travers de la route, comme avant, et leur voiture derrière, dans la pente. Le shérif et son adjoint respiraient difficilement. La pleine lune était suspendue au-dessus de leurs têtes, à son zénith, et le petit cadran rond et lumineux sur le poignet de l'adjoint leur indiqua qu'il était minuit. Ce dernier déverrouilla leur voiture à distance, ouvrit la portière arrière, et passa de l'autre côté pour aider le shérif à installer la fille sur la banquette. Son corps si maigre était perdu dans les plis des vêtements. Il vit quelque chose dépasser d'une des poches du blouson, et comprit qu'il s'agissait d'une chaussure. De l'autre chaussure de sport.

« Ça va, Caitlin ? demanda Kinney. On peut rouler comme ça ? »

Elle acquiesça, regardant l'habitacle autour d'elle comme s'il s'agissait du cockpit d'un vaisseau spatial. Kinney ordonna à son adjoint de démarrer la voiture pour mettre le chauffage en marche, puis d'appeler à la radio le comté de Summit pour qu'ils envoient des ambulances et du renfort. Lorsqu'il se fut exécuté, l'adjoint contourna de nouveau la voiture, et se posta derrière le shérif, qui s'occupait toujours de la jeune fille.

« Vous voulez la trousse médicale, shérif ? »

Kinney regarda plus attentivement la blessure à la lumière du plafonnier. La boursouflure noircie de la peau et ses rainures écarlates et luisantes. « Non, je préfère partir tout de suite aux urgences. Et de toute façon, je ne crois pas qu'on puisse faire mieux que ce qui a été fait. » Il tendit la main vers la ceinture sous le genou de la jeune fille, et remarqua pour la première fois la boucle ovale en argent, la tête de serpent aux yeux rubis, et l'espace d'un instant son corps fut paralysé, comme s'il s'agissait d'une véritable vipère. Billy avait mis cette ceinture ce matin-là, où quelle que soit l'heure à laquelle il s'était levé. Il avait accroché la boucle automatiquement avant de vaquer à ses occupations. Puis Kinney pensa à Grant, le père de la fille, et au garçon, Sean, qui étaient à la ferme. Ils poursuivaient leur journée, leur nuit, sans avoir la moindre idée, pas la moindre idée. Le shérif desserra la ceinture, regarda si du sang coulait de la blessure, et la rattacha.

Quel merdier, songea-t-il. Quel putain de merdier.

« Shérif », souffla-t-elle alors qu'il s'apprêtait à sortir de la voiture. Elle avait enlevé le gant de Billy, et lui tendait son poing nu, fermé. Il avança la main, et les clés tombèrent dans sa paume.

« Il me les a données, dit-elle.

— OK. Maintenant, tu ne bouges plus. On va t'emmener à l'hôpital avant que tu aies le temps de dire ouf. » Il s'apprêta à fermer la portière et elle articula à nouveau. « Shérif.

— Oui ?

— Je suis désolée. Pour ce que je lui ai fait. »

Il ne comprit pas. « Chut maintenant, fit-il. Tais-toi.

— Shérif ?

— Oui ?

— Vous avez un téléphone ?

— Il n'y a pas de réseau ici, ma petite.

— Je peux juste le prendre dans ma main ? »

Il trouva son téléphone et elle referma ses doigts autour de l'appareil avant de poser son poing contre sa poitrine.

Il claqua la portière et tendit les clés de Billy à son adjoint. « Je voudrais que tu me rendes service, Donny.

— Pas de problème, shérif.

— Je veux que tu restes ici avec cette voiture. Reste ici avec le fusil et ne fais rien d'autre que surveiller autour de toi. Si un autre homme s'approche, je ne veux pas que tu le rates, c'est clair ? Je veux que tu le descendes.

— À vos ordres, shérif.

— Les gars du comté de Summit ne vont pas tarder à arriver.

— Ne vous inquiétez pas, shérif. »

Kinney lui donna une tape sur l'épaule, s'avança vers la portière du conducteur, puis marqua une pause avant d'ouvrir. L'adjoint n'avait pas bougé.

« Qu'est-ce qu'il y a ? »

L'adjoint glissa son doigt sous son nez.

« Donny ? fit Kinney.

— Elle était enchaînée comme un chien dans cette cabane, shérif. Je crois qu'elle s'est fait ça elle-même. Avec une hache.

— Comment tu le sais ?

— Bah, shérif. (L'adjoint baissa les yeux.) Putain. Il y avait deux pieds là-bas. Deux pieds humains. Par terre. Comme des chaussures. Un à elle et un à lui. Billy était déjà mort quand c'est arrivé, ça se voyait. »

Il leva le regard. « Pourquoi elle a fait un truc comme ça, shérif ? »

Kinney examina la silhouette sombre de la fille à l'arrière de la voiture de patrouille. Le pâle ovale de son visage dans la pénombre. Les sons qu'ils avaient entendus sur le sentier résonnèrent à nouveau à ses oreilles : un coup dans du bois. Puis un autre. Mon Dieu, si seulement elle avait attendu quinze, vingt minutes. Mais il y avait un homme armé là-haut, et elle n'aurait peut-être pas eu vingt minutes, ni même dix.

Il se tourna vers son adjoint. « Pourquoi elle a fait ça à ton avis, Donny ? »

L'adjoint baissa le canon de son fusil contre sa jambe. « Je dirais que c'était pour s'entraîner, shérif. »

Kinney acquiesça. « C'est exactement ce que je pense. »

Il ouvrit sa portière, s'engouffra dans la voiture, alluma les phares et la lumière inonda à nouveau la route et l'El Camino vide. Il se tourna vers la fille, mais elle s'était endormie, la main toujours agrippée sur le téléphone posé contre sa poitrine. Il baissa la glace côté passager et dit à son adjoint de se tenir prêt. Il lui dit de bien faire attention, et qu'il le verrait plus tard, à l'hôpital. Puis l'adjoint regarda le shérif manœuvrer avec habileté en marche arrière dans la pente.

## 65

Le garçon s'endormit rapidement et d'un seul coup. Dans son sommeil, il retourna dans l'étroite vallée où la statue de la Vierge veillait sur les vieilles tombes. Il retrouva la froideur du banc de pierre et le bruissement des trembles dans le silence, un son comme celui des carillons japonais en os d'oiseaux, et en rêve il se pencha dans les broussailles à la recherche de la plaque ternie mais ne trouva que d'autres broussailles, et il commença à les déraciner, à les arracher avec désespoir, jusqu'à ce que quelque chose bouge à la lisière des arbres. Alors il leva les yeux et elle était là : queue-de-cheval noire au vent, jambes nues marquées de taches rouges et roses, short et chaussures de course d'un blanc étincelant. Elle dit *Te voilà*, et se planta devant lui, essoufflée, les mains sur les hanches, la tête inclinée sur le côté. Elle lui demanda ce qu'il avait fabriqué, et il répondit qu'il était resté là, et elle lui demanda pourquoi, et il dit qu'il l'avait attendue, et elle répéta pourquoi, parce qu'il ne connaissait pas le chemin pour descendre se justifia-t-il, et elle secoua la tête avant de lancer : *Dudley, pour descendre il faut descendre. C'est toujours comme ça. Tu ne le sais pas?* Puis elle s'agenouilla pour relacer sa chaussure, et c'est alors que quelque chose d'autre bougea dans les bois, quelque chose qui zigzaguait bizarrement, et elle leva les yeux et sourit. Puis comme un coureur dans les starting-blocks, elle se redressa et démarra. Pour s'évanouir à nouveau entre les arbres. Il s'élança à sa suite, mais une fois dans la forêt il ne décela aucune trace d'elle, ni aucun sentier. Il scruta les sapins et entendit son nom, et lorsqu'il ouvrit les yeux une main était posée sur son épaule, et un visage, les yeux étincelants, planait au-dessus de lui dans le noir, et il dit *Non, non…*, mais les mots ne résonnèrent que dans son cœur, et son père le secoua à nouveau, presque violemment, et fit : « Sean, réveille-toi. Réveille-toi. Il faut que tu t'habilles.

— Pourquoi? articula le garçon étonné, l'esprit toujours dans les bois.

— Parce qu'ils l'ont trouvée. »

Sean dévisagea son père dans la pénombre, son père qui faisait de même.

« Comment ils savent que c'est elle? » fit-il, et Grant répondit : « Parce qu'elle le leur a dit. »

# CINQUIÈME PARTIE

# 66

Quelque chose bourdonnait – un insecte terrifiant et hostile, un énorme scarabée à la carapace dure. Il grimpait sur sa poitrine, sur sa bouche, et elle n'arrivait plus à respirer ; elle balança un bras, heurta une petite créature molle près de sa tête, et l'animal dégagea une odeur de propre, une odeur d'enfance, et elle comprit où elle se trouvait, qui elle était, et ce qui bourdonnait. Elle tendit la main pour s'en emparer et, ce faisant, renversa la bouteille d'eau qui envoya rouler le flacon de cachets sur le tapis avec un vague bruit de hochet.

Elle s'assit sur le lit, le téléphone dans la main, et consulta le petit écran lumineux. La pièce était exposée à l'est et un bleu profond filtrait par les fenêtres. Combien de temps avait-elle dormi ? Aucune idée. Le réveil matin, inutile, n'affichait rien ; son mari l'avait depuis longtemps débranché. Le téléphone vibra encore deux fois avant qu'elle ne décroche.

« Angie, cria presque Grace. Où es-tu ?

— À la maison », répondit-elle, la bouche pâteuse. Elle ramassa la bouteille d'eau et dévissa le bouchon.

« La maison ? » Il fallut un moment à sa sœur. « Qu'est-ce que tu fais là-bas ?

— Je fais couler de l'eau dans les tuyaux.

— Tu fais couler quoi ?

— De… l'eau. Je fais couler de l'eau. Pour les canalisations.

— Angie, ça va ?

— Oui. Ça va. Pourquoi ? »

L'air chaud ne circulait plus, la chaudière faisait une pause. Personne, rien ne bougeait dans la maison. On aurait dit un musée après le départ des gardiens ; les tableaux plongés dans la vaste obscurité, sans personne pour les regarder sinon les yeux blancs des statues. Elle observa autour d'elle les affiches, les meubles, les affaires de sa fille ; elles perdaient de leur pouvoir de dévastation. Devenaient ses propres souvenirs en quelque sorte.

« Bah, fit Grace, parce que ça fait un moment que je t'appelle. Tu avais perdu ton téléphone, ou quoi ? »

Angela imaginait sans peine le visage de sa sœur : la colère et l'incrédulité. La peur. Le visage d'une femme qu'elle aimait sans condition et dans les poumons de laquelle elle avait soufflé la vie autrefois, un fait avéré, mais qui ne pouvait être ressenti.

« Il était dans mon sac, répondit Angie. Je ne l'ai pas entendu. Désolée, Grace.

— Euh… (Grace inspira.) Ça s'est passé comment ce matin ?

— De quoi tu parles ?

— De l'école, Angie. Tu as donné ton cours ?

— Pas vraiment.

— Comment ça ?

— Les élèves se sont assis et ils ont lu un livre. Ils ont fait comme si. Le cours de l'année quoi. »

Il y eut un long silence. Angela jeta un coup d'œil à l'écran. « Tu es là ?

— Oui. (Grace prit un ton dégagé.) Tu es restée chez toi toute la journée ?

— Non. Je me suis baladée. J'ai pris le bus.

— Tu as pris le bus ?

— Oui.

— Pour aller où ?

— Nulle part. À la bibliothèque. »

Le fils de Grace hurla de loin quelque chose à sa mère ; elle ne répondit pas. « Angie, dit-elle. J'arrive.

— Non, Grace. Franchement, ça va. » Elle rangea ses affaires dans son sac. Le mit sur son épaule. Elle replaça l'ours en peluche et le singe. Lissa la couette.

« Bon… tu rentres à la maison ? Enfin, tu rentres dîner ? »

Un coup sec retentit sur le petit heurtoir en laiton de la porte d'entrée.

« Non, mangez sans moi, répondit Angela. Je me ferai réchauffer quelque chose plus tard.

— Mais Angie… »

La porte s'ouvrit et un homme s'exclama : « Il y a quelqu'un ?

— Je dois y aller Grace, quelqu'un vient d'entrer.

— Qui ? Qui est là ?

— Personne. »

Des bruit de pas firent craquer le parquet en chêne au pied des escaliers. « Angela ?

— Enfin, c'est seulement Robert, le voisin d'en face. Il a dû voir la lumière en bas. »

Elle sortit de la chambre de sa fille et ferma la porte.

« Angela…

— Je dois te laisser, Grace. Je te rappelle. »

Il avait vu de la lumière, mais pas de voiture dans l'allée, donc il était venu pour s'assurer que c'était bien elle. Ou quelqu'un de la famille. Un bon voisin. En la voyant descendre les escaliers, il dit : « Ça va ?

— Oui. Je passais juste faire un tour.

— Tout va bien ?

— On dirait.

— Bien. Bien. » Il resta là, dans le rai de lumière émanant de la cuisine, à hocher la tête et à la regarder. Les pans de son chemisier sortis, les poignets retournés. Son jean bleu et ses mocassins noirs. Il lui sourit, l'air hésitant. « Vous avez bonne mine. Vous avez repris vos cours ?

— Oui. Merci. »

Il opina du chef. Consulta sa montre. « Vous avez mangé ? »

Elle ferma la maison et ils traversèrent la route dans la pénombre, le bruit de leurs pas se mêlant à ceux de deux garçons qui jouaient au basket devant un garage éclairé. Le mois d'avril était frais, même si l'été à venir se faisait déjà sentir. Il la suivit à l'intérieur, ferma la porte, et lui proposa de la débarrasser de sa veste, mais elle déclina malgré la chaleur qui régnait dans la pièce. L'air sentait intensément la viande rôtie qu'il préparait depuis un bon moment. Il faisait quelque chose avec les ordinateurs, il pouvait donc travailler de chez lui.

Il baissa la musique, un opéra, et pénétra dans la vaste cuisine. Il s'empara d'une bouteille de vin. « Italien, fit-il. C'est bon à se damner. » Il lui servit un verre et elle s'approcha de l'éclatante couleur pourpre, puis s'assit sur un des hauts tabourets. Elle l'observa soulever des couvercles, remuer, humer les parfums en les nommant. Il savait cuisiner. Il connaissait aussi les vins, même s'il ne la ramenait jamais avec ça. Ses cheveux étaient grisonnants mais toujours épais, et il avait une mèche sur le devant, une mèche souple et rebelle qu'il avait depuis longtemps, comme quelque chose de sa jeunesse qu'il ne parvenait pas à laisser derrière lui, comme quelque chose qui demeurait un atout.

Il remua, assaisonna, et goûta, tout en parlant. Ça aurait pu être une soirée d'été avec les enfants chassant les lucioles dans le jardin, et le chien, un petit terrier, aboyant d'excitation.

Les deux garçons étaient à l'université désormais, et le terrier, comme Pépé, enterré sous un arbre.

« Vous aimez ?

— Pardon ? »

Il désigna le verre du doigt.

« Oh. Oui, c'est délicieux. » Elle avala une gorgée.

Il avait du savoir-vivre et il n'allait pas l'interroger sur sa famille, ni évoquer ses fils. Il lui parla de sa maison, des travaux qu'il souhaitait faire durant l'été et des ormes de Chine qu'il aimerait planter.

« Vous connaissez un bon agent immobilier ? » demanda Angela.

Il cessa de remuer pour la regarder. « Un agent immobilier ?

— Oui. »

Il resta immobile. La sauce épaisse bouillonnait lentement. Il détourna le regard et se remit à remuer, l'air absent.

« J'ai travaillé pour quelques-uns, finit-il par répondre. Les gens disent beaucoup de bien de Leslie Brown. Je vous donnerai ses coordonnées.

— Merci. »

Il vérifia le rôti, baissa sous les casseroles et ils emportèrent leurs verres dans le salon. Elle avait toujours admiré les goûts de Caroline, et elle s'enfonça sans hésiter dans le canapé confortable. Le tissu avait la couleur et l'élégance d'un champ de blé dans un tableau. Il fut un temps, un temps très ancien, où elle ne pouvait admirer ce genre de chose ; elle ne les remarquait même pas. Le plaisir gît au fond de la mer. Elle ôta ses tennis et renversa la tête en arrière. Robert la rejoignit sur le canapé, croisa sa cheville sur son genou. Sur le manteau de la cheminée, trônaient toujours les mêmes photographies dans des cadres argentés : Peter et James à différents moments de la leur enfance et à l'âge adulte. Lui et Caroline plus jeunes. Le chien vivant. Tout le monde heureux.

Le ténor se mit à chanter, une mélodie riche et pure.

Robert avala une gorgée et brandit son verre de vin dans la lumière.

« Je l'ai vu aujourd'hui, déclara-t-il.

— Qui ? » Elle renversa à nouveau la tête en arrière. Elle était fatiguée. Au bout de quelques instants, elle fit « Oh » et se redressa. « Où ?

— À la salle de sport. Là où je vais. Il s'est inscrit, apparemment.

— Oh. » Elle ne savait pas quoi dire de plus.

« Il sortait du hammam comme j'allais y entrer. Cinq minutes plus tôt et on se serait retrouvés ensemble. Comme des Romains.

— Je suis désolée, Robert. » Elle lui toucha l'avant-bras.

« Et puis, merde… C'est la vie, non ? On croise l'homme avec lequel sa femme préfère coucher. Un de ces quatre, on ira boire une bière ensemble, lui et moi. On regardera un match à la télé. On finira potes. La vie continue. C'est ça l'idée, non ?

— Non, répondit-elle. Ce n'est pas ça. »

Il la regarda et son visage se transforma. Il décroisa les jambes et se tourna vers elle. « Excusez-moi, Angela. Je suis bête. Je… »

Elle secoua la tête. « Non, ce n'est pas ce que je voulais dire. Je voulais… Je suis juste désolée que vous ayez eu à vivre ça aujourd'hui.

— Ce n'est rien. Mon Dieu. C'est tellement insignifiant.

— Non. Pas du tout. »

Il jeta un coup d'œil au manteau de la cheminée, puis baissa les yeux. Il parut examiner le canapé, le coussin carré et rebondi tel un pain entre eux.

Dehors, par la fenêtre, les arbres apparurent dans une vague de lumière et firent comme une pirouette avant de s'évanouir à nouveau dans les ténèbres. Une voix masculine souffla doucement : « Allez, on n'a pas toute la nuit. » Des bracelets s'entrechoquèrent.

Elle tendit la main pour toucher la mèche rebelle. La remit en place, sans grande conviction. Il leva les yeux. Toute son histoire se reflétait dans ce regard. L'histoire du monde.

« On peut se taire quelques instants ? dit-elle. On peut juste rester assis et écouter la musique ? »

## 67

Ils prirent la Chevy bleue, Grant au volant, et fumèrent sans dire un mot, en observant les ténèbres, la circulation, les feux de signalisation, les traces de pneus dans la neige, la lune. Elle était à l'abri, avait dit le shérif, elle était hors de danger. Chaque kilomètre les éloignait des montagnes où elle avait disparu, où tant d'hommes, tant de moyens et tant d'heures de recherches ne l'auraient jamais retrouvée. Elle allait bien maintenant, elle se reposait, pas la peine de se précipiter. Les lumières et le paysage défilaient à cette heure irréelle de la nuit ; avait-elle remarqué ça, et ça, ce jour-là il y a si longtemps dans cette voiture bizarre, en plein jour ? Ils avaient envie de parler juste pour s'assurer qu'ils ne rêvaient pas, mais ils craignaient que le son de leurs propres voix ne détruise tout, la route, la montagne, la lune, la voiture, ils craignaient de se retrouver dans leur lit à l'aube, le cœur brisé comme jamais, d'y avoir cru. Et que diraient-ils de toute façon ? Ils savaient déjà tout. Elle était en sécurité, elle se reposait. Il n'y avait rien d'autre à ajouter, ni rien à faire sinon aller la retrouver, et lorsqu'ils la verraient, lorsqu'ils seraient vraiment certains de la réalité de cette nuit, alors ils lui téléphoneraient, et ça aussi était entendu sans qu'ils aient besoin de le formuler.

Le shérif ne voulait pas qu'ils conduisent à cette heure de la nuit dans les montagnes ; il préférait envoyer son autre adjoint les chercher, mais ce dernier aurait mis une heure pour arriver jusqu'à la ferme, et cette heure supplémentaire avait clos la conversation.

Grant suivit malgré tout les indications du shérif. Il ne passa pas par le col de Loveland, mais fit quinze kilomètres de plus pour le contourner et regagner l'autoroute par l'ouest. Ils finirent par voir les lumières de la petite station de ski et trouvèrent le panneau bleu indiquant l'hôpital, ils trouvèrent l'entrée des urgences, et Grant se gara sur la première place qu'il vit sans prendre la peine de lire les panneaux, ils écrasèrent leurs cigarettes dans le cendrier et sortirent de la voiture.

Le shérif les attendait dehors, appuyé contre le mur près de la porte vitrée, et en le voyant Grant fit un bond en arrière dans le temps : il se retrouva dans un autre hôpital, avec un autre enfant, mais le même shérif pour l'accueillir. Grant et le garçon traversèrent le parking et rejoignirent le shérif, qui se redressa et ôta son chapeau pour dégager son visage, et en distinguant ses traits, ils s'immobilisèrent.

« Elle va bien, fit Kinney en levant la main. Elle va bien.

— Où est-elle ? demanda Grant.

— Vous ne pouvez pas la voir, pas encore.

— Ça m'étonnerait. » Grant avança, et le shérif lui saisit le bras.

« Elle est avec le chirurgien, Grant.

— Le chirurgien. Tu m'as dit qu'elle allait bien.

— Elle va bien. Elle est hors de danger maintenant. C'est juste que... » Il tapota le bord de son chapeau contre sa jambe.

« Joe. Dis-nous. »

Et il leur dit, là dans le bourdonnement de la lumière jaune, calmement, en s'exprimant avec précision, et lorsqu'il eut fini, Grant et le garçon restèrent de marbre. Kinney essaya de s'imaginer à la place de cet homme devant lui, ce père entendant de telles choses. Sa propre fille inconsciente dans le bâtiment. Il en fut incapable.

Grant hocha enfin la tête. Il regarda son fils, et ce dernier l'imita.

« Rentrons à l'intérieur, Joe.

— D'accord. Mais une chose encore. »

Ils attendirent.

« Elle ne voulait pas être portée, Grant. Après tout ça, elle voulait descendre toute seule. » Il les observa l'un après l'autre, père et fils. Ils ne le quittèrent pas des yeux, comme s'ils attendaient la suite. « C'est tout, ajouta-t-il.

— Et alors, elle l'a fait ? fit Grant.

— Fait quoi ?

— Elle est descendue toute seule ? »

Le shérif le dévisagea. « Ça va pas, non ? répondit-il. Je l'ai portée. »

Grant posa la main sur le bras du shérif. « Je suis désolé pour Billy, Joe. Je ne sais même pas quoi dire. »

Kinney leva son chapeau et le remit sur sa tête. « Moi non plus. »

Puis le garçon, qui jusqu'alors n'avait pas prononcé un mot, demanda : « Et l'homme ? »

Kinney se tourna vers lui. Il ne reconnaissait plus le garçon qu'il avait vu pour la première fois il n'y avait pas si longtemps sur un lit d'hôpital, le genou gros comme un boulet de canon violacé.

« Je n'en sais pas plus pour l'instant, dit le shérif. Il y a une bonne vingtaine d'hommes là-haut avec des chiens, et à moins que ce fils de pute sache voler, ils vont le retrouver. »

Grant entendit à peine la réponse. Il avait déjà tourné les talons en direction de la porte vitrée.

Ils avaient attendu tout ce temps, et maintenant ils attendaient encore, se levant, s'asseyant, se levant de nouveau, l'infirmière de nuit, patiente, malgré leurs allées et venues, et eux demandant des nouvelles, des informations. Le shérif leur apporta un café, ils sortirent pour fumer et parler avec d'autres policiers. En revenant, la télévision dans le coin marchait toujours, le son coupé, et l'horloge sur le mur égrenait bruyamment les minutes. Au bout d'une heure environ, une femme en blouse bleue les aborda. Elle était menue, avait la peau brune, et son visage sans maquillage était ouvert et prévenant. Elle se présenta. Elle s'appelait Dr Robinson et Grant lui tendit la main et dit : « Comment va ma fille ? »

Elle leur adressa à chacun un sourire. « Ça va aller, monsieur Courtland. C'est une jeune femme forte. Mais elle a traversé une terrible épreuve. » Son visage s'assombrit, et Grant lui dit qu'ils avaient parlé au shérif, qu'ils savaient à propos de son pied, et le médecin hocha la tête avant de leur donner plus de détails : la propreté de la blessure, le tibia et le péroné intacts, et comment Caitlin s'était probablement sauvé la vie en cautérisant les vaisseaux sanguins comme elle l'avait fait. Un chirurgien aurait difficilement pu faire mieux, précisa-t-elle avant de les regarder comme si cette remarque, par-dessus tout, était le fait le plus important.

« Est-ce qu'il peut être remis en place ? demanda Grant, exprimant une idée à laquelle, jusqu'à cet instant, il n'avait pas songé.

— Le pied ? » Elle se tourna vers le shérif, qui se tenait à l'écart, et ce dernier secoua la tête.

« Même si nous l'avions, poursuivit-elle, trop de temps a passé, et les tissus sont trop endommagés, et… le Dr Wieland vous en dira plus quand vous le verrez.

— Le Dr Wieland », répéta Grant.

Le Dr Wieland à Denver, expliqua-t-elle, était l'un des meilleurs chirurgiens orthopédiques du pays. Il s'occupait de soldats, et il finirait ce que Caitlin avait commencé en s'assurant que le moignon soit en parfait état.

Grant la regarda. *Un moignon en parfait état.*

Elle jeta un coup d'œil à l'horloge murale et annonça qu'ils emmèneraient Caitlin en ambulance, dans une heure environ.

« En ambulance ? répéta Grant. Pourquoi pas un hélicoptère ?

— Elle n'est pas en urgence absolue, monsieur Courtland. Et le Dr Wieland ne pourra pas la voir avant demain matin de toute façon. »

Grant hocha la tête. Son fils et lui demeurèrent silencieux, attendant la suite.

Le médecin les dévisagea. Puis elle se tourna vers le shérif et parcourut la salle d'attente du regard.

« Est-ce que la mère de Caitlin est ici, monsieur Courtland ?

— Non, elle est dans le Wisconsin. Je voulais la voir d'abord. Je voulais être sûr avant d'appeler.

— Je comprends, fit le médecin. Très bien. Bon. Il faut que je vous parle un instant avant que vous ne voyiez votre fille. » Elle considéra le garçon avec bienveillance et ajouta à l'attention de Grant : « Peut-être nous deux seulement, ça serait mieux ?

— Vous pouvez nous parler à tous les deux.

— Entendu. »

Elle n'eut pas besoin de se tourner vers le shérif ; il avait déjà quitté la pièce. Elle joignit les mains à plat devant elle, et fixa Grant dans les yeux. Elle lui expliqua qu'un examen dans ces cas-là était automatique et obligatoire, et que les résultats pour Caitlin avaient montré qu'elle avait été enceinte.

Grant soutint son regard.

Le garçon baissa la tête.

« Où est-il ? demanda Grant.

— Qui ?

— L'enfant.

— La grossesse n'est jamais allée à son terme, monsieur Courtland. Elle a fait une fausse couche.

— Une fausse couche.

— Oui.

— Il y a combien de temps ?

— Elle n'est pas sûre. Au printemps dernier, peut-être. »

Le garçon leva les yeux.

« C'est elle qui vous l'a dit ? fit Grant.

— Oui.

— Quand ?

— Avant qu'on l'endorme pour travailler sur sa jambe. Elle ne voulait pas que vous le sachiez, monsieur Courtland. Non pas qu'elle en ait honte, ce qui est une réaction normale. Mais parce qu'elle ne supportait pas l'idée que vous ayez à y penser. Que vous ayez ça dans la tête. (Elle esquissa un sourire.) Finalement, juste avant qu'on ne l'endorme, elle a accepté que je le dise à votre femme. »

Le médecin les regarda tour à tour. « Comme je l'aurais dit à Mme Courtland, je crois que le mieux pour Caitlin, c'est que vous ayez connaissance de tous les éléments. Mais elle n'a pas besoin de savoir que vous êtes au courant, pas dans l'immédiat. Vous êtes d'accord ? »

Grant fit oui de la tête. Le garçon aussi.

« C'est tout ? » s'enquit Grant.

Le médecin ajouta que le dépistage du VIH était négatif, mais qu'ils auraient la confirmation de ce résultat dans deux jours, et que Caitlin devrait faire un autre test dans quelques mois.

« Elle est affaiblie, elle est en carence alimentaire, précisa le médecin, mais son cœur est fort. Sa tête aussi. Elle n'était pas contente qu'on doive l'endormir avant votre arrivée. » Le médecin sourit, franchement cette fois, et vérifia l'heure sur le mur, avant de se retourner vers eux en haussant le sourcil : « Oh, j'oubliais : qui est Dudley ? »

Pour finir il ne resta plus qu'une grande porte en bois clair, avec une poignée métallique, que le médecin saisit. Un léger déclic retentit et la porte s'ouvrit sans un bruit ; elle leur céda le passage et Grant pénétra d'abord dans la pièce, le garçon à sa suite, et ils s'immobilisèrent devant ce qu'ils avaient sous les yeux. Tout ce qu'ils virent, entendirent et sentirent – les lumières, les machines, les tubes, la silhouette émaciée, le dos légèrement surélevé dans le lit – était totalement étranger à la fille qu'ils s'attendaient à revoir. Et pourtant, lorsqu'ils s'approchèrent, qu'ils observèrent les cheveux noirs sur l'oreiller, le visage endormi, tellement décharné à présent et vieilli comme les leurs, et même plus car il avait vieilli d'un coup, lorsqu'ils retrouvèrent ce visage, les années, les machines, la chambre elle-même disparurent, et ils l'auraient reconnue même si vingt ans – cent ans – s'étaient écoulés, et l'amour retenu depuis si longtemps déferla en eux, et parce qu'ils ne pouvaient se jeter dans ses bras, ils se tournèrent l'un vers l'autre et s'enlacèrent sans un mot.

L'accolade, si brève fût-elle, leur coûta l'instant où la jeune fille, s'efforçant de revenir à elle dans la lumière affreusement douloureuse, ouvrit les paupières et vit les deux hommes debout près d'elle. Elle n'en crut pas ses yeux. Le sang était si épais et si lent dans ses veines, son cerveau flottait à la dérive, et elle se sentait incroyablement lourde de sommeil, comme si elle était lestée de pierres de toutes parts ; elle était droguée et elle ne crut pas ce qu'elle voyait, mais les larmes jaillirent néanmoins, chaudes et abondantes, et elle articula le mot qu'elle avait désiré prononcer pendant si longtemps.

*Papa*, souffla-t-elle.

# 68

Il ne pouvait pas parler, mais seulement rester là, penché au-dessus d'elle, attentif aux tubes, aux fils, et à son incroyable maigreur sous les couvertures. Sa joue était pressée contre le cou humide ; le frémissement de son corps la faisait trembler. Il n'y avait aucun bruit dans la pièce sinon les signaux sonores des machines et le bruissement de sa main sur son dos et son filet de voix répétant : « Ça va maintenant, papa, ça va, ça va, papa. »

Elle ouvrit à nouveau les paupières ; ses pupilles étaient grosses et noires, même dans cette lumière, et Sean, debout à l'écart du lit, s'efforça, sans y parvenir, de soutenir son regard. Il baissa les yeux.

« Dudley », dit-elle, à peine audible, et il se tourna vers elle. Elle lui souriait par-dessus l'épaule de son père. Elle ajouta quelque chose qu'il ne parvint pas à entendre, et il fit un pas en avant. Elle déglutit et murmura, la voix pâteuse : « Je savais que tu étais en vie. »

Elle se rendormit, et ils restèrent à ses côtés. Grant tendit la main pour dégager une mèche de cheveux de son visage, et fit doucement glisser ses doigts sur sa joue, son menton. Puis s'adressant à son fils : « Je vais appeler ta mère maintenant. Ça va aller ? »

Lorsqu'il fut parti, Sean s'approcha plus près du lit. Il prit la main inerte de sa sœur et observa ses pieds : la pointe en forme de tente qui abritait le pied gauche sous les couvertures, et l'énorme bandage blanc à la place du pied droit, tel un enfant emmailloté. Lorsqu'il se tourna à nouveau vers son visage, elle avait les yeux ouverts. Humides, vitreux, fixés sur lui.

« Tellement grand », souffla-t-elle.

Elle fixa la porte close dans son dos, et avant qu'elle puisse demander quoi que ce soit il lui dit qu'elle n'était pas ici, qu'elle était encore à la maison, dans le Wisconsin. « On voulait te voir avant de l'appeler, ajouta-t-il.

— Elle va bien ?

— Oui. »

Elle le dévisagea. « Est-ce que j'ai l'air aussi vieille que toi ?

— Tu es exactement pareille.

— Arrête tes conneries. »

Elle remarqua le plâtre sur sa main, et resta interdite. « Qu'est-ce qui t'est arrivé ?

— Je me suis battu.

— Avec qui ?

— Pas avec la bonne personne. »

Elle le regarda longuement. Puis elle observa à nouveau la porte derrière lui, et il fit volte-face, mais il n'y avait personne.

« Est-ce qu'ils sont toujours… ? » demanda-t-elle.

Il acquiesça.

Les machines bipaient et ronronnaient. Il examina leurs écrans mystérieux. Lorsque ses yeux revinrent vers elle, une nouvelle vague de douleur avait envahi son regard, et elle murmura : « Sean, je suis tellement désolée. »

Il secoua la tête.

« Je n'aurais jamais dû te laisser, poursuivit-elle. Je suis tellement désolée.

— Arrête.

— J'étais censée faire attention à toi…

— Non, coupa-t-il.

— Et je t'ai laissé là. »

Ses paupières tombèrent, et sa main lâcha celle de son frère. « Mais tu es resté, ajouta-t-elle, tu es resté tout ce temps. »

Lorsqu'elle revint à elle, le monde était en mouvement : murs, plafond, lumières, tout glissait, hallucinations à la fois floues et éclatantes. Puis elle remarqua son père près du lit, et en le voyant marcher, en sentant sa main autour de la sienne, elle comprit que ce n'était pas le monde qui bougeait, mais elle-même.

La petite femme médecin marchait devant lui. Son frère marchait de l'autre côté du lit, et un homme qu'elle ne reconnut pas la poussait. Une poche de liquide clair se balançait à un crochet chromé.

Elle serra la main de son père et il baissa les yeux. Son visage hagard se ressaisit.

« Hé, salut marmotte.

— On va où, papa ?

— À Denver, ma chérie, voir un autre médecin.

— Est-ce que maman sera là-bas ?

— Pas tout de suite, mais elle arrivera vite. » Il sourit et elle souffla dans un élan de désespoir soudain : « J'ai voulu t'appeler, mais ils avaient pris mon téléphone, et ils refusaient de me le rendre !

— Ça va, ma chérie. On est là maintenant.

— Mais j'ai voulu t'appeler et ils ont pris mon téléphone. Pourquoi ils ont fait ça, papa ? »

La femme médecin au joli visage sourit et intervint : « C'était le téléphone du shérif, tu te souviens ? »

Ils franchirent les portes vitrées pour se retrouver dans l'éclairage criard du porche en pierre. Au-delà, les montagnes, les pistes de ski et le ciel étaient gris-bleu dans l'aube naissante. Elle sentit l'air froid, vit le ciel, et se mit à sangloter.

« Billy, dit-elle.

— Chut, fit Grant.

— Papa ?

— Oui, ma sauterelle. »

Elle ferma les yeux, et Grant effleura son visage.

« Je suis tellement désolée, murmura-t-elle.

— Chut, fit-il.

— Il m'a trouvée, papa.

— Je sais, ma chérie.

— Il a poignardé le singe. »

Grant et Sean se regardèrent.

« Il a poignardé le singe, répéta-t-elle entre deux hoquets, et je lui ai coupé le pied. »

Les urgentistes prirent en charge le brancard, attachèrent les jambes et le roulèrent dans l'ambulance sans perdre un instant. Grant serra la main du médecin une dernière fois, il la remercia, et elle l'assura à nouveau que Caitlin allait s'en sortir, qu'elle n'avait jamais rencontré de jeune femme aussi forte et aussi courageuse.

Elle s'éloigna, et le shérif s'approcha.

« Je viens d'avoir mon adjoint à la radio, fit-il. Ils l'ont trouvé.

— Vivant ?

— Non. Aussi mort qu'on peut l'être. Ce sont les chiens qui l'ont déniché, assis sous un arbre. Il avait un couteau Bowie planté dans le cou. Le sien, apparemment.

— Billy, fit Grant.

— On dirait bien. (Kinney ajusta sa ceinture.) Les chiens ont aussi trouvé un trou là-haut.

— Un trou ?

— Une sorte de crevasse. Dans les rochers. Très profonde. Selon toute vraisemblance, il essayait de mettre Billy là-dedans quand il s'est pris le couteau dans le cou. Ensuite il a rampé, et il est mort. Et Billy est retourné à la cabane. On dirait que ça s'est passé comme ça.

— Donc il est mort, répéta Grant.

— Mort et en enfer. »

L'urgentiste avait la main posée sur la portière de l'ambulance. Le shérif ne bougea pas.

« Quoi d'autre ? demanda Grant.

— Des corps. Au fond de la crevasse. Au moins deux. On saura exactement combien dans la matinée. »

Grant opina du chef.

« Je peux t'emmener là-haut si tu veux, suggéra Kinney. Quand tu auras installé Caitlin à Denver. Si tu veux voir la cabane. Et l'homme. Je me dis que c'est ton droit. »

Grant regarda dans l'ambulance. Il secoua la tête. « J'ai déjà tout vu, Joe. »

Il s'engouffra à bord, s'assit près de sa fille et lui prit la main. L'urgentiste claqua la portière et l'ambulance démarra tous gyrophares allumés, mais sans sirène. Lorsqu'ils traversèrent le parking, Sean, au volant de la Chevy, enclencha la marche avant et les suivit jusqu'à Denver.

## 69

Elle rêva cette nuit-là d'une maison dans les bois. Il ne s'agissait pas des bois de la montagne, qui s'étendaient encore et encore, comme la mer, mais d'un petit bois, et à travers les arbres elle distinguait le soleil au-dessus du lac, d'un jaune riche et profond, et les fenêtres de la maison, qui ne ressemblaient à aucune maison qu'elle connaissait, étaient inondées par la même lumière, comme si l'endroit avait été conçu et orienté pour être exposé précisément de cette façon, à cette heure de la journée, et ce tous les jours, comme les cathédrales d'Europe. Une femme attendait, assise sur les marches de la véranda, une femme pas plus âgée qu'elle, qui se leva à son approche et sourit, et dégagea les cheveux de son front d'une certaine façon, et l'amour inonda le cœur d'Angela alors que sa mère jeune la prenait dans ses bras, la serrait, l'embrassait, et disait : *Angela, ma chérie.*

*Maman, qu'est-ce que tu fais ici ? Où est papa ?*

*Papa n'est pas là, mon cœur, mais Faith, si.*

*Faith est là ? Où ?*

*À l'intérieur, à l'intérieur. Ils sont tous à l'intérieur*, et Angela sentit son cœur défaillir. *Tous ?*

Et la porte s'ouvrit. À l'intérieur, la pièce était aussi vaste qu'une salle de bal, et partout où elle regardait, il n'y avait que des filles, des jeunes femmes, toutes vêtues de tenues merveilleuses, de robes magnifiques ; des filles minces et modernes habillées pour un mariage ou une remise de diplôme, leurs sourires, leurs yeux éclatants dans la lumière, leurs visages ouverts et lumineux – tant de visages ! Elle regarda et regarda et enfin elle reconnut son propre visage, son propre sourire, et Faith se précipita dans ses bras, et elles s'embrassèrent, les joues couvertes de larmes… et même si elle était heureuse dans ce rêve de retrouvailles, Angela se sentait mal à l'aise, elle avait un poids sur l'estomac – il y avait trop de jeunes filles, et prenant Faith par la main elle pénétra plus avant dans la pièce, et il y avait trop de jeunes filles dont elle connaissait le nom, trop de jeunes filles qu'elle n'avait jamais vues, et son cœur battait la chamade et ses jambes chancelaient. Elles arrivaient au fond de la pièce, près des fenêtres baignées par la lumière du soleil couchant, lorsque enfin elle murmura : *Est-ce qu'elle… ? Faith, est-ce qu'elle… ?*

Et Faith sourit et répondit : *Ne t'arrête pas, Angie, continue de chercher.*

Des cheveux de toutes les teintes, épais, étincelants de jeunesse, et elle remarqua une queue-de-cheval noisette et soyeuse, elle cessa de respirer – mais ce n'était pas elle. Il y avait une autre fille, et encore une autre, toutes si jeunes, si pleines d'amour, et aucune d'elles n'était Caitlin, et elle se réveilla alors en pleurs, inondée de cheveux parfumés, de visages doux et chauds, de baisers, elle en était saturée, et ses mains étaient pleines du plus incroyable – *« Sens ça, sens ça ! »* l'enjoignait-elle, mais les bras qui la tenaient n'étaient pas ceux de sa sœur, ni ceux de sa fille. « Tout va bien, disait-il. Tout va bien, Angie, c'était juste un rêve. » Mais il ne comprenait pas, il ne comprenait pas à quel point elle les avait aimées, toutes ; ses bras étaient si épais, si musclés, si durs dans la pénombre parfumée qui tournoyait.

Trente, peut-être quarante minutes plus tard, alors qu'elle se rendormait, son téléphone se mit à vibrer sur la table de nuit, et Angela se libéra de ses bras, tâtonna, trouva l'appareil, et leva l'écran bleuté vers son visage, songeant : Grace, mon Dieu, tu as oublié d'appeler Grace… Mais ce n'était pas Grace.

## 70

Lorsqu'ils arrivèrent à la clinique, le Dr Wieland était en train d'opérer, et Caitlin fut prise en charge par une nuée d'infirmières et d'aides-soignantes en tenue violette qui se déplaçaient, parlaient, et touchaient telle une entité unique dont le seul but était de rassurer et de calmer les cœurs de tous ceux qui se présentaient à elles. Grant et Sean furent dirigés vers une petite salle d'attente où trois gros fauteuils en cuir étaient disposés autour d'une table basse en noyer de bonne facture. Dessus trônaient une carafe d'eau fraîche et une cafetière de café chaud. Des plantes dans des pots de fleurs mexicains colorés décoraient la pièce. Ils étaient seuls, et ils comprirent, sans qu'on eût besoin de le leur dire, que personne d'autre n'interromprait leur solitude, sinon les infirmières et les aides-soignantes en blouse violette, ou le médecin lui-même.

Ils étaient dans la pièce depuis un quart d'heure, selon l'horloge murale, lorsque quelqu'un frappa à la porte. Un jeune homme pénétra à l'intérieur pour leur annoncer que le médecin était retenu un peu plus longtemps au bloc avec un autre patient, et pour leur demander s'ils avaient besoin de quoi que ce soit. Ils eurent tous deux envie de répondre un cendrier, mais s'abstinrent. Quinze minutes plus tard, le même jeune homme revint pour dire cette fois que le médecin avait fini d'opérer, et qu'il se trouvait à présent avec Caitlin, et qu'il viendrait leur parler bientôt.

Grant jeta un coup d'œil à l'horloge murale, consulta sa montre, s'approcha de la fenêtre et contempla la ville dans la lumière matinale. Il se souvint avoir été debout devant une autre fenêtre, un autre matin, sa femme nue derrière lui. Nue pour la dernière fois. Sienne pour la dernière fois.

« Elle va atterrir dans une demi-heure, remarqua-t-il, et ça va prendre à peu près autant pour arriver à l'aéroport. »

Sean resservit du café. « Qu'est-ce qu'elle a dit ?

— Ce qu'elle a dit ?

— Quand tu lui as téléphoné. »

Grant réfléchit, mais ne parvint pas à se rappeler. Il lui avait parlé comme dans un rêve, incapable de croire ce qu'il faisait, ce qu'il disait. Qu'était-on censé dire à une mère qui croyait son enfant morte ? Comment annonçait-on la nouvelle ? *Elle est vivante* ? *On l'a trouvée* ? *Elle est avec nous* ? Ou s'agissait-il des mots que le shérif avait employés avec lui ?

Il croisa le regard de son fils et secoua la tête : « Je ne sais plus. »

Ils restèrent silencieux. Le tic-tac de l'horloge murale résonnait. Au bout d'un moment, avec une décharge de douleur dans son genou, Sean s'extirpa de son fauteuil et ouvrit la porte.

« Sean. »

Il se retourna.

« Je lui dirai… le reste, poursuivit Grant. Je m'en charge. »

Dix minutes plus tard, un coup sec retentit sur la porte qui s'ouvrit, et un homme élancé en tenue violette avec une blouse blanche de médecin pénétra dans la pièce et se présenta. C'était le Dr Wieland. Grant chercha du sang sur la blouse blanche, et ne vit aucune tache. Le médecin avait les cheveux grisonnants, il était légèrement voûté comme le sont souvent les hommes grands et âgés, même s'il n'était pas si vieux. Sa poignée de main, alors que les deux hommes se saluaient, était ferme, et au lieu de lâcher la paume de Grant, il la tourna pour observer les doigts qu'il avait sentis.

« Pas mal, pas mal, remarqua-t-il en palpant du pouce les cicatrices. Vous êtes menuisier, monsieur Courtland ? » Sa voix traînante et son expression laconique semblaient jurer avec la tenue violette, les yeux perçants et la forte odeur d'antiseptique qu'il dégageait. Dans l'autre main, il tenait ce qui, au premier coup d'œil, ressemblait à un pied humain qu'il aurait distraitement rapporté du bloc.

« Oui, mais je ne suis pas très doué, répliqua Grant.

— Plus doué que certains. J'ai vu des hommes qui ne s'étaient pas contentés de deux doigts, mais qui sont arrivés ici avec quatre phalanges dans un sac plastique. Scie circulaire ?

— Oui. »

Le médecin acquiesça. Il lâcha la main de Grant. « Il n'y avait pas moyen de les réimplanter ?

— Les réimplanter ?

— Les remettre en place.

— Je les ai oubliés. J'étais saoul.

— Ah, fit le médecin. Asseyez-vous, je vous en prie. »

Ils s'enfoncèrent dans les profonds fauteuils de part et d'autre de la table basse. Le médecin ne prêtait aucune attention à ce qu'il tenait dans les mains.

« J'ai vu un jeune homme une fois qui s'était tranché la main avec une scie circulaire. Pas une scie encastrée sur une table. Une de ces scies maniables, comment on appelle ça, déjà ?

— Une scie portative.

— Oui. Une scie portative. La scie a reculé, comme cela arrive souvent, d'après ce qu'on m'a dit, et lui a coupé la main libre, au niveau du poignet. Sous le coup de la panique, ou de je ne sais quelle émotion qui dominait son raisonnement, il n'a pas fait de garrot, mais a plongé son poignet dans le feu, plus ou moins comme Caitlin l'a fait. (Le médecin secoua la tête.) Remarquable, la volonté humaine, poursuivit-il. Le jeune homme est venu lui-même à l'hôpital en voiture, avec sa main amputée, et quand je lui ai dit que je pourrais réimplanter mais qu'à cause de la brûlure j'allais devoir lui raccourcir un peu l'avant-bras, vous savez ce qu'il m'a répondu ? Pas question d'avoir un bras plus court que l'autre, oubliez la main. »

Le médecin sourit.

« Comment va ma fille, docteur Wieland ? »

Le visage de son interlocuteur redevint sérieux, même si ses yeux scintillaient. « Elle est merveilleuse, monsieur Courtland, elle est merveilleuse. Tout le monde est sous le charme.

— Et son pied ? fit Grant.

— D'après ce que j'ai compris, nous n'avons pas le pied.

— Sa jambe, je veux dire, rectifia Grant.

— Dommage qu'on n'ait pas le pied. J'aurais aimé examiner l'incision, même s'il n'y avait aucun espoir de réimplantation. » Il baissa alors les yeux sur le pied dans sa main. Grant l'imita. Il s'agissait d'un modèle anatomique en plastique, les os et les tendons tous visibles dans les articulations mises à nu.

« À cause de la brûlure ? s'enquit Grant.

— Absolument. »

Il dévisagea le médecin. « Et si elle s'était fait un garrot ? »

Le chirurgien le fixa, une esquisse de sourire aux lèvres. « D'après ce que j'ai compris, monsieur Courtland, Caitlin pensait devoir descendre la montagne toute seule. Elle avait donc besoin de ses deux pieds, pour ainsi dire. C'est exact ?

— Oui.

— C'est pour cette raison qu'elle s'est tranché le pied, non ? Parce que c'était son seul espoir ?

— Oui.

— Eh bien. J'ai opéré des jeunes gens très résistants et déterminés comme on en rencontre rarement, et si l'un d'eux m'avait raconté avoir accompli un tel exploit comme descendre d'une montagne avec un pied amputé tout en maintenant un garrot, j'aurais été convaincu que c'était la morphine qui le faisait délirer. »

Grant ne trouva rien à répondre.

« Non, monsieur Courtland. Votre fille a fait ce qu'elle croyait devoir faire pour descendre de cette montagne. Un garrot ? Non, monsieur. Ça n'aurait jamais marché. »

Il scruta Grant et secoua à nouveau la tête. « Remarquable, répéta-t-il.

— Vous allez devoir lui raccourcir la jambe ? » demanda Grant.

Le médecin fixait le pied en plastique. « Non, je ne crois pas. Mais j'aimerais vous poser une question, monsieur Courtland. Est-ce que votre fille s'intéresse à la médecine ? En tant que pratique et en tant que science ?

— Pas que je sache.

— Elle ne s'intéresse pas particulièrement à l'orthopédie ? À la technique chirurgicale ?

— Pas que je sache. Pourquoi ?

— Remarquable, répéta de nouveau le médecin, puis il garda le silence.

— Qu'est-ce qui est remarquable, docteur ?

— Tout, répondit ce dernier. Mais surtout la désarticulation.

— La désarticulation ?

— L'incision, l'incision. Avec une hache, en plus. Si je ne connaissais pas toute l'histoire, monsieur Courtland, je dirais que Caitlin a consulté le docteur Syme lui-même avant de s'emparer de cette hache. » Puis, en se servant du pied en plastique pour appuyer sa démonstration, il expliqua les détails de la procédure selon Syme. Il évoqua la désarticulation de la cheville, la résection de la malléole, et l'ablation du calcaneus par dissection sous-périostée. Et tandis qu'il parlait, son accent traînant s'éclipsa peu à peu au profit d'une passion de plus en plus intense, comme si le langage chirurgical provoquait chez lui une sorte d'excitation incontrôlable. Comme s'il prenait Grant avec ses doigts manquants pour un collègue enthousiaste en matière d'amputation.

« La désarticulation de Caitlin est magnifique », s'extasia-t-il. Il sourit, les yeux étincelants dans la lumière. Puis, sobrement, il admit que bon nombre de tissus étaient abîmés, et que cela impliquerait de nombreuses greffes complexes, ce qui ralentirait la cicatrisation.

« Mais elle est sacrément forte, fit-il, et je vais vous dire quelque chose, monsieur Courtland : dans six mois, quand elle sera équipée d'une de ces prothèses en carbone, elle regrettera de ne pas avoir perdu les deux pieds. »

Grant le dévisagea. « C'est elle qui vous en a parlé ?

— Parlé de quoi ?

— Qu'elle faisait de l'athlétisme en compétition. »

Le chirurgien le regarda, interloqué.

« On m'a dit que votre fille n'avait rapporté que deux choses de l'endroit où elle se trouvait, en dehors des vêtements qu'elle avait sur le dos, déclara l'homme. C'est exact ? »

Grant ne comprit pas.

« Je peux ? » ajouta le médecin. Il se pencha par-dessus la table basse, et ramassa le sac en plastique qui se trouvait depuis le début au pied de Grant. Ce dernier considéra l'objet, et se demanda qui le lui avait donné et quand. Le médecin desserra le cordon, plongea la main à l'intérieur et en sortit une paire de chaussures de course. Elles avaient été autrefois rose et blanc, et l'une d'elles, la gauche, avait retrouvé sa forme et était à peu près propre parce qu'elle avait été récemment utilisée dans la neige, tandis que l'autre était défraîchie et raide. À l'instant où il les vit, Grant s'en empara et éclata en sanglots.

# 71

Sean arriva dans le terminal à temps, mais l'avion de sa mère avait du retard, et il erra en boitant, la main plâtrée, à travers la multitude de voyageurs, pour finir par trouver refuge dans une petite boutique. Il fit mine de parcourir les magazines et acheta une brosse à dents et un petit tube de dentifrice, puis se rendit aux toilettes pour se brosser les dents, se laver le visage et passer ses doigts mouillés dans ses cheveux. Ses propres traits dans le miroir lui parurent vieux et étranges. Des hommes allaient et venaient. Au bout de quelques minutes, il jeta la brosse à dents et le tube de dentifrice et retourna dans le terminal pour attendre.

Il ne la vit pas d'emblée parmi les passagers qui émergeaient des portails de sécurité. Il repéra une femme mais ce n'était pas elle ; il passa à la suivante sans s'y arrêter, puis se ravisa : cette fois c'était elle. Elle le reconnut immédiatement et s'approcha de lui, les yeux rougis et pleins de larmes. Elle était plus vieille et curieusement plus petite, ses cheveux blonds coiffés différemment et parsemés de mèches blanches. Elle resta là à l'observer en secouant la tête, sans mot dire. Elle leva la main vers son visage et caressa sa joue du pouce, comme pour essuyer une larme.

« Ton père est avec toi ?

— Non, il est resté avec Caitlin », répondit-il, et à ces mots l'expression de sa mère se décomposa et elle se jeta dans ses bras tandis que le flot de passagers continuait de déferler autour d'eux. Il ne se souvenait pas de la dernière fois qu'il l'avait serrée dans ses bras, mais il avait l'impression qu'il était encore petit garçon à l'époque, qu'il avait dû tendre les bras en l'air pour l'atteindre.

Lorsqu'elle desserra son étreinte, son visage était humide, mais elle s'était reprise. Il saisit son petit sac, le mit sur son épaule. Elle lui demanda si la clinique était loin et il répondit que non, pas trop, puis ils se détournèrent et se mirent en marche. Bientôt ils roulèrent sur l'autoroute dans la Chevy pour regagner la ville, à nouveau vers l'ouest, comme il l'avait fait il y a longtemps, en direction de ces mêmes reliefs qui se dressaient de façon si spectaculaire vers le ciel.

À la clinique, dès qu'elle vit sa mère marquée à la fois par l'âge et la joie, Caitlin eut le sentiment de la connaître mieux qu'elle ne l'avait jamais connue auparavant : ses yeux ne reflétaient rien de ce qu'elle avait elle-même traversé, mais n'exprimaient que l'amour absolu et terrible d'une mère pour l'enfant qui vient d'elle, qui fait partie d'elle, qui représente tout pour elle, et dont la perte est insupportable.

## 72

L'enterrement eut lieu un jeudi matin frais et humide. Le vieil homme avait été enterré seulement dix jours plus tôt, mais les pluies avaient effacé les dernières traces de l'hiver, et l'herbe poussait déjà, pâle et verte, sur sa tombe.

Il n'y avait pas eu de cérémonie officielle; le shérif Kinney avait vu assez de journalistes et autres curieux et ne désirait que deux choses : accompagner son frère à sa dernière demeure, et que toute cette histoire soit derrière eux – même si sur ce point il savait que ce ne serait jamais le cas. Ceux qui assistèrent à l'inhumation avaient reçu un appel la veille, une fois le jour et l'heure fixés. Dans l'assistance se trouvaient : la fille Gatskill, qui portait la même robe noire que dix jours plus tôt; le vieux vétérinaire Dale Struthers, et sa femme Evelyn; Maria Valente et sa fille, Carmen; les deux adjoints du shérif et leurs épouses, ainsi que la femme de Kinney et leur fille Josephine, qui était venue de Boulder de nouveau et était incapable de détacher son regard de la fille Courtland, si frêle et silencieuse dans son fauteuil roulant, si pâle avec sa robe noire et ses cheveux sombres, les yeux perdus au loin tandis que le pasteur s'exprimait encore une fois à côté de la tombe, confiant au nom de l'assistance cette âme aux mains de Dieu. La brise emporta ses mots par-dessus les autres sépultures, jusqu'à la lisière des arbres où les corbeaux étaient perchés dans les branches, à observer.

Lorsque le cercueil fut porté en terre, quelques fleurs furent jetées sur le couvercle en bois verni noir, et Denise Gatskill lança une petite chose mystérieuse qui tinta légèrement sur la bière avant de disparaître dans les ténèbres. Puis elle s'éloigna, accompagnée d'une autre jeune femme et d'un jeune homme qui, comme elle, n'eurent rien de plus à dire à quiconque.

Un par un les autres membres de l'assistance s'écartèrent de la tombe puis serrèrent de nouveau la main du shérif ou l'enlacèrent avant de se diriger vers les Courtland et la fille en fauteuil roulant, les hommes lui adressant un signe de tête en lui tapotant maladroitement l'épaule, les femmes s'inclinant pour presser leur visage humide contre le sien. Ils serrèrent la main à Grant, Sean et Angela, et comme il n'y avait pas de mots pour décrire ce qu'ils ressentaient, ils restèrent silencieux avant de s'éloigner vers d'autres tombes pour certains, vers leurs voitures pour d'autres.

Kinney n'avait pas eu le cœur d'ouvrir à nouveau la ferme, et avait préféré inviter tout le monde au café Whistlestop où Tom Hicks préparerait un buffet, et c'est pour cette raison que Maria Valente et sa fille ne tardèrent pas pour présenter leurs condoléances. Maria dit à Angela en lui serrant la main qu'elle espérait la voir au café. Mais elle ne s'éternisa pas avec Grant et sa famille, et partit main dans la main avec sa fille. Une fois devant leur voiture, Carmen s'arrêta et regarda derrière elle. Sean, qui tenait sa cravate pour l'empêcher de voltiger dans le vent, marchait dans sa direction. Maria monta à bord, et Sean et Carmen échangèrent quelques mots. Puis la jeune fille se leva sur la pointe des pieds pour l'embrasser sur la joue et il tourna les talons et revint tête basse sur ses pas, refusant de croiser le regard de sa sœur, ou de répondre, de quelque manière que ce soit, à son sourire narquois.

Kinney raccompagna le vieux pasteur à sa voiture dans l'espoir de lui glisser quelques billets dans la main, mais l'homme déclina son offre comme il l'avait fait lorsqu'il avait enterré la mère du shérif, puis son père, tous deux membres de sa paroisse. Sur le chemin du retour, Kinney s'arrêta derrière un banc en fer et alluma une cigarette. Quelques instants plus tard, Grant le rejoignit. Kinney sortit une autre cigarette de son paquet et Grant la regarda comme s'il allait la prendre, mais s'abstint.

« Je me suis dit que j'arrêterais, dit-il.

— Tu pourras arrêter un autre jour. »

Il prit la cigarette et se pencha vers les mains du shérif abritant une flamme. Ils restèrent là à fumer en observant leurs familles rassemblées, dans leurs tenues sombres.

« Elle en est où ? dit le shérif.

— Elle cicatrise vite, selon le médecin.

— Je suis pas surpris.

— Je te remercie de nous avoir attendus pour aujourd'hui, Joe. On te remercie tous. »

Kinney balaya sa phrase d'un geste.

Grant lut ce qui était inscrit sur la tombe d'Emmet et Alice, et lut aussi la nouvelle pierre tombale fraîchement installée : WILLIAM MICHAEL KINNEY, FILS ET FRÈRE CHÉRI.

« Je ne sais pas comment le formuler autrement, déclara-t-il, mais j'aurais aimé que ton père vive assez longtemps pour voir ça. »

Kinney acquiesça. « Moi aussi.

— Les dernières choses que je lui ai dites n'était pas très agréables, avoua Grant. À Billy. J'aimerais ne pas les avoir prononcées. »

Kinney souffla un filet de fumée. « Ma dernière conversation avec lui n'était pas mieux. Il ne faisait pas d'effort pour tirer le meilleur parti des gens.

— Ouais, fit Grant. Mais maintenant, je préfère me souvenir de lui autrement. »

Ils fumèrent. En regardant leurs proches qui, à tour de rôle, vérifiaient s'ils étaient toujours en train de fumer derrière le banc. Tandis que les femmes discutaient et que les hommes écoutaient en silence, Caitlin glissa la main dans celle de la fille du shérif, et sans lever les yeux vers elle, la tint tout simplement.

« J'imagine qu'elle n'est pas allée aux enterrements des autres, dit Kinney. Les deux filles et le randonneur.

— Non. Mais les familles sont venues la voir à la clinique. Les familles des filles. » Grant se détourna et tira sur sa cigarette. « Je vais te dire, Joe, ça m'a rappelé quand elle gagnait une course. Les parents des autres venaient lui serrer la main et la serrer dans leurs bras. »

Kinney fit tomber la cendre de sa cigarette. Il scruta le ciel gris.

« Il avait encore de la famille, ce type ? demanda Grant au bout d'un moment.

— Pas beaucoup. Ses deux parents sont morts. Les enquêteurs ont retrouvé sa vieille grand-mère dans une maison de repos mais elle se souvenait à peine de son propre nom, donc ils l'ont laissée tranquille. »

Le regard de Grant se perdit au loin. Puis, il affirma : « Je l'aurais tué si j'en avais eu l'occasion, Joe. Tu le sais ?

— Oui.

— Je me suis imaginé la scène des milliers de fois. M'approcher de lui avec le fusil de ton père, et lui tirer dessus en plein visage. Peu importe ce qui me serait arrivé. »

Le shérif baissa les yeux sur ses bottes.

« J'ai allumé la télé au motel ce matin, poursuivit Grant, et ils parlaient d'une petite de neuf ans enlevée par un homme. Je ne me souviens plus du nom de l'endroit. Mais ce n'était pas très loin d'ici.

— Pueblo.

— Pueblo. C'est ça. Cette petite chose s'en est tirée quand la camionnette du type est tombée en rade et qu'il a emmené la gamine dans une supérette. Elle s'est mise à crier.

— Une petite fille courageuse.

— Oui, acquiesça Grant. Mais imagine si la bagnole du type n'était pas tombée en panne, Joe.

— Bah, fit Kinney, j'imagine que certains pourraient soutenir que Dieu veillait sur elle.

— C'est ce que tu dirais ? »

Kinney parcourut les pierres tombales du regard. « Parfois, oui. »

Grant hocha la tête. Puis : « Je me demande si je n'ai pas fait une erreur, si je n'aurais pas dû aller voir cet homme moi-même, aller voir son corps. Le voir de mes propres yeux. Je me réveille parfois et je suis persuadé qu'il n'est pas mort. Qu'il a trompé tout le monde et qu'il est toujours là, dehors, quelque part. »

Kinney le dévisagea jusqu'à ce qu'il détourne les yeux. « C'est un autre type qui a enlevé cette gamine, Grant. Je te le garantis. Devant Dieu.

— Je sais, Joe. Je sais. Mais ce n'est pas plus facile à supporter. »

Quand ils arrivèrent devant les voitures, Kinney se pencha vers Caitlin pour qu'elle puisse l'enlacer encore une fois, et Grant la souleva de son fauteuil roulant comme il avait porté Sean autrefois, et avec Angela, ils l'installèrent sur la banquette arrière du nouveau véhicule, avec des coussins dans le dos et sous la jambe. Quelques jours plus tôt, à Denver, Grant avait troqué la Chevy contre un break. Il avait voulu en profiter pour se débarrasser en même temps de la Chevy verte, mais Sean avait affirmé qu'ils seraient trop serrés et qu'il suivrait plutôt dans la vieille camionnette.

Angela s'approcha pour enlacer Kinney, et il resta courbé, à lui tapoter le dos tandis que sa femme et sa fille attendaient. Il serra ensuite la main de Grant et, doucement, celle de Sean avec le plâtre. Celui-ci s'apprêta à lui parler mais le shérif leva la main comme pour lui donner un ordre et lui signifier qu'il n'y avait plus rien à ajouter à propos de Billy. Personne ne se dit au revoir, et personne n'évoqua la possibilité de se retrouver au bar, et les deux familles s'engouffrèrent dans leurs voitures respectives. Kinney, installé derrière le volant, regarda passer le break avec ses trois passagers et la vieille Chevy avec son conducteur unique avant que le petit cortège ne s'éloigne sous les branches des pins jaunes pour tourner sur la route du comté, et il attendit encore un peu avant de démarrer lui-même, sachant qu'il ne les reverrait jamais plus.

# 73

Trois jours après, soit une semaine plus tôt que ce qu'il avait initialement envisagé, le Dr Wieland déclara Caitlin apte à voyager, et elle eut l'autorisation de quitter l'hôpital avec sa famille, sachant qu'elle serait prise en charge pour les soins post-opératoires par un spécialiste qui l'attendait dans le Wisconsin. Cet après-midi-là, Sean et elle laissèrent leurs parents au motel comme ils l'avaient fait un matin de juillet, longtemps auparavant, et ils quittèrent la ville à bord de la nouvelle voiture pour se rendre dans les montagnes, Sean au volant et Caitlin installée sur la banquette arrière avec ses coussins. Ils gravirent l'interminable route en lacets, comme avant, jusqu'à la ligne de partage des eaux, où les rivières et les torrents décidaient où aller, vers l'est ou vers l'ouest, et sans s'arrêter ils observèrent les familles garées sur le bas-côté, et aperçurent les enfants sur la pente surplombant le parking en train de tracer des anges dans la vieille couche de neige, sous le doux soleil d'avril, et ils poursuivirent leur chemin en descendant l'autre versant pour atteindre la petite station de ski. Tout était comme elle s'en souvenait. Ils passèrent devant le motel où ses parents et le garçon avaient vécu tandis qu'ils la recherchaient, tandis que le shérif et ses hommes la recherchaient, tandis que les rangers et le FBI la recherchaient, tandis que le monde entier la recherchait, et même si chacun se trouvait à moins d'une quinzaine de kilomètres à vol d'oiseau de l'endroit où elle était, personne ne réussit jamais à s'approcher d'elle.

La route s'appelait Ermine, détail dont elle se rappelait, et ils la trouvèrent. Elle serpentait entre les sapins et à chaque intersection, Sean s'arrêta tandis que Caitlin examinait sa vieille carte délavée, avant de repartir dans la direction qu'elle lui indiquait. Ils ne roulaient pas depuis longtemps lorsqu'elle lui demanda de s'arrêter et de se garer.

Il ne reconnaissait pas l'endroit, mais il coupa le moteur, sortit, prit les béquilles de sa sœur dans le coffre et attendit devant la portière tandis qu'elle s'extirpait de la voiture. Lorsqu'elle fut debout sur un pied, il lui tendit les béquilles. Elle fit quelques pas sur le bitume, s'immobilisa, leva le visage vers le soleil, et respira lentement.

« Tu vas t'habituer, remarqua-t-il.

— Je sais. Je m'en souviens.

— Tu t'en souviens ?

— J'en ai eu quand j'avais sept ans.

— Je ne me rappelle pas.

— Moi si.

— Qu'est-ce qui s'était passé ?

— Papa m'avait roulé sur le pied.

— Papa t'a roulé sur le pied ?

— J'étais sortie de la maison en courant, et il avait reculé sur mon pied. C'était de ma faute.

— Il était saoul ? »

Elle haussa les épaules. « Tout ce dont je me souviens, c'est qu'il partait sans dire au revoir. »

Ils restèrent là, au soleil. L'odeur des aiguilles sèches et de la résine suintant sur les troncs des sapins embaumait l'air. Puis ils quittèrent la route et pénétrèrent dans la forêt, Caitlin avançant avec précaution et Sean à sa suite, prêt à la rattraper tout en sachant qu'il n'aurait pas à le faire, qu'elle avait intégré les béquilles à sa façon de marcher, tout comme elle avait intégré l'absence de pied humain, et qu'elle intégrerait la prothèse lorsqu'elle en aurait une.

Ils arrivèrent dans le petit vallon encaissé et s'assirent sur le banc en pierre dans la lumière filtrant à travers les branches. La Vierge blanche et mutilée se dressait comme avant parmi les troncs pâles des trembles et les pierres tombales crayeuses. Ils eurent la curieuse impression de retourner dans le temps, au début, en sachant à l'avance ce qui allait se produire. Tout autour d'eux semblait ordonnancé, artificiel, comme un décor de cinéma ; même la lumière, même eux. Elle était essoufflée, et tandis qu'elle reprenait sa respiration, il se pencha pour voir la plaque, s'attendant à la trouver recouverte de broussailles, comme dans son rêve, mais ce ne fut pas le cas. Elle l'observa lire l'inscription, puis se tourna pour la lire elle-même.

*Le bon révérend Tobias J. Fife,*
*évêque de Denver, octroie dans sa grande miséricorde,*
*au nom du Seigneur, quarante jours de grâce*
*à ceux qui se rendent au sanctuaire des bois*
*pour prier,*
*1938.*

Les petites feuilles de tremble frémirent, et ils sentirent une brise fraîche.

« Vas-y si tu veux, fit-elle.

— Vas-y quoi ?

— Mange tes Snickers. » Elle sourit et il essaya de lui rendre son sourire.

Il sortit les cigarettes de sa poche, en glissa une entre ses lèvres, l'alluma, souffla la fumée loin d'elle. Ils gardèrent le silence. Il jeta un coup d'œil à son moignon bandé, appuyé sur sa cheville opposée, comme n'importe qui le ferait. Au bout d'une minute, il déclara : « Le vieil homme chez qui on était, le père du shérif…

— Emmet.

— Oui. Il m'a raconté une fois l'histoire de son arrière-grand-père, qui avait cassé le pied de son fils, le grand-père d'Emmet, avec la tête d'une hachette, quand il était encore gamin. Pour l'empêcher de partir à la guerre et de se faire tuer comme ses frères. C'était le dernier garçon de la famille qui restait.

— Ça a marché ?

— Je ne sais pas. Emmet a découvert ensuite que son grand-père avait tout inventé. Je ne sais toujours pas quoi croire. Parfois je me demande si je ne l'ai pas rêvé. »

Elle examina le visage de la Vierge.

« Quand tu étais petit, dit-elle, je t'entendais parler parfois de l'autre côté du mur, la nuit. Je venais dans ta chambre, je m'asseyais sur ton lit, et tu continuais de parler, comme si tu savais que j'étais là. Comme si tu avais les yeux ouverts. Je te posais des questions et tu répondais. Tu disais des trucs hilarants.

— Comme quoi ?

— Je ne sais plus. Je me souviens juste que j'avais tellement envie de rire que j'en aurais fait pipi dans ma culotte. » Elle se tourna vers lui, les yeux brillants.

« Je ne me souviens pas de ça, dit-il.

— Tu ne te souvenais jamais de rien le lendemain matin. Mais tu savais, quand tu dormais, que c'était moi. Tu disais mon nom. »

Le silence retomba. Sean fuma. Il observa à nouveau son pansement, et elle le remarqua et souleva un peu son moignon.

« Ça ne fait pas mal, précisa-t-elle. Pas tellement. Je sens des battements. Et ça gratte aussi.

— Les points de suture, répliqua-t-il en se souvenant des siens.

— Non. Mon pied. La plante. Et mes orteils. J'ai carrément l'impression de remuer les orteils, et quand je regarde il n'y a rien. Et pourtant, je jurerais que je les remue. Comme s'ils étaient invisibles. Comme si j'avais un trou noir dans mon champ de vision. »

Il songea à ce qu'elle venait de dire. Puis il demanda : « Pourquoi tu ne l'as pas rapporté ?

— Rapporté quoi ?

— Tu sais bien. »

Elle baissa les yeux vers sa jambe. « Je ne sais pas. J'aurais pu. J'ai pensé le faire. Mais quand je l'ai vu là par terre dans cet endroit, je n'en ai plus voulu. Il ne faisait plus partie de moi. Je ne sais pas comment l'expliquer, sinon. »

Il tira longuement sur sa cigarette, exhala la fumée.

« Je l'ai vu, affirma-t-il.

— Vu qui ?

— L'homme. »

Elle se détourna.

« Quand il m'a foncé dessus avec la voiture, je l'ai vu. J'ai vu ses yeux. J'ai essayé de te le dire, mais j'étais tellement… la vache, Caitlin, j'étais tellement… » Elle posa la main sur ses doigts, et serra. Ce faisant il redevint adolescent, et elle eut à nouveau dix-huit ans, ils étaient là dans ce repli de montagne tandis que leurs parents les attendaient en bas, au motel, et le déroulement des événements n'avait pas besoin d'être le même, il pourrait être légèrement modifié par un acte simple, par un changement minime, et il n'y aurait pas d'homme avec des lunettes de soleil jaunes, il n'y aurait pas de genou écrasé, pas de mois et d'années de douleur, pas de fille violée dans un chemin, pas d'Emmet et pas de Billy, pas de fille à cheval ni de fille sur une luge, pas de cabane, pas de chaînes et pas de hache, et ils redescendraient dans la vallée ensemble, et Caitlin irait à l'université, et elle courrait, et le monde n'y verrait que du feu, le monde ne ferait pas attention si ces deux jeunes gens étaient épargnés, et vivaient à la place cette autre vie.

Elle serra les doigts de son frère. Il n'y avait pas un bruit dans le vallon sinon celui de leur propre souffle. Pour finir, elle lâcha sa main, s'empara de ses béquilles et commença à se redresser, mais seulement pour se rasseoir brutalement.

« Je suis tellement faible, ça me rend dingue, maugréa-t-elle.

— Assieds-toi, suggéra-t-il. Repose-toi.

— Non. Je veux y aller, maintenant. Mais j'ai un service à te demander, Dudley. »

Il se tourna, et elle le regarda.

Il glissa un bras sous ses genoux et un autre sous ses côtes, et la souleva du banc ; elle était si légère, cette fille, cette sœur qu'on lui avait volée, cette fille de roi sacrifiée au nom de quelle offense, pour apaiser quel dieu ou quels dieux, il n'en savait rien, et ils tournèrent le dos à la statue et aux tombes, et alors qu'il se mettait en marche, elle lui demanda, le bras autour de son cou : « Tu crois qu'ils vont toujours me donner cette bourse d'athlétisme ? » et il répondit : « Peut-être. » Puis se ravisa : « Peut-être la moitié. » Elle rit, et elle était légère comme une plume tandis qu'il la portait le long du chemin, en faisant attention à sa tête, en faisant attention à son pied invisible, pour regagner la voiture.

## 74

*Ils étaient assis au bar du motel à boire un café et à regarder par la vitrine les voitures qui passaient, et le reflet des voitures dans la fenêtre du bâtiment de l'autre côté de la rue, et chaque fois que la porte s'ouvrait, ils se tournaient pour voir, et chaque fois, ce n'était pas leurs enfants ; l'air autour d'eux s'obscurcissait et le sang désertait leur poitrine, et ils eurent le temps de se revoir ce matin-là, nus dans la chambre de motel lorsque le monde s'était brusquement métamorphosé, et eux avec ; ils eurent le temps de voir tout ce qui s'était déroulé depuis, leurs deux existences tel un film muet, l'une se superposant à l'autre, comme si ces deux histoires étaient communes en fin de compte et ne pouvaient être envisagées séparément – et enfin, alors qu'ils pensaient ne plus pouvoir le supporter une seconde de plus, la porte du café s'ouvrit, et c'était lui. Blond comme sa mère, tenant la porte pour sa sœur brune appuyée sur ses béquilles, et le sang afflua à nouveau dans leur cœur, et ils se levèrent, Grant laissa vingt dollars sur la table pour leurs deux cafés et ils partirent tous les quatre en direction du parking, et quelques minutes plus tard ils se glissaient dans la circulation en direction de l'est, dans le crépuscule. Grant au volant et Angela à ses côtés, avec Caitlin sur la banquette arrière, la jambe étendue. Derrière eux, pour l'instant, Sean roulait dans la vieille Chevy verte, et derrière la Chevy se dessinait la ville éclairée qui peu à peu s'estompait, et au-delà les hauts sommets, toujours aussi imposants malgré la distance, et encore au-delà le soleil qui descendait à l'ouest, mais ils ne le virent pas – pas plus qu'ils ne remarquèrent les montagnes ni la ville ; ils ne regardaient que le ciel qui s'assombrissait devant eux, et la lune qui montait, et la route, et il s'agissait d'une route aussi droite et plate et nue que possible, et elle filait devant eux, à travers les plaines, sans rien dissimuler.*

# REMERCIEMENTS

… est un mot bien faible pour exprimer ce que je dois à tant de gens, à commencer par mon père, Joe Johnston, et ma belle-mère, Amanda Potterfield. C'est leur rêve du Colorado qui m'a permis d'écrire ce livre, point. Sans oublier : mes nièces, Brenna et Chloe, qui ont grandi en attendant que je termine ; et leur père, mon frère Tyler, qui a cru en moi et m'a soutenu tout du long. Enfin, ma mère, Judy Johnston, dont la constance et la bonté profonde ont signifié plus pour moi que je ne saurais le dire.

Pour des années d'amitié, d'hospitalité, et de conseils avisés, je remercie Mark Carroll, Carmela Rappazzo, Jim Hodgson, Nancy Russell, Nicolette, et Henry. Je remercie Chris Kelley, compatriote et lecteur avisé ; je remercie Mark Wisniewski, P.D. Mallamo, et Ted Mattison pour sa connaissance inégalée de la neige. Je serai éternellement reconnaissant à mes professeurs et amis David Hamilton, George Cuomo et Roberts French. Je remercie Thomas Mallon, Faye Moskowitz, et l'université George-Washington pour une année qui a changé ma vie, à Washington D.C. Je remercie profondément la résidence MacDowell, la fondation MacArthur, David Sedaris, Don Foster, Erin Quigley, et Marianne Merola. Pour le magnifique travail qu'elle a fourni sur mon manuscrit, je remercie Genevieve Gagne-Hawes, et je remercie mon agent, Amy Berkower : un livre et un auteur ne peuvent que rêver d'un tel soutien. Je remercie mon éditeur, Chuck Adams, pour avoir si bien bichonné cette histoire, ainsi que tout le monde chez Algonquin pour le soin exceptionnel dont mon livre a été l'objet, du début à la fin.

Pour finir, et je ne le dirai jamais assez : ma sœur Tricia, mes frères Tad et Harris, mon oncle Rick et ma tante Kathy, pour tout l'amour, la complexité, et le sens de l'humour familial, amen.

COMPOSITION ET MISE EN PAGES
DATAMATICS

IMPRESSION RÉALISÉE PAR
CAYFOSA - BARCELONE
EN FÉVRIER 2017

LE MASQUE
s'engage pour l'environnement
en réduisant l'empreinte carbone
de ses livres.
Celle de cet exemplaire est de :
879 g éq. $CO_2$
Rendez-vous sur
www.lemasque-durable.fr

Dépôt légal : avril 2017
N° d'édition : 01
*Imprimé en Espagne*